D1072435

LES CHEMINS DE L'AMOUR

Elizabeth Adler

Les chemins de l'amour

Roman

TRADUIT DE L'ANGLAIS
PAR
FRANÇOISE MAYNERIS

UNE ÉDITION SPÉCIALE DE LAFFONT CANADA LTÉE,
EN ACCORD AVEC LES ÉDITIONS STOCK

Première Partie

A ma fille Anabelle
avec tout mon amour.

1

Iowa, U.S.A., 1932

C'était une nuit sans lune ni étoiles. Un vent aigre balayait la plaine.

La fille était jeune. Lorsqu'elle descendit de voiture, son fardeau dans les bras, sa robe légère dessina des cuisses minces. Elle s'immobilisa un instant sur la route et contempla l'allée de graviers. On distinguait à peine les contours du grand bâtiment chichement éclairé. Le conducteur s'énerva : « Allez, grouille-toi, bon Dieu! On va pas y passer la nuit! »

Vacillant sur ses hauts talons, elle remonta l'allée, le cœur battant.

Les marches de l'escalier brillèrent soudain dans la lumière jaunâtre de l'unique ampoule. En frissonnant, elle déposa son paquet enveloppé dans une couverture bleue et vérifia que l'épingle de sûreté, qui tenait le tout, était bien fermée. Levant les yeux, elle aperçut la pancarte : « Orphelinat Maddox, fondé en 1885. » Ses yeux se posèrent sur l'enfant. « Aucun message, pas de mot, avait précisé l'homme, sinon ils retrouveront votre trace. » Mais le vent était si froid qu'elle regarda le heurtoir de bronze d'un air hésitant. Devait-elle frapper à la porte avant de filer? Et si quelqu'un ouvrait brusquement?

Elle se retourna et se mit à courir en se tordant les chevilles sur les cailloux. Quelques secondes plus tard, elle s'engouffrait dans la voiture et son amant démarrait. Elle était libre.

La pétarade du moteur arracha l'enfant au sommeil. Luttant

pour sortir de cette prison de laine, il se mit à pleurer, puis à hurler de rage.

Deux femmes, vêtues d'une robe de chambre, la tête hérissée de bigoudis, sortirent de la maison. « Un autre marmot! C'est le troisième ce mois-ci. Que va-t-on faire de tous ces enfants?

– Incroyable tous ces gens qui abandonnent leur gosse, grommela sa compagne. Mon Dieu, celui-ci n'a pas l'air commode. Écoute-moi ces hurlements!

– Si on appelait la police? Ils n'ont pas dû aller bien loin.

– C'est inutile. Nous ne les rattraperons pas. J'ai entendu la voiture démarrer. Nous sommes trop près des limites du comté. Les gens qui ont construit cet orphelinat auraient dû y penser. Nous récupérons les enfants illégitimes de quatre comtés sans la moindre chance de retrouver les mères. C'est un garçon ou une fille? »

L'autre ôta l'épingle de sûreté et observa l'enfant cramoisi. « Un garçon. Il a dû naître hier ou avant-hier.

– Montons-le. On va lui donner un biberon, cela le calmera peut-être. Il va finir par réveiller toute la maisonnée. »

Elles rentrèrent dans le vestibule. « Comment allons-nous l'appeler?

– Noël.

– Noël? Mais on est en avril! Il vaut mieux réserver ce nom à ceux qui naissent en décembre. »

Le rire rauque de l'autre femme résonna dans le hall. « Appelons-le quand même Noël. Il n'aura sans doute pas l'occasion de le fêter ailleurs qu'ici, le pauvre gosse! »

2

Floride, U.S.A., 1934

Le soleil levant, qui contenait la promesse d'une belle journée, éclairait la chambre d'Amélie de Courmont. Gérard referma doucement la porte derrière lui et s'immobilisa. Diverses odeurs flottaient dans la pièce : le parfum d'Amélie dans son flacon de cristal qu'elle avait oublié de reboucher, les roses qui commençaient à se faner et dont les pétales tombaient mollement sur le tapis persan et les senteurs du jardin, humide de rosée, qui pénétraient par les fenêtres ouvertes.

Le berceau du bébé, recouvert de dentelle blanche, avait été poussé contre le lit d'Amélie. S'avançant sur la pointe des pieds pour ne pas réveiller sa femme, Gérard contempla longuement sa fille. Ses paupières bordées de cils blonds et fournis battirent un instant, comme si elle avait senti le regard de son père posé sur elle, puis elle ouvrit les yeux. Ils lui parurent bleu foncé, comme ceux de son propre père, Gilles de Courmont. Ses cheveux étaient châtains et, miraculeusement, sa peau ne ressemblait pas à celle des nouveau-nés – généralement blanche avec des taches rougeâtres. Elle était dorée comme une mirabelle. Gérard lui sourit tendrement.

Dans un demi-sommeil, Amélie regarda Gérard effleurer du doigt la joue de l'enfant. Après quatorze ans d'un mariage heureux, elle avait perdu l'espoir de donner à son mari un fils pour lui succéder à la tête de l'empire industriel bâti par Gilles de Courmont. Mais Gérard ne se préoccupait pas du sexe de l'enfant, il était bien trop inquiet pour elle. Mettre un bébé au monde à quarante ans n'était jamais chose facile. Elle avait eu deux autres filles de son premier mari, Roberto do Santos. La naissance de ses jumelles, Laïs et Léonore, n'avait posé aucun problème, mais elle avait dix-neuf ans à l'époque. Cette fois-ci, sa grossesse avait été difficile. Cependant, lorsqu'elle voyait la joie de Gérard, elle ne regrettait rien.

« Zut, je vous ai réveillées toutes les deux », dit-il d'un air contrit.

Amélie lui prit la main et il s'assit au bord du lit. « Je ne dormais pas vraiment, dit-elle. Je pensais à la naissance de Laïs et de Léonore. Gérard, tu crois qu'elles seront contentes d'avoir une petite sœur ?

– Elles vont être aussi excitées que moi, dit-il fermement. Comment peut-on résister à ce charme ? » Il sortit le bébé de son berceau et le mit dans les bras de sa mère. « Regarde-la... elle est toute dorée... on dirait une petite prune. »

Amélie eut un rire joyeux et berça sa fille contre elle. « Nous allons la déclarer sous le nom de Marie-Isabelle Alice de Courmont. Mais nous l'appellerons Prune. C'est un nom charmant. »

Paris, 1934

A l'hôtel des Courmont, dans l'île Saint-Louis, le majordome tendit à Laïs le plateau à lettres.

« Un télégramme pour vous, Mademoiselle. Il vient d'Amérique. »

Elle le prit et l'ouvrit d'un geste nerveux. Ça y est, il est né, se dit-elle. Pourvu que maman aille bien! C'est de la folie de mettre un enfant au monde à quarante ans! Oh! Zut! encore une fille. Prune! Mon Dieu, quel nom! Où ont-ils pêché ça? Laïs considéra le télégramme, mal à l'aise, ne pouvant s'empêcher de penser que cette demi-sœur risquait d'agiter les eaux calmes de son existence. Et peut-être même de provoquer une lame de fond.

« C'est une fille, Bennet », cria-t-elle en se dirigeant vers la porte. Elle avait juste le temps de passer chez Cartier avant la fermeture. Elle allait acheter un bijou pour le baptême, une babiole coûteuse, extravagante qui ferait un trou dans son budget, afin de se sentir moins coupable de n'éprouver aucune joie.

Lançant le petit paquet à l'arrière de la Courmont bleue décapotable, Laïs plongea dans la circulation parisienne, tout en se regardant dans le rétroviseur.

Elle arrangea ses cheveux blonds d'un air dubitatif. Peut-être avait-elle eu tort de les faire couper. Mais c'était très à la mode, et le moyen de ne pas la suivre? Si on ne vous voyait pas dans les endroits où il fallait impérativement se montrer, on n'existait plus. Laïs était venue à Paris afin de poursuivre ses études à la Sorbonne mais, en fait, elle séchait la moitié de ses cours. Elle poussa un soupir. Après tout, comment résister à l'envie de s'amuser à son âge?

Elle se gara au coin du boulevard Saint-Germain, devant Les

Deux-Magots, et s'avança rapidement vers le jeune homme qui l'attendait depuis plus d'une heure à la terrasse.

« Vous voilà enfin, dit-il, soulagé. Je n'espérais plus vous voir. »

Mais qu'est-ce que j'ai bien pu lui trouver? se demanda Laïs. Pourquoi les hommes lui paraissaient-ils toujours mieux la nuit qu'à la lumière du jour?

Le jeune homme lui souriait d'un air anxieux. Le serveur posa un Pernod devant elle. « Buvez, Laïs, dit-il avec empressement, en lui touchant la main.

– Il faut que je m'en aille. » Elle se leva brusquement. « J'ai un rendez-vous... j'avais oublié. Je suis terriblement en retard.

– Attendez... » En se levant pour essayer de la rattraper, il renversa son verre.

Elle appuya un pied décidé, chaussé de blanc, sur l'accélérateur, puis poussa un soupir de soulagement, ravie d'avoir réussi à s'enfuir. Le crépuscule tombait, les lumières de Paris s'allumaient. La passion soudaine qu'elle avait ressentie pour ce garçon la veille au soir était morte, balayée par son manque d'assurance, sa terreur de lui déplaire. Ce que Laïs aimait, c'était l'anonymat d'une chambre d'hôtel, un rendez-vous secret dans un appartement l'après-midi, ou la moiteur d'un bateau, l'été... Parfois elle se demandait si elle ne préférait pas l'intrigue à l'acte sexuel. C'était souvent bien plus excitant que l'aboutissement.

Et cet homme qu'elle avait rencontré l'autre soir, l'exilé russe, Nicolaï? Il était différent des autres. Il l'intriguait. Il l'avait dévisagée et elle s'était troublée. Nicolaï était plus âgé que les gens qu'elle fréquentait habituellement et sans doute plus dangereux. Elle avait attendu qu'il vienne vers elle, mais il s'était contenté de la regarder sans bouger. A la fin, n'y tenant plus, elle avait fini par s'approcher de lui. Il avait eu un sourire condescendant comme celui qu'on adresse à une gamine un peu collante, puis il était parti peu de temps après avec une femme parée comme une châsse, pendue à son bras. Laïs savait que Nicolaï était invité ce soir chez les Villiers où elle se rendait en ce moment même. Elle éclata de rire soudain comme une collégienne. Elle était libre, elle avait vingt ans. Et la vie était un jeu merveilleux à condition d'obliger les garçons à le jouer selon ses propres règles.

3

Saint-Jean-Cap-Ferrat, France, 1934

Léonore de Courmont traversa à la hâte le hall de l'hôtel et entra dans le restaurant. Des clients, apparemment en surnombre, attendaient avec impatience qu'on leur attribue une table. Les mines s'allongeaient de minute en minute. C'était l'un des nombreux problèmes auxquels était confrontée quotidiennement Léonore qui tenait l'hostellerie La Rose du Cap.

Elle avait cependant été à bonne école au Palacio d'Aureville, la charmante pension de famille de sa mère en Floride. Ensuite, elle avait fait une école hôtelière à Lausanne. Six mois auparavant – elle venait d'avoir vingt ans – sa mère lui avait proposé la direction de ce nouvel hôtel situé à la pointe boisée du cap Ferrat, sur la Côte d'Azur.

Léonore se souvenait encore de la panique que cette proposition avait provoquée en elle. Et si elle se révélait incapable d'assumer cette lourde responsabilité ? Les clients seraient tous plus âgés qu'elle.

Amélie avait haussé les épaules. « Je n'étais pas plus âgée que toi lorsque j'ai pris la direction du Palacio à Miami. Ton oncle Édouard m'a simplement tendu les clés en me disant : " Il est à toi. Si tu refuses, je le vendrai. Personne d'autre ne dirigera cet hôtel. " Je m'y suis mise, j'ai travaillé dix-huit heures par jour – et, quand je rentrais, il fallait encore que je m'occupe de vous deux. Il faut plonger, Léonore, c'est la seule façon. »

Léonore se sentait plus proche des lycéennes que des directrices d'hôtel. Au début, elle avait si peur qu'elle en bégayait. Parfois encore, lorsqu'une difficulté surgissait, le détestable bégaiement la reprenait et elle se sentait rougir jusqu'aux oreilles.

« C'est la chance de ta vie, Léonore, avait affirmé Amélie,

essayant de donner confiance en elle à sa fille. Ne la laisse pas échapper, bats-toi pour gagner. »

Léonore avait l'impression qu'elle devait toujours fournir plus d'efforts que sa sœur. Pendant des années, elle avait vécu dans l'ombre de Laïs, si à l'aise, si extravertie. Cependant, au lycée, elle avait toujours été plus brillante que sa sœur, rapportant des carnets de notes dont sa mère et Gérard étaient très fiers. Laïs, en revanche, décrochait toujours le rôle principal dans les pièces que montait l'école et, en sport, elle raflait toutes les médailles.

Très jeune, Laïs avait découvert qu'avoir une sœur jumelle présentait certains avantages, notamment lorsqu'elle avait des ennuis, mais Gérard et sa mère avaient rapidement mis fin à la supercherie. En outre, elles n'étaient pas identiques. Laïs avait les yeux bleus, ceux de Léonore étaient vert-jaune, obliques comme ceux de sa grand-mère. Tes yeux de chat, la taquinait Laïs lorsqu'elles étaient petites, mais Léonore soupçonnait sa sœur de les lui envier.

S'arrêtant une seconde devant le grand miroir florentin du couloir, elle rattacha une mèche de cheveux qui avait glissé hors du ruban de velours noir. Avec son tailleur de shantung bleu marine, elle faisait très femme d'affaires, en dépit des diamants jonquille en forme de poire, assortis – ou presque – à la couleur de ses yeux, qu'elle portait aux oreilles. Sa montre Cartier lui avait été offerte par son beau-père lorsqu'elle avait pris la direction de l'hôtel et elle ne s'en séparait jamais, comme s'il s'était agi d'une amulette, de quelque gri-gri destiné à conjurer le mauvais sort. Jusqu'à présent, ce porte-bonheur ne l'avait pas trahie. Tout allait bien. Personne ne pouvait confondre Léonore avec une touriste en vacances. Elle ressemblait à ce qu'elle était : une jeune femme à la tête d'une entreprise, et dont les responsabilités, sinon les soucis, finissaient par creuser un sillon entre les sourcils. La conduite de Laïs à Paris l'inquiétait également. Elle avait peur que les frasques de sa sœur ne finissent par revenir aux oreilles de sa grand-mère, de sa mère ou de Gérard.

Avec un soupir, Léonore mit ses lunettes cerclées de métal sur son joli petit nez droit, convaincue qu'elles lui conféraient cette touche d'autorité indispensable à ses activités. Elle offrirait le champagne aux clients mécontents et ferait dresser une table supplémentaire afin que ces gens puissent s'asseoir au plus vite.

Et, naturellement, elle allait réprimander sévèrement le réceptionniste chargé des réservations.

Jim Jamieson regardait Alice suivre le chemin de ronde qui faisait le tour de la presqu'île. Son pas s'allongeait à mesure qu'elle se rapprochait de la maison, comme un oiseau impatient de regagner son nid.

De loin, on aurait dit une jeune fille, impression qu'accentuait sa démarche souple. Même de près, le temps semblait n'avoir pas de prise sur son beau visage, mis à part les rides autour des yeux que le rire, ou parfois la tristesse, creusait peu à peu.

Alice avait cinquante-six ans et elle était mariée depuis dix-sept ans. Jim revoyait encore la jeune joueuse de poker, aux manches roulées jusqu'aux coudes, qui plumait allégrement ses adversaires sur le paquebot qui les emmenait à New York. La tempête avait sévi pendant toute la traversée et Alice avait été la seule femme à quitter sa cabine – mais seulement le soir et pour rejoindre le groupe des joueurs de poker. Par la suite, elle lui avait avoué qu'elle avait si peur que le bateau ne sombre pendant son sommeil qu'elle préférait passer ses nuits debout. Sur le moment, il avait été épaté par son courage et par sa beauté. Lorsqu'elle était passée devant lui dans le salon semi-obscur, le saluant d'un signe de tête, il avait éprouvé un véritable coup de foudre. Ce n'est que plus tard qu'il avait compris que son Alice Bahri, mi-française, mi-égyptienne, n'était autre que la grande chanteuse, la star internationale qui avait conquis – une panthère docilement couchée à ses pieds – le public de Londres, de Paris et de New York. Sur scène, elle se métamorphosait en déesse égyptienne à l'aide d'un étrange maquillage et de robes dorées qui enveloppaient son corps comme une grande flamme. Cependant, dans une certaine mesure, Alice avait toujours conservé pour lui une part de mystère, due sans doute à cette double personnalité qui l'avait fasciné lorsqu'il avait fait sa connaissance.

Le petit chat brun gambadait autour d'Alice. Il y avait toujours un chat près d'elle – autrefois, les Égyptiens pensaient qu'ils étaient immortels, lui avait-elle expliqué avec un demi-sourire. En dépit de tout ce qu'il avait pu lui dire à ce sujet, Alice croyait encore aux pouvoirs mystérieux de la déesse Sekhmet, s'imaginait que c'était elle qui avait tué Gilles de Courmont. Elle gardait précieusement la statuette de Sekhmet sur son socle de marbre dans leur chambre. Une douce lumière l'éclairait à toute heure et, la nuit, elle luisait dans l'obscurité. Lorsqu'il riait et la taquinait sur ce sujet, elle ne protestait pas, mais elle évitait son regard et son visage se fermait.

Jim secoua le passé d'un haussement d'épaules et alla à sa rencontre. Ils avaient assez de problèmes familiaux sans faire resurgir les morts. Devait-il ou non raconter à Alice les dernières frasques de sa petite-fille ? Caro Montalva, leur vieille amie, avait téléphoné de Paris une heure auparavant pour les prévenir. A son avis, mieux valait intervenir avant que Laïs ne provoque un scandale dans la famille Courmont, comme Alice quarante ans plus tôt.

Celle-ci éprouvait toujours un vif plaisir à se promener dans le jardin dont elle s'occupait pendant des heures. Au crépuscule, la piscine ressemblait à une mare sombre et luisante. Elle s'asseyait souvent sur le banc pour regarder le coucher du soleil. A la maison, autrefois un simple mas carré et blanc, Jim et elle avaient ajouté des arches et des patios aux sols en terre cuite, frais et ombragés par la verdure. C'était son terrier, son refuge. L'endroit qu'elle préférait au monde. *Sa vie avait commencé ici.* Et c'est ici même qu'elle avait fini par s'accepter totalement.

Mme Frénard mettait le couvert dans la salle à manger. Elle disposa le grand vase bleu rempli de fleurs des champs au milieu de la table. Aussi loin que remontaient les souvenirs de Léonore, elle avait toujours vu la vieille dame ici. « Bonsoir, madame Frénard, cria-t-elle pour se faire entendre de la domestique dont la surdité s'aggravait.

– Bonsoir, mademoiselle Léonore. Vous avez de bonnes nouvelles de votre petite sœur ? »

La jeune fille se mit à rire. Prune, âgée de trois mois, était au centre de toutes les conversations. « J'ai des photos. Je vous les montrerai tout à l'heure », promit-elle.

Elle sortit sur la terrasse donnant sur la baie. Une bouteille de champagne rafraîchissait dans un seau. Elle aperçut Jim et sa grand-mère qui remontaient vers la maison et agita le bras pour signaler sa présence. Ils formaient un beau couple. Lui, grand, mince, très Américain. Et elle... si belle encore. Elle trouvait le moyen d'être jolie avec une simple jupe et une vieille chemise. Léonore se demanda avec nervosité si elle devait parler de Laïs.

Alice posa sur sa petite-fille un regard critique avant de l'embrasser. « Léonore, tu devrais t'habiller moins sévèrement, dit-elle. Tu es trop jeune pour être aussi... collet monté! »

La justesse de l'expression les fit rire.

« Je n'en dirais, hélas, pas autant de ta sœur, dit Jim, d'un ton plein de sous-entendus.

– Pourquoi? demanda vivement sa femme. Laïs a fait des bêtises?

– Oui, moi aussi j'ai entendu parler de cette histoire, dit Léonore.

– Bon, allez-y. Dites-moi tout de suite le pire.

– Le pire a vingt ans de plus que Laïs, annonça Jim. Il en a tant fait que les siens l'ont foutu dehors et ne veulent plus en entendre parler. Il se prétend russe et aristocrate – le seul membre de sa famille a avoir survécu à la Révolution. Ses biens et son argent auraient été, selon lui, confisqués par les bolcheviks. Il a été chauffeur de taxi pendant un temps, puis chanteur dans des boîtes variées. D'après Caro, c'est un maquereau. Il vit actuellement avec Laïs qui l'entretient. Cependant, il a d'autres sources de revenus qu'elle ignore peut-être.

– Quel genre? demanda Alice.

– Il fournit tout ce qui est susceptible d'être acheté – des femmes, de la drogue, etc. »

Le visage d'Alice se ferma. « Qu'est-ce que tu sais là-dessus, Léonore? »

La jeune fille avait les yeux rivés au sol. « Il faut vraiment que je te le dise?

– Oui, bien sûr.

– Bon. Il y a eu des plaintes pour tapage nocturne. Les gens ont appelé la police...

– Assez de scandales, dit Alice d'un ton ferme. Je vais partir pour Paris dès demain. »

Sa main tremblait en prenant sa flûte de champagne. Jim se demanda si c'était de colère ou de honte.

Alice ne pouvait jamais entrer chez Gilles de Courmont sans une sensation de malaise, bien qu'elle n'y eût jamais mis les pieds de son vivant. Pendant leur liaison, ils avaient vécu sur son yacht, ou dans la maison de la place Saint-Georges, ou encore à Saint-Jean-Cap-Ferrat, chez elle. Ce n'est qu'après le mariage de sa fille Amélie avec Gérard, le fils de Gilles, qu'elle avait été invitée dans l'île Saint-Louis. Mais elle y sentait sa présence. Son sévère et beau visage la regardait à travers des générations de Courmont dont les portraits ornaient les murs.

La femme de chambre la fit entrer au salon, et Alice, stupéfaite, regarda autour d'elle. Une épaisse couche de poussière recouvrait les meubles. Les fleurs, fanées depuis longtemps, pendaient lamentablement dans leur vase de cristal à demi rempli d'une eau putride. Des assiettes et des verres traînaient partout, et le magnifique tapis était constellé de taches. Elle écrasa du verre brisé sous ses semelles et se pencha pour ramasser les restes d'un carafon de Lalique. Elle se tourna avec colère vers la petite bonne.

« Mais où est Bennet ? » Le majordome anglais, au service des Courmont depuis des années, avait toujours tenu la maison de façon impeccable. Était-il malade ou sénile ?

« Il est parti, Madame. » La fille semblait lasse et son tablier était sale.

« Comment ça, parti ?

– Il y a quinze jours. Il a dit qu'il ne reviendrait pas. Ils sont tous partis, sauf Jeanne et moi. Mais nous aussi on va filer, à la fin de la semaine – enfin, à condition qu'on nous paie nos gages !

– Où est Laïs ? » demanda sèchement Alice.

La fille évitait son regard. « Je crois qu'elle dort encore, Madame. »

Alice jeta un coup d'œil à la pendule posée sur la cheminée.

« Où est sa chambre ? s'enquit-elle en se dirigeant vers la porte.

– Madame, Madame... attendez... » La soubrette fit une tentative maladroite pour lui barrer le chemin. « Elle dort. Je ne crois pas que... Oh ! Mon Dieu », gémit-elle, voyant Alice monter l'escalier d'un pied décidé.

D'un regard, Alice enregistra l'incroyable désordre qui régnait dans le petit salon jouxtant la chambre de Laïs. Les embrasses des rideaux de soie à demi fermés gisaient sur la moquette. Un flacon de cognac aux trois quarts vide avait laissé des ronds poisseux sur la table en bois de rose. La pièce empestait le tabac refroidi et l'alcool. Avec une grimace de dégoût, elle tira brutalement les rideaux et ouvrit grand la fenêtre.

« Jeanne, c'est vous? » La voix endormie de Laïs lui parvint de la chambre voisine. « Apportez-moi du café, s'il vous plaît. Beaucoup de café... chaud, surtout! Pas comme hier.

– Laïs, veux-tu t'habiller immédiatement et sortir de cette chambre, s'il te plaît? »

Une tête hirsute émergea des oreillers. « *Grand-mère!* Va-t'en, oh! va-t'en, je t'en supplie! »

D'un revers de main, Alice balaya la lingerie qui traînait sur le fauteuil et s'assit. « Je t'attends. Et je t'en prie, dépêche-toi.

– Écoute... je te retrouve dans une demi-heure où tu voudras, mais va-t'en.

– Je ne bougerai pas d'ici.

– Qu'est-ce qui se passe? s'enquit une voix à l'accent russe. Tu ne peux pas rester tranquille pour une fois, espèce d'idiote?

– Chut, murmura Laïs.

– Ne te mets pas à chuchoter alors que tu cries depuis dix minutes! Bon Dieu, je t'ai dit que je voulais dormir! Que fait ta grand-mère ici? De quoi se mêle-t-elle? Laisse-moi régler le problème!

– Non, non, Nicolaï, chuchota Laïs. Je vais m'en occuper. Attends... »

Alice se leva, le dos bien droit, le menton agressif, posture qu'elle adoptait volontiers pour se donner du courage. Tout en enfilant un peignoir de soie, Nicolaï s'avança dans le salon. C'était un grand diable à la carrure impressionnante. Ses yeux noirs, fixés sur Alice, luisaient sous d'épais sourcils broussailleux.

« A quoi devons-nous cette soudaine visite? demanda-t-il, enfonçant ses mains dans ses poches et se penchant vers elle d'un air menaçant.

– Je suis ici pour parler à ma petite-fille, répondit-elle, glaciale. Veuillez avoir l'obligeance de le lui dire.

– Nous vous demandons de partir. Immédiatement! » Le doigt de Nicolaï montra la porte entrouverte sur le couloir. Derrière, la bonne s'activait obscurément sans rien perdre de la scène.

« Qui êtes-vous, monsieur? s'enquit Alice d'un air méprisant.

– Je suis le comte Nicolaï Oblakoff, ancien officier de l'armée du tsar. Je descends d'une des plus anciennes familles de Russie, répondit-il en se redressant de toute sa taille.

– Vous descendez en effet... en chute libre, même. Depuis quand vous faites-vous entretenir par Laïs?

– Oh! Grand-mère! » La jeune fille s'interposa entre Alice et Nicolaï. Ses cheveux blonds étaient tout emmêlés et il restait encore des traces de son maquillage de la veille sur son visage. Le cœur serré, Alice remarqua ses yeux cernés et bouffis.

« Je t'en prie, grand-mère! Attends-moi en bas. Nous pourrons parler seules.

– Tu n'es pas chez elle, enfin! vociféra Nicolaï. Ce n'est pas son argent que tu dépenses. De quoi se mêle-t-elle?

– Je vais expliquer les choses à grand-mère. Tout va s'arranger, mais laisse-nous un moment.

– Regarde-toi, Laïs, cria Alice, hors d'elle. Regarde cette maison! Tu en as fait une porcherie. Tu n'as pas honte? C'est le domicile parisien de ton père. Comment oses-tu dormir sous un toit avec ce... cet imposteur! »

Fou de rage, Nicolaï la saisit par les épaules et la secoua sans ménagement. Laïs se précipita sur lui et lui griffa le visage de ses longs ongles laqués de rouge. « Espèce de salaud! cria-t-elle. Je t'interdis de la toucher! »

Nicolaïs porta la main à son visage et regarda d'un air incrédule la trace de sang sur ses doigts. Prenant son élan, il flanqua une formidable gifle à Laïs qui perdit l'équilibre et tomba. « Voilà comment nous traitons les putes dans mon pays, dit-il, méprisant, en rajustant son peignoir.

– Je sais qu'il y a dans votre vie beaucoup de choses susceptibles d'intéresser la police, monsieur, répliqua Alice en décrochant le téléphone. Je vais vous faire chasser de cette maison et si vous osez y revenir, je porterai plainte contre vous. Je vous rappelle que Laïs est mineure. Vous vous retrouverez derrière les barreaux.

– Rassurez-vous, je m'en vais, dit Nicolaï qui savait reconnaître ses défaites. Cette demeure est effectivement une porcherie et cette fille une putain doublée d'une souillon. » D'un coup de pied, il écarta une bouteille qui se trouvait sur son chemin et s'enferma dans la salle de bains.

« Nicolaï! cria Laïs en sanglotant, attends... s'il te plaît.

– Laïs! » La voix d'Alice était glaciale. « Viens avec moi! Je veux que tu te regardes dans la glace. »

Elle la prit par la main et l'entraîna devant le miroir qui ornait la cheminée. « Dis-moi ce que tu vois... »

Laïs scruta son reflet à travers son œil enflé par la gifle.

« Alors? demanda sa grand-mère, que vois-tu? Une putain ou une souillon? Les deux, peut-être. Nicolaï a raison. »

Laïs accusa le coup. « Non, grand-mère, non, ce n'est pas ça. Tu ne peux pas comprendre.

– C'est un rôle que tu joues? Un jeu qui t'amuse?

– Je l'aimais », murmura-t-elle.

Alice la regarda, étonnée. « C'est vrai?

– Vous voyez... » Nicolaï, vêtu d'un costume impeccable, s'approcha des deux femmes en nouant sa cravate. « Elle m'aime, je vous l'ai dit. C'est elle qui est venue me chercher. Elle ne pouvait plus vivre sans moi. Sans ce que je lui fais... »

Laïs regardait Nicolaï dans la glace. Trois mois auparavant, elle s'imaginait qu'elle avait toutes les cartes en main, qu'elle pouvait prendre n'importe quel homme et le congédier quand elle en aurait assez. Mon Dieu, comment en était-elle arrivée à cette horrible dépendance?

« Nicolaï, en descendant, laissez une adresse à la femme de chambre. Je vous renverrai vos affaires, dit Laïs. Et ne remettez jamais les pieds ici. »

Nicolaï se dirigea vers la porte. « Ma chère Laïs, dit-il d'un ton plein d'ironie, je n'ai plus aucune raison de vous revoir. J'ai eu ce que je voulais. Cela ne m'intéresse plus du tout. »

Les deux femmes guettèrent le bruit de la porte d'entrée se refermant sur lui, puis Laïs se laissa tomber dans un fauteuil et se mit à sangloter. « Oh! Mon Dieu, quelle horreur! Je suis désolée, grand-mère. Je ne pensais pas que ça allait devenir un tel cauchemar. Je ne sais pas, c'était de plus en plus fou... J'avais complètement largué les amarres... »

Alice la prit dans ses bras et lui caressa les cheveux, comme lorsqu'elle était enfant.

« Calme-toi, chérie. Tu le dis toi-même... C'était un moment de folie. C'est fini.

– Qu'est-ce que je vais faire maintenant? demanda Laïs en larmes.

– Je vais te ramener en Floride, chez tes parents, déclara Alice. Et auprès de Prune. Peut-être t'aidera-t-elle à reprendre pied dans la réalité. »

4

Noël Maddox était petit pour ses sept ans – bien plus petit que son meilleur copain, Luke Robinson. Mais il est vrai que celui-ci avait dix ans. Ses cheveux roux, ses yeux bleus et son air d'innocence ne manquaient jamais d'amuser les gens. Luke obtenait tout ce qu'il voulait et on lui pardonnait tout.

Noël était assis sur un banc, tout près du bureau de Mme Grenfell. Il attendait Luke. Ses cheveux épais infestés de poux avaient été tondus quinze jours auparavant. Cette tête rasée faisait ressortir l'ossature proéminente de son visage étroit et ses oreilles paraissaient deux fois plus grandes qu'elles ne l'étaient en réalité. Chose étrange : il n'y avait plus rien d'enfantin dans son visage. Ses yeux gris, enfoncés dans leurs orbites, vous regardaient avec gravité et ses lèvres étaient toujours sèches, fendillées par le vent qui balayait la plaine et s'engouffrait entre les divers pavillons de l'orphelinat.

Le corps chétif de Noël semblait tassé dans son tablier d'un bleu passé et, lorsqu'il était assis sur un banc, ses pieds, contrairement à ceux de Luke, ne touchaient jamais le sol. Bien sûr, les cheveux de son camarade n'avaient pas subi le triste sort des siens. La sous-directrice affirmait que Luke n'avait jamais eu de poux. Elle ne savait comment expliquer ce phénomène. La chance, tout simplement. Les anges le protégeaient. Oui, Noël en était également convaincu. Il s'agita sur son banc. Il attendait depuis une bonne demi-heure et, si la surveillante tombait sur lui, il se ferait gronder.

Luke ne lui avait pas dit pourquoi Mme Grenfell l'avait fait appeler, mais ce devait être important pour être si long.

La porte s'ouvrit soudain. Un bruit de voix, puis le rire amusé d'une femme lui parvinrent. Noël se raidit. *Ce n'était pas le rire de Mme Grenfell.* Il se leva promptement et s'éloigna sans faire de bruit tout en surveillant la porte. Luke apparut soudain. Il se retourna, fit un geste d'adieu aux gens restés à l'intérieur puis s'avança dans le couloir.

« Luke! » Noël l'attrapa par le bras.

« Oh! Salut! » Luke continua son chemin. Il semblait avoir oublié qu'il avait expressément recommandé à Noël de l'attendre.

« Qu'est-ce qui t'arrive? demanda l'enfant. Tu as des ennuis?

– Des ennuis? Pourquoi? Non, je n'ai rien fait. »

Lorsque Mme Grenfell lui avait demandé, par l'intermédiaire de la surveillante, de venir dans son bureau, Luke et Noël avaient réfléchi au motif de cet appel et passé en revue toutes les « fautes » dont Luke aurait pu se rendre coupable. Ils s'étaient perdus en conjectures. Et voilà qu'il semblait avoir également oublié cela. Noël était de plus en plus étonné.

« Alors, qu'est-ce qu'elle te voulait? »

Luke haussa les épaules. « Y avait des visiteurs. Ils voulaient voir certains enfants, j'imagine. »

Noël fronça les sourcils. Les visites étaient rares à l'orphelinat. Parfois, un couple âgé venait et repartait avec une petite fille enveloppée dans une couverture rose. Mais les gens demandaient rarement à voir des garçons de leur âge. Réfléchissant à tout cela, Noël ralentit le pas, puis il courut presque pour rattraper Luke.

Dans la cour à l'herbe rare, quelques garçons, en short et tee-shirt blanc, jouaient au basket-ball, surveillés distraitement par M. Hill qui venait deux fois par semaine, plus le samedi, pour leur faire faire de la gymnastique et du sport. Noël détestait tout exercice physique. En outre, il était complexé par sa maigreur et savait qu'il avait piètre allure dans cette tenue. Il n'était pas fameux au base-ball, et carrément nul au football. Mais, au lieu de le ménager – il était le plus jeune –, M. Hill le houspillait, l'exhortait à progresser de la voix et du geste, sans cesse sur son dos.

C'était Luke qui l'avait protégé des poussées méchantes de

M. Hill dans les mêlées autour du panier, et, Luke encore qui, s'étant adapté à son rythme pendant-l'épreuve du cross-country, était arrivé bon dernier, loin derrière les autres. Sans lui, Noël serait mort au bout d'un demi-mile. Il s'était arrêté sur le bas-côté de la route caillouteuse, hors d'haleine, des papillons noirs devant les yeux. Luke l'avait dépassé, puis il était revenu sur ses pas et l'avait aidé à se relever. « Allez, viens, gamin. La première partie, c'est toujours la pire. Au début, faut jamais forcer. On va courir ensemble. »

La gratitude et l'admiration avaient embué le regard de Noël. Il avait été admis à l'orphelinat en même temps qu'un groupe de filles qui avaient toutes été adoptées. Noël avait été, de ce fait, privé de la compagnie d'enfants de son âge. Les autres étaient plus âgés – plus vieux que Luke, même, ou alors tout petits, des bébés logés dans un pavillon à part. Avec ces mots, Luke rompit l'isolement dont souffrait Noël. Et, en retour, celui-ci se mit à lui vouer une affection sans bornes. Il ne le quittait plus, lui faisait son lit, glissait son pantalon sous son matelas pour lui refaire un pli et cirait même ses chaussures le dimanche matin. Sa dévotion était totale. Luke, bien qu'il n'eût que dix ans, était populaire parmi les plus âgés, à cause de sa taille et de sa personnalité, mais il tolérait Noël. Il lui souriait, l'appelait « le gamin » devant les autres. Cependant, lorsqu'ils étaient seuls, Luke lui parlait. Il lui énonçait tout ce qu'il posséderait plus tard. Mais jamais il ne lui disait ce qu'il voulait faire. C'était toujours une énumération de choses. Une maison, confiait-il à Noël qui l'écoutait avec respect, une grande cuisine bien chauffée où on peut s'asseoir et manger autant de gâteaux qu'on veut et boire de grands verres de lait froid, et de belles chambres en haut avec des vrais lits moelleux, pas comme ceux de l'orphelinat. Et l'escalier serait recouvert d'un tapis blanc, épais (c'est ce que Noël préférait). Il y aurait un garage où il rentrerait sa grosse automobile rouge, très chère. Et naturellement, ajoutait-il avec un coup de coude à Noël, il y aurait une belle fille à côté de lui. Ça chiffonnait Noël, cette histoire de fille. C'est lui qui aurait dû être à côté de Luke. Il se rembrunissait, désappointé. En outre, il pressentait là une sorte de mystère qui le troublait, sapait son sentiment de sécurité tout neuf et encore fragile. Pourquoi une fille? Quelle idée!

A l'orphelinat, on essayait de séparer les filles et les garçons.

Vêtues l'été de robes informes et trop longues, l'hiver d'un uniforme bleu marine coupé dans un tissu rêche, elles apprenaient à lire, à écrire et à compter, de façon à pouvoir être *placées.* Les agences de personnel de maison s'arrachaient les « filles Maddox », considérées comme des *perles.* En outre, elles étaient toujours nettes et modestement habillées. Maddox insistait pour qu'on leur laissât leur dimanche afin qu'elles puissent aller à la messe. L'orphelinat avait ses exigences.

Pour la plupart des garçons, seule la présence des filles rendait supportables les cours d'anglais et d'arithmétique. Des regards langoureux s'échangeaient au-dessus des vieux pupitres maculés d'encre et des billets passaient de main en main derrière les bancs. On se donnait rendez-vous au poulailler, à la nuit tombée. Il se passait là des choses que Noël ne comprenait pas mais dont il pressentait qu'elles ne devaient pas faire partie du « style Maddox ». Un jour on l'avait envoyé chercher des œufs et il était tombé sur un couple étroitement enlacé. La fille avait vivement détourné la tête, de peur d'être reconnue. Le garçon, Matt Brown, lui avait crié : « Dégage, bon Dieu, fous le camp! » Noël avait eu le temps d'apercevoir le corsage de la fille déboutonné jusqu'à la taille et la main du garçon fourrageant dedans. Troublé, il s'était dépêché de prendre les œufs, tout en sifflant d'un air dégagé et en chassant les poules. Il l'avait raconté à Luke qui avait rigolé : « Sacré Matt! Quel veinard, celui-là. » Remarquant le regard interrogateur de Noël, il avait ajouté : « T'es trop petit. Un jour, tu comprendras tout ça. »

Deux semaines après la mystérieuse visite à Mme Grenfell, l'univers de Noël bascula. Un jour, Luke fut dispensé d'assister au cours de math et appelé chez Mme Grenfell. Ses camarades le regardaient avec commisération, persuadés qu'il allait se faire réprimander. Cependant, Luke revint, une heure plus tard, le visage rayonnant. A la fin de la classe, les plus âgés l'entourèrent et l'assaillirent de questions. Ils parlaient et riaient fort. Noël traînait à la lisière du groupe, du cercle magique, essayant de recueillir des bribes de conversation. « A quoi ils ressemblent? Ils sont riches? Où habitent-ils? Quel genre de bagnole? Dans combien de temps vont-ils venir te chercher? »

Noël, pâle, les poings crispés dans ses poches, attendait, appuyé contre le mur.

« Non seulement ça, disait Luke, mais ils ne veulent pas me faire quitter tous mes amis. Ils ont décidé de fonder une sorte de famille toute faite. Ils m'ont proposé de choisir moi-même un frère ou une sœur. »

Noël écoutait, le cœur battant.

Il y eut des exclamations incrédules. « Toi-même? C'est pas vrai!

– Enfin, bien sûr, il faut qu'ils approuvent mon choix, sinon il faudra recommencer. »

Reprenant espoir, Noël s'approcha du groupe. Il se haussa sur la pointe des pieds, vit le visage rouge d'excitation de son camarade. « Quand? cria-t-il. Quand, Luke? »

Leurs regards se croisèrent. « Samedi », répondit-il. Puis Luke érigea son pouce, l'air de dire: tout est O.K., et lui fit un clin d'œil.

Noël poussa un soupir de soulagement. Il prit une grande bouffée d'air et s'éloigna. Il longea le couloir recouvert de linoléum marron, passa devant le réfectoire avec ses rangées de chaises alignées devant de longues tables et huma l'odeur de désinfectant mélangée à celle, encore plus tenace, de leur brouet quotidien constitué de légumes et d'une sauce brune. Il atteignit le vestibule et, bien que ce fût interdit, ouvrit grand la porte d'entrée. Il contempla les marches de pierre usées, l'allée de gravier et la grande grille en fonte qui le séparait de la liberté. Un grand bonheur s'empara de lui. Luke allait enfin le délivrer.

A l'orphelinat Maddox, la coutume voulait qu'on donnât aux enfants abandonnés des noms répandus qu'on retrouvait partout en Amérique – Smith, Brown, Robinson, etc. et des prénoms de saints, Matthiew, Mark, Luke, John, Paul, Peter. Pour les filles, c'était Cecilia, Mary ou Joan. En revanche, les bébés s'appelaient tous Maddox, du nom de l'orphelinat. Mme Grenfell ne manquait jamais l'occasion de leur rappeler que porter un nom aussi estimé constituait un privilège. Noël était un Maddox parmi une douzaine d'autres et il savait qu'il y en avait des centaines d'autres dans le monde. « Partout où vous irez, disait fièrement Mme Grenfell, on saura que vous étiez l'un des nôtres. »

« Comment elle s'appelle, ta famille? demanda Noël le soir même, crachant sur les chaussures de Luke pour les faire briller.

– Malone. » Luke eut un large sourire. « Ce sont des Irlandais. C'est pour ça que je leur ai plu – les cheveux roux et tout ça...

– Malone. » Noël savourait le nom. C'était un bon nom, solide, un de ces patronymes qu'on se passe de père en fils. Il se remit à frotter le cuir avec ardeur.

« Qu'est-ce qui va se passer, samedi ? demanda-t-il.

– Ils viennent à 4 heures. Pour le thé. On va tous être ensemble pour apprendre à se connaître un peu. Et puis on s'en ira. Bien sûr, s'ils n'aiment pas l'autre, il faudra qu'ils reviennent. Mais ça m'étonnerait », ajouta-t-il avec un clin d'œil.

Le jour J. on leur recommanda de mettre leurs habits du dimanche et de bien se tenir pendant la cérémonie d'adieu. A la fin, on annoncerait l'heureux élu, choisi par Luke. *Pour être son frère*, se dit Noël.

Sur une estrade de fortune dressée au fond du hall, on avait disposé une table ornée d'un gros bouquet de fleurs des champs et six chaises de bois alignées sur une seule rangée.

Mme Grenfell précéda ses visiteurs sur le podium. La sous-directrice, souriante, invita les nouveaux parents à s'asseoir. Luke, tout excité, prit place à côté de Mme Malone qui lui tapota gentiment la main. Elle était petite et mince, plutôt jeune. Noël la trouva très jolie. M. Malone, grand, très droit, était vêtu de tweed confortable. Le fourneau de sa pipe dépassait de sa poche. Il semblait calme et jovial – comme devrait l'être tout père de famille, se dit Noël.

« Nous avons beaucoup de chance, commença Mme Grenfell, de la voix haut perchée qu'elle prenait toujours pour faire ses discours, que M. et Mme Malone aient songé à Maddox pour offrir un foyer à deux d'entre vous. Bien sûr » – elle jeta un coup d'œil aux visages attentifs par-dessus ses lunettes –, « ils nous manqueront. Mais ce sont deux de nos meilleurs sujets et je suis certaine qu'ils feront tout leur possible pour s'intégrer à leur nouveau foyer et rendre leurs parents heureux. »

M. Malone s'agita sur sa chaise et jeta un coup d'œil furtif à sa femme derrière le dos de la directrice. Mme Malone haussa légèrement les sourcils puis détourna la tête. Perdu dans ses rêves dorés, Noël n'entendit pas la phrase suivante. Il vit soudain

Cecilia Brown se lever de son siège et monter sur l'estrade dans un tonnerre d'applaudissements. C'était la plus jolie fille de Maddox. Elle avait douze ans et vivait à l'orphelinat depuis la mort de ses parents, tués huit ans auparavant dans un accident d'automobile. Sa tante, la sœur de son père, n'avait pas voulu d'elle. Célibataire endurcie, elle refusa tout net de s'encombrer d'une nièce. Non seulement elle ne venait jamais la voir, mais elle ne lui écrivait même pas. La chance souriait soudain à Cecilia et elle le méritait bien. Mme Malone passa un bras autour des épaules de sa nouvelle fille. Cecilia lui adressa un sourire tremblant et prit la main de Luke.

Noël sentit le sang se retirer de son visage. « Viens, chuchota son voisin. Tout le monde doit sortir pour leur dire au revoir. »

Noël descendit l'escalier dans un brouillard et resta derrière les autres. M. et Mme Malone montèrent dans la belle voiture rouge. Cecilia embrassa ses amis et, avec un sourire timide, prit place à l'arrière. Deux petites valises furent rangées dans le coffre. C'était vraiment une belle voiture!

« Noël! Noël! » Luke se fraya un chemin à travers les enfants et prit la main du petit. « Bonne chance! Je t'écrirai dès que je pourrai, parce que j'ai l'impression que je vais être très occupé maintenant. » Il se retourna et se dirigea à grands pas vers la voiture, costaud, roux et rayonnant de confiance. « Hé! Dis donc, cria-t-il en se retournant, je t'ai laissé quelque chose sur ton lit. Un cadeau. » Puis, avec un dernier geste d'adieu, il monta à côté de Cecilia. La voiture s'ébranla et roula lentement vers le portail, vers la liberté.

Noël était étendu sur son lit, le cadeau encore enveloppé à côté de lui. La crème pâtissière avait taché le papier rose. La vision de Cecilia souriant timidement flotta un instant devant lui, suivie de celle de Luke, si fort, si grand, si libre, assis à côté d'elle. Noël savait que, chez les Malone, les lits seraient confortables, les tapis épais. Et dans la belle voiture rouge Luke serait assis à côté d'une jolie fille. Luke Robinson – non, Luke Malone – était un gagneur. Noël prit le reste du gâteau et l'écrasa dans sa main. Ses doigts étaient tout poisseux. Alors, les yeux secs, sombre et désespérément solitaire, il alla aux toilettes et y jeta le présent de Luke.

5

Prune, âgée de cinq ans, se souvenait du temps où elle était *très* petite. A cette époque, Laïs lui paraissait immense. Elle essayait constamment d'attirer le regard impatient de sa sœur et glissait sa petite main dans la sienne. Elle voulait toujours la suivre partout. A présent, elle était grande et Laïs lui permettait de s'asseoir sur le tapis blanc de sa chambre lorsqu'elle se préparait pour une soirée. Prune lui tendait ses belles boucles d'oreilles ou bien lui glissait une bague scintillante au doigt, admirant les longs ongles laqués, copiant la moue de Laïs en train de mettre son rouge à lèvres.

Amélie tomba et se fractura l'os de la hanche deux jours avant leur départ pour la France. A l'idée de renoncer à ce voyage, le premier depuis que sa grand-mère l'avait ramenée *manu militari* chez ses parents cinq ans auparavant, Laïs n'en dormait plus. Pourtant, ce ne furent ni ses larmes ni sa colère qui décidèrent ses parents à l'envoyer en France toute seule avec sa sœur, mais la déception d'Alice.

« Très bien, dit Gérard à Laïs, tu peux partir, mais je te préviens que tu devras t'occuper entièrement de Prune. C'est une grosse responsabilité.

– Ne t'en fais pas, répondit Laïs, folle de joie. Je ne la quitterai pas d'une semelle. »

Prune, surexcitée, parcourait la nursery en lançant ses animaux en peluche dans tous les coins. Elle finit par trouver ce qu'elle cherchait au fond du coffre à jouets. C'est là qu'Amélie l'avait relégué, furieuse contre Laïs qui avait eu l'idée absurde d'acheter un nécessaire de toilette pour le baptême de sa sœur. La boîte, recouverte de velours, portait le sigle de Cartier. Elle effleura du doigt les lettres dorées, puis souleva le couvercle et les couches protectrices de papier de soie. C'était un superbe vanity-case divisé en compartiments. On pouvait y ranger des bijoux, diverses babioles et, au-dessous, des crèmes et des lotions dans des flacons de cristal taillé aux bouchons d'émail. Peignes et brosses complétaient le tout. Prune s'assit sur ses talons avec un soupir de satisfaction. Le nécessaire serait parfait pour le voyage.

Gérard les emmena à New York. Le quai était envahi de voyageurs entourés de leur famille et de leurs amis. Tout le monde jacassait et riait. Un orchestre jouait des airs connus. Prune eut l'impression que le transatlantique était aussi grand que leur hôtel de Floride.

Papa la prit dans ses bras pour franchir la passerelle. Prune serrait contre elle le précieux nécessaire dont elle avait refusé de se séparer. Leur cabine était remplie de fleurs. Elle courut partout, excitée comme une puce, se demandant pourquoi ce bateau ressemblait tant à un appartement. Papa faisait d'ultimes recommandations à Laïs et celle-ci l'écoutait avec le plus grand sérieux. Ensuite, il y eut des baisers et des au revoir à n'en plus finir. Elles firent de grands signes à Gérard redescendu sur le quai. L'orchestre jouait trop fort et, soudain, Prune eut envie de pleurer.

« Oh non! Pas de larmes, dit fermement Laïs, sans pitié pour les commissures affaissées de la petite fille. Avec moi, on ne pleure pas. »

Le premier soir, Laïs lui fit mettre sa jolie robe d'organdi, sa large ceinture de satin rouge et des chaussures en cuir rouge assorties. Puis elle lui intima l'ordre de ne plus bouger pendant qu'elle-même se maquillait pour la soirée. La robe de Laïs était rouge aussi, très étroite et elle moussait comme de l'écume.

A dîner, on les installa avec d'autres personnes. Le voisin de Prune, un gros homme dont la veste s'ornait d'un nombre impressionnant de galons, s'occupa gentiment d'elle et lui dit qu'elle était bien belle dans sa robe blanche. Ensuite, elles gagnèrent la salle de bal. Prune, assise sur une chaise dorée, serrait contre elle le sac de satin que sa sœur lui avait confié. Au bout d'un moment, elle se mit à bâiller. La fumée lui piquait les yeux, le bruit la fatiguait et elle avait perdu Laïs de vue. Les hommes, paternels, lui caressaient les cheveux en passant et les dames s'indignaient de la voir encore debout à cette heure tardive.

« Cette enfant serait mieux au lit, fit observer une passagère. Où est passée sa mère ?

– C'est pas ma mère, répliqua Prune d'un air endormi. C'est ma sœur. »

Sur ces entrefaites, Laïs réapparut et ordonna promptement à Prune de la suivre. « De quoi se mêlent-elles, celles-là ? marmonna-t-elle, furieuse. Tu avais envie d'aller te coucher ?

– Non, oh non ! répondit l'enfant, essayant de suivre les grandes enjambées de sa sœur. Moi je voulais rester avec toi. »

Laïs ouvrit la cabine et poussa la fillette à l'intérieur. « Bon, dépêche-toi de te coucher. » Elle lui ôta sa robe.

Prune s'assit au bord du lit et enleva ses chaussures. Elle portait encore sa chemise, ses knickers et ses socquettes. Elle ne voyait ni chemise de nuit ni verre de lait. *Et où était son Teddy ?*

Laïs hésita, rentra dans la chambre et finit par dénicher l'ours sous une pile de vêtements. « Tiens, et maintenant, dépêche-toi de dormir. »

Prune hocha la tête. « Oui, murmura-t-elle en se recouchant. Mais... où vas-tu ?

– Danser », répondit Laïs en refermant la porte.

Laïs dansa toutes les nuits pendant la traversée. Elle dormait dans la journée. Prune jouait dans la nursery avec les autres enfants. Elle s'amusait, bien qu'elle se sentît parfois seule. Maman lui manquait. Et Laïs aussi. Chaque soir, elle la regardait se préparer. Prune dînait de bonne heure avec les autres enfants et Laïs la couchait avant de descendre à la salle à manger. Les mouvements du bateau berçaient l'enfant et elle se réveillait rarement lorsque Laïs rentrait à l'aube.

A Paris, elles allèrent tout droit au domicile parisien du père de Laïs, dans l'île Saint-Louis. D'un air inquiet, Prune contemplait les vastes pièces et les bébés joufflus qui la regardaient du plafond. Laïs les appelait des chérubins.

A toute heure du jour, Prune avait le droit d'entrer à la cuisine et de réclamer du pain et du chocolat. Voilà une chose que maman n'aurait jamais permise si elle avait été là.

Une nuit, l'abus du chocolat lui donna mal au cœur. Titubante de sommeil, elle se leva et partit à la recherche de Laïs. Elle longea rapidement le couloir qui la séparait de la chambre de sa sœur et aperçut avec soulagement de la lumière sous sa porte. Elle ouvrit et, à sa stupeur, vit deux silhouettes nues, enlacées. Elle ne reconnut pas Laïs immédiatement parce qu'elle était cachée sous l'homme.

« Prune! » Laïs sauta du lit, s'enveloppant dans le drap. « Bon Dieu, que fais-tu ici?

– Tu ne devrais pas jurer », dit Prune, l'air désapprobateur.

L'homme s'esclaffa et Laïs lui lança un regard courroucé. Elle prit sa sœur par la main et la reconduisit dans sa chambre. En tremblant elle lui donna un verre d'eau. « Promets-moi que tu ne diras rien à maman ni à Gérard. » Prune hocha la tête sans comprendre pourquoi sa sœur lui demandait ça.

Elles partirent pour Saint-Jean-Cap-Ferrat dès le lendemain. Grand-mère ressemblait beaucoup à maman et parlait tout le temps d'elle. Léonore aussi était là. Elle l'aimait beaucoup, mais pas autant que Laïs.

Au bout d'un moment, Prune commença à remarquer des choses étranges dans le comportement des grandes personnes. Elles s'interrompaient brusquement de parler quand elle entrait dans une pièce et prenaient cet air faussement enjoué des adultes lorsqu'ils veulent détourner l'attention des enfants. Cependant, leurs yeux ne souriaient plus comme avant. « La guerre, disaient-ils. Mon Dieu, on a fini par en arriver là! » Prune regardait leurs visages incrédules, sentant l'effroi dissimulé derrière ce mot qu'elle ne connaissait pas.

Il y eut soudain une grande effervescence. Leurs deux valises furent bouclées en toute hâte. Elles devaient repartir le jour même. Jim s'était arrangé pour leur réserver une cabine sur un paquebot. « C'est sans doute le dernier qui part pour New York avant longtemps », dit-il à Laïs.

Prune avait mal à la tête. « S'il te plaît, Jim, je peux rester? Tu veux bien? »

Il la souleva et l'embrassa sur les deux joues. « C'est impossible, ma chérie. Ta maman et ton papa te réclament. Nous nous reverrons bientôt, ma Prune. De toute façon, l'heure des adieux n'a pas sonné. C'est moi qui vous emmène à Marseille. On se dira au revoir là-bas. »

L'enfant dormit pendant une partie du voyage, mais elle avait l'impression qu'ils s'arrêtaient et repartaient constamment. En outre, les bagages, entassés à l'arrière, l'empêchaient de s'allonger sur la banquette. Elle regarda par la vitre et remarqua que tout le monde allait dans le même sens.

« On ne peut pas rentrer ? J'ai tellement mal à la tête, gémit-elle.

– Essaie de dormir, chérie, dit fermement sa sœur. Ça va être un long voyage.

– Mais j'ai vraiment mal, Laïs. » Elle se pencha en avant, mit ses bras autour du cou de sa sœur et appuya sa tête douloureuse contre la joue fraîche de Laïs.

Laïs prit la main de Prune dans la sienne. « Jim, il faut rentrer. Elle est brûlante de fièvre », dit-elle en le regardant d'un air inquiet.

Pendant tout le trajet du retour, Prune dormit dans les bras de Laïs. En entendant le ronronnement familier du moteur, Alice, surprise, remonta vivement l'allée. Dès qu'elle comprit de quoi il retournait, elle prit Prune dans ses bras et la plongea dans un bain froid pour faire tomber sa température. Le médecin qu'on avait fait venir en toute hâte, l'examina d'un air soucieux. « C'est une rougeole », annonça-t-il enfin. Laïs se mit à rire. « La rougeole n'est-elle pas une maladie bénigne chez les enfants ? demanda-t-elle. Je me demande si Prune n'en rajoute pas un peu. »

Cependant, l'état de l'enfant s'aggravait d'heure en heure. Sa tête et ses jambes la faisaient terriblement souffrir. Puis elle eut la sensation que sa poitrine l'écrasait. Elle respirait avec difficulté et gémissait : « Papa, papa... »

« Ce n'est pas une rougeole, déclara le Dr Marnaux à l'hôpital de Nice, c'est la poliomyélite. Il s'agit d'une maladie rare qui n'affecte que les enfants et les adolescents. On va la mettre sous tente à oxygène pour l'aider à respirer. Mais vous savez... je ne peux pas vous laisser beaucoup d'espoir. »

Laïs pâlit et écarquilla les yeux. « Que voulez-vous dire ? Que ma sœur va mourir ? » Elle s'avança vers lui et agrippa les revers de sa blouse. « Mademoiselle, voyons..., dit-il, essayant de se dégager. C'est une maladie que nous connaissons mal. Mais, bien sûr, rien n'est encore perdu ! »

Les mains de Laïs retombèrent le long de son corps et le

médecin lissa ostensiblement sa blouse froissée. « Nous ferons tout ce que nous pourrons pour la sortir de là, dit-il, soudain ému par le visage décomposé des deux femmes.

– Je vais rester près d'elle », décida Alice en se dirigeant vers la porte blanche derrière laquelle reposait Prune.

Le médecin regarda Jim et haussa les épaules.

Toutes les lignes téléphoniques étaient occupées et les conversations écoutées et parfois censurées. Jim mit deux jours à obtenir Gérard à Miami.

« Je pars tout de suite, dit celui-ci d'une voix à peine audible tant la communication était mauvaise.

– Les choses sont déjà difficiles ici, avertit Jim. Une fois que vous serez en France, vous risquez de ne plus pouvoir repartir.

– Même si Prune n'était pas malade, je rentrerais pour faire mon devoir envers mon pays. »

Gérard n'avait jamais pris qu'un intérêt relatif aux affaires de son père, préférant laisser la direction des usines automobiles et des aciéries à des gens compétents. Le fait que cet empire industriel fût à présent en danger ne le touchait pas beaucoup, en comparaison du drame que représentait pour lui la terrible maladie de sa fille.

En faisant jouer ses relations, il put prendre un vol pour Lisbonne. Après avoir attendu en vain l'avion de Paris pendant deux jours, il partit pour Madrid, puis, de là, prit le train de Barcelone où il parvint à convaincre un chauffeur de taxi réticent de le conduire à Gérone. Là il chercha une voiture. Comble de l'ironie pour un homme qui possédait l'une des plus anciennes firmes automobiles d'Europe, il ne put dénicher le moindre véhicule. Fou d'inquiétude pour sa fille, il finit par se rendre au consulat, jouant des coudes pour se frayer un chemin à travers la foule des gens qui, la mine sombre, attendaient leur visa. Le nom de Courmont était connu et il n'eut pas plutôt tendu sa carte au planton qu'il fut introduit dans le bureau du consul. Ce dernier mit immédiatement à sa disposition sa propre voiture et son chauffeur. Gérard fit le trajet de Gérone à Nice dans une vaste Chrysler portant fanion américain, qui faisait se retourner les gens allant en sens inverse.

Alice fut, comme toujours, frappée par la beauté de Gérard. Il ressemblait étonnamment à Gilles, mais sans la dureté et l'expression perverse de son père. Il était bon, civilisé et s'intéressait avant tout à sa famille et à son métier d'architecte. Il n'avait pas cet appétit de pouvoir qui, peu à peu, avait dévoré Gilles.

Alice l'embrassa affectueusement. « Prune est toujours dans un état grave, lui dit-elle, mais il n'a pas empiré. C'est plutôt bon signe. »

Dès qu'il prit sa main dans la sienne, Prune comprit que c'était son papa et, lorsqu'il se pencha pour l'embrasser, elle sentit le parfum familier de son eau de Cologne. Ouf, tout allait s'arranger maintenant!

Le Dr Marnaux constata que la fillette respirait mieux. Lorsqu'elle avait été admise à l'hôpital, il doutait qu'elle passât la nuit, mais sa grand-mère l'avait veillée jour et nuit pendant plus d'une semaine. Elle lui parlait tout doucement et chantait des berceuses qu'elle entendait peut-être.

Le dixième jour, Prune ouvrit enfin les yeux et, le lendemain, elle fut déclarée hors de danger.

« Maintenant, il n'y a plus qu'à constater les dégâts », dit le médecin à la famille rassemblée dans son bureau. Devant leur air interrogateur, il ajouta : « La maladie a attaqué les centres nerveux. Il faut voir les membres qui ont été touchés.

– Vous voulez dire qu'elle pourrait rester infirme? demanda Laïs, les yeux agrandis par l'horreur. *A cinq ans!*

– Les séquelles peuvent être légères. Nous allons le vérifier très rapidement. »

Alice était auprès de Prune la nuit où la petite fille s'éveilla. Elle sourit à l'enfant. « Tends-moi les mains, chérie, murmura-t-elle, laisse-moi les prendre. »

L'enfant sourit et obéit.

« Très bien... maintenant les jambes. Tu as été au lit si longtemps qu'elles doivent être ankylosées. Nous allons faire un petit essai. Remue tes doigts de pied. »

Prune essaya à plusieurs reprises, mais sans succès. Elle se mit à rire. « Ils sont trop fatigués, grand-mère, murmura-t-elle. On recommencera demain. »

Le jour où il lui glissèrent les deux jambes dans ces gouttières d'acier attachées par d'affreuses courroies de cuir, Gérard fut appelé d'urgence à Paris par le gouvernement français. « Je ne serai absent que quelques jours, mon petit cœur, dit-il à sa fille.

– Mais qu'est-ce que je vais faire sans toi, papa ? demanda-t-elle, au bord des larmes. Pourquoi ils m'ont mis ces trucs sur les jambes ? Pourquoi je ne peux plus marcher ni courir comme avant ?

– Ça va venir, ma chérie, sois patiente, dit Alice en la serrant contre elle. Il faut simplement réapprendre à tes muscles à fonctionner. Ils sont devenus paresseux.

– Promets-le-moi, grand-mère, la supplia Prune. Je veux pouvoir attraper le petit chat. »

Alice rit à travers ses larmes. « Je te le promets », dit-elle d'un ton solennel.

Les quelques jours de Gérard se transformèrent en une semaine, puis deux. Enfin, il téléphona pour prévenir qu'on l'envoyait à Valenciennes rencontrer la direction de Courmont et qu'il donnerait de ses nouvelles dès qu'il pourrait. Puis, pendant un mois, ce fut le silence.

Alice travaillait tous les matins avec Prune, un peu l'après-midi, et de nouveau dans la soirée. Elle attachait des poids aux jambes de l'enfant, les soulevait et les reposait. Elle les massait aussi et obligeait Prune à se lever et à avancer ses jambes l'une après l'autre. Elle n'arrêtait que lorsqu'elle la sentait proche des larmes. Un jour, Alice la porta jusqu'à la mer et Prune sentit ses jambes flotter dans l'eau comme avant, débarrassées de ses affreuses prisons d'acier.

Gérard revint, en uniforme de commandant de l'armée française. Il devait regagner Paris deux jours plus tard. Il avait réussi à joindre Amélie, toujours immobilisée par son accident. Elle souffrait beaucoup de ne pas être auprès de sa fille. Les quelques bateaux qui effectuaient encore la traversée étaient bondés et souvent torpillés. Un navire rempli de femmes et d'enfants avait coulé quelques jours auparavant. Prune et Laïs devaient rester avec Alice, et Gérard viendrait les voir dès qu'il pourrait. Il partit très vite, sans dire un mot sur sa mission. Prune le suivit des yeux avec anxiété. Elle vit la voiture de l'armée, conduite par un chauffeur, disparaître dans un nuage de poussière. Elle avait promis à son père que, lorsqu'il reviendrait, elle remarcherait toute seule.

L'automne glissa tout doucement dans l'hiver. En dépit du froid, Prune et Alice continuaient de nager dans la piscine de l'hôtel à présent déserte. La petite fille reprenait lentement ses forces.

Trois mois plus tard, en février, le Dr Marnaux put enlever la gouttière gauche. Mais sa jambe droite, encore trop faible, avait besoin de son support d'acier. Un jour, Alice surprit Prune, les yeux fixés sur la prothèse avec une expression d'horreur si profonde, si peu enfantine qu'elle en fut secouée. « Je hais ça, grand-mère, je hais ça, dit-elle d'un ton farouche. Un jour, je la jetterai dans la mer. »

« C'est une bonne chose, en un sens, que Prune, Laïs et Léonore soient avec toi en ce moment », dit Jim.

Alice et lui prenaient leur petit déjeuner. Elle arrêta de beurrer sa tartine et le considéra, surprise. « Pourquoi spécialement en ce moment ? »

Jim posa sa tasse. « Je pars pour Paris demain, chérie. Je suis peut-être trop vieux pour me battre, mais mon expérience d'organisateur et d'administrateur peut servir. »

Elle aurait dû deviner qu'il essaierait de partir. Jim n'était pas homme à se planquer pendant que les autres se battaient. Gérard non plus. Elle ne savait pas exactement ce qu'il faisait, mais ils avaient de ses nouvelles de temps en temps. Il leur parlait d'Amélie, toute seule en Floride, très inquiète pour sa famille et plus particulièrement pour Prune. « Amélie est courageuse, ajoutait Gérard au téléphone. Et elle sait que vous veillez sur ses filles. »

Jim annonça lui-même son départ à Laïs et Léonore. « Il faut que je parte avec toi, Jim », dit Laïs qui s'ennuyait à mourir au Cap, désert à cette saison. En outre, tous les jeunes gens avaient été mobilisés. Au moins, Paris serait *vivant*. « Il faut absolument que je mette l'argenterie et les tableaux de l'île Saint-Louis en lieu sûr », dit-elle.

Seule, Léonore ne fut pas dupe. Elle savait pourquoi sa sœur voulait rentrer à Paris.

6

Laïs arpentait le salon comme un lion en cage. De temps à autre, elle s'arrêtait et jetait un coup d'œil par la fenêtre. Les ponts étaient déserts, les rues silencieuses.

Elle laissa retomber l'épais rideau de brocart jaune. Au loin, on entendait un bruit sourd, celui de l'armée victorieuse venant prendre possession de Paris.

Le personnel était parti et il régnait un silence de mort dans la maison. Seul le gardien, dans sa maisonnette près de la grille, était resté. Le fidèle Bennet, rentré peu après l'expulsion de Nicolaï, était parti la semaine précédente pour le Midi. Il comptait vivre à l'hôtel pendant toute la durée de la guerre. Le majordome était à présent si âgé que Laïs se demandait s'il parviendrait jamais à destination. L'exode tournait au cauchemar. Toutes les routes vers le Sud étaient encombrées de familles fuyant la ville, leurs biens arrimés sur le toit des voitures. Les Allemands les mitraillaient à basse altitude.

Elle avait fait de son mieux pour convaincre Bennet de rester, mais le vieil homme ne voulait ni voir les Allemands entrer dans Paris ni vivre seul avec elle dans cette maison. Laïs haussa les épaules. Elle savait ce que le majordome pensait d'elle. Quoi qu'il en soit, elle ne pourrait jamais rester seule ici. *Il fallait qu'elle aille voir ce qui se passait.*

Elle monta dans sa voiture, traversa le pont Marie et se dirigea vers la Concorde en longeant la Seine. La France était vaincue. Afin d'éviter les bombardements, qui avaient déjà en partie détruit Reims, Paris avait été déclarée ville ouverte. Les Allemands étaient censés en prendre possession le jour même.

Lorsqu'elle aperçut la hideuse svastika flottant sur le toit de l'hôtel Crillon – le Q.G. allemand – Laïs ne put retenir ses larmes. Les rues étaient vides, les volets fermés, les boutiques closes. Personne ne voulait voir l'ennemi entrer dans la cité. Laïs avait le sentiment de vivre un cauchemar. Pleurant toujours, elle prit une rue transversale. Le sourd grondement des véhicules blindés s'entendait de partout. Elle parcourut quelques centaines de mètres puis tourna dans la rue de Rivoli. Quelques personnes, le visage gris et amer, se tenaient derrière des rangées de gendarmes français à la tenue impeccable.

Une escouade de motards descendit la rue Boissy-d'Anglas dans un bruit d'enfer. Ils étaient casqués et sinistres dans tout ce cuir noir. Une longue Mercedes suivait, svatiska au vent. Laïs aperçut le chauffeur, raide, imbu de l'importance de sa mission. Les yeux de l'homme, assis à l'arrière, se fixèrent un instant sur elle et son monocle étincela au soleil. Une rangée imposante de médailles ornait son poitrail.

Laïs tourna brusquement les talons et courut vers sa voiture. Là, pelotonnée sur la banquette, elle sanglota sur Paris et sur elle-même.

Lorsque ses larmes se tarirent, elle s'assit et se regarda dans le rétroviseur. Elle repoudra son visage bouffi et réajusta les peignes d'écaille qui retenaient ses cheveux en arrière, de part et d'autre d'une raie médiane. Puis elle dissimula ses yeux rougis derrière des lunettes noires. Elle n'était pas trop mal. Ce qu'il lui fallait, à présent, c'était de la compagnie. Et un verre!

Elle chercha un café ouvert, mais tout était fermé. Elle erra en voiture, évitant le nord de la ville, encore encombré de colonnes allemandes. Aux Halles, quelques bistrots accueillaient les hommes qui déchargeaient les camions. Laïs s'assit au comptoir. « Un cognac, s'il vous plaît », demanda-t-elle, la voix rauque d'avoir tant pleuré. Le barman posa un verre devant elle. Elle le prit d'une main tremblante et but l'alcool d'un trait. « La même chose, s'il vous plaît », demanda-t-elle au garçon. Son regard rencontra dans la glace celui de l'homme assis sur le tabouret voisin. Il avait le teint olivâtre, des cheveux très bruns, légèrement bouclés, et un grand front. Il tenait à la main une bouteille de cognac dont il se servait de solides rasades. Laïs détourna la tête et avala une gorgée d'alcool.

« Les Allemands vous sont restés en travers de la gorge, hein? A moi aussi. » Il parlait à voix basse avec un léger accent.

Elle hocha la tête.

« Vous êtes étrangère? »

Laïs fronça les sourcils. Il était insistant. Mais, après tout, elle aussi avait besoin de compagnie. Tous ses amis avaient quitté Paris. « Moitié française, moitié américaine », répondit-elle.

Il se pencha vers elle et la resservit. « Je pars pour l'Espagne, dit-il. Je suis catalan, de Barcelone. Enrique Garcia... pour vous servir », ajouta-t-il avec un sourire.

Laïs regardait fixement son verre. Avait-elle vraiment envie de se faire draguer dans un bistrot aujourd'hui? Elle songea à tous les hommes avec qui elle avait couché après une nuit passée à danser, terminée aux Halles devant une soupe à l'oignon. Elle avait trop bu et les larmes lui montèrent aux yeux. Cette guerre allait tout gâcher. Elle se tourna vers le Catalan. Il lui sourit gentiment. Il comprenait. Une conversation surprise un jour entre sa mère et son oncle Sebastiao do Santos lui revint brusquement à la mémoire.

« Elle est comme lui, Amélie, disait-il. Tu sais qu'il y avait deux êtres en Roberto. Tu ne connais pas toute l'histoire et tu ne la connaîtras jamais. Roberto t'aimait, mais il menait une double vie. Il était incapable de résister à certaines tentations, surtout quand Diego était dans le coup. »

La porte avait claqué et Laïs était restée un moment immobile dans le hall, le cœur battant. La vision de son père – celle qu'elle portait en elle – était née d'une vieille photo sépia écornée: Roberto, blond comme les blés, avec un visage ouvert et de magnifiques yeux bleus. On lui aurait donné le bon Dieu sans confession. *Et elle était comme lui.* Que signifiait cette phrase? *Qu'était-elle au juste?*

Elle poussa son verre vers l'Espagnol. « Je m'appelle Laïs... pour vous servir », plaisanta-t-elle.

Ils terminèrent la bouteille en bavardant. Il donnait des cours d'économie à la Sorbonne et il était correspondant à Paris d'un journal catalan. Il aurait dû quitter la France depuis longtemps, expliqua-t-il à Laïs, mais, Dieu sait pourquoi, il avait traîné. Après tout, c'était intéressant de voir comment les Parisiens réagissaient à cette défaite.

Il faisait nuit noire et une odeur de fruits et de légumes avariés flottait dans les rues des Halles. Ils reprirent la voiture.

« Une Courmont! s'exclama Enrique, épaté. Elle est formidable, cette voiture. »

Laïs conduisait en silence. Elle rentra à l'île Saint-Louis en évitant les grandes artères, trop soûle pour se préoccuper du couvre-feu, mais les rues étaient désertes et personne ne tenta de l'arrêter. Enrique eut un sifflement admiratif en voyant l'hôtel particulier. « Vous vivez ici? demanda-t-il, surpris.

– Je suis une Courmont, comme la voiture, répondit Laïs en claquant la portière. C'est la maison de mes parents. »

7

L'officier allemand monta à grandes enjambées les marches de l'hostellerie La Rose du Cap, puis s'arrêta. Sa silhouette trapue se profila un instant sur l'horizon bleu. Alice serra la main de Prune dans la sienne et jeta un coup d'œil à Léonore. « Pas un mot, souffla-t-elle, à moins qu'il ne vous adresse directement la parole. Laissez-moi m'occuper de ça.

– Mais, grand-mère...

– Ils n'oseront pas maltraiter une vieille dame. »

Léonore ne put s'empêcher de sourire. A soixante-six ans, Alice en paraissait cinquante. Elle était vêtue d'une robe jaune et chaussée de sandales beiges. Le collier de perles que Jim lui avait offert brillait à son cou et ses cheveux blonds étaient tirés en un chignon flou. Elle était l'incarnation même du chic parisien, et tout homme normalement constitué – fût-il un ennemi – ne pouvait que la trouver belle et désirable. « Si ce type vient pour violer une femme, chuchota Léonore, rien ne prouve que ce soit moi qu'il choisisse. »

Alice réprima son rire. L'officier s'avançait vers elles.

« Commandant Gerhard von Steinholz. » Il ôta sa casquette et claqua les talons en s'inclinant. « Madame, je vous ai vue sur scène bien des fois quand j'étais jeune. A Paris et à Munich. C'est un grand honneur pour moi de rencontrer mon idole.

– Je suis toujours contente de faire la connaissance d'un

admirateur, sauf lorsqu'il s'agit d'un ennemi de mon pays, répondit-elle sèchement.

– Les malheureux hasards de la guerre, madame. Mais cela ne change pas nos opinions personnelles. » Il se tourna vers Léonore et claqua de nouveau les talons. « Mademoiselle... » Son pâle regard se promena sur elle avec insistance.

« Ma petite-fille, Léonore de Courmont. »

Ignorant la main tendue, Léonore fit un bref signe de tête.

« Ah oui ? Une Courmont... d'adoption, n'est-ce pas ? »

Léonore rougit de colère. « Gérard de Courmont est mon beau-père », précisa-t-elle sèchement. Puis elle se mordit la lèvre, furieuse qu'il ait déjà réussi à la faire parler.

« Et la petite ? » Il sourit à Prune qui lui lança un regard craintif, en dépit de la fascination qu'exerçait sur elle la rangée de médailles et le galon doré de son couvre-chef.

« Prune de Courmont... la plus jeune de mes petites-filles. »

Steinholz tapota la tête de Prune de sa main potelée. Prune se tortilla, mal à l'aise. « Ah ! Celle-ci est une vraie Courmont, n'est-ce pas ? » Il avisa soudain la prothèse de la petite : « Que lui est-il arrivé ?

– Elle a été malade, mais elle va mieux à présent.

– Nous avons de bons médecins, madame. Si je peux faire quelque chose pour vous... ils sont à votre disposition. J'aime beaucoup les enfants, vous savez. J'en ai trois.

– Merci, mais Prune a été très bien soignée.

– Et maintenant, c'est grand-mère qui s'occupe de moi », intervint Prune.

Elle se frotta la tête là où il l'avait touchée. Elle n'aimait pas cet homme. Serrant plus fort la main d'Alice, elle se dissimula derrière sa grand-mère.

Steinholz fit signe au jeune officier qui l'attendait, trois mètres plus loin. « Kruger !

– Mon commandant... » L'officier s'avança, puis s'arrêta, les yeux fixés au loin.

« Je vous présente le capitaine Volker Kruger. Il va travailler à l'hôtel. Naturellement, nous souhaitons que vous continuiez à le diriger comme par le passé. Lui se chargera de la distribution des chambres et de l'approvisionnement. Seuls, des officiers supérieurs viendront se reposer ici en rentrant du front. Vous recevrez des hôtes très spéciaux. Nous comptons organiser ici des conférences au sommet avec nos alliés italiens. Le coin est idéal, vous comprenez. Très retiré. Mais rassurez-vous, madame, votre établissement sera traité avec égards. Vous continuerez comme avant, tout en assurant ce petit travail supplémentaire pour nous.

– Herr von Steinholz, dit Alice, je veux garder le contrôle absolu de mon hôtel. Le capitaine Kruger s'adressera à ma petite-fille ou à moi-même. Personne d'autre que Mlle de Courmont ne dirigera cette maison. »

Steinholz pinça les lèvres. « Nous pourrions le réquisitionner, vous savez », dit-il d'un ton furieux.

Alice avait compris qu'il souhaitait, par vanité pure, qu'elles restent toutes les deux. Une chanteuse célèbre et une Courmont pour diriger son hôtel, quelle aubaine!

« Oh! Et puis après tout, si vous y tenez! Kruger, vous avez compris? Vous travaillerez avec ces dames. De toute façon, dans ce domaine, elles ont plus d'expérience que vous. »

Une lueur de colère passa dans les yeux du capitaine. Ce doit être un petit bureaucrate dévoré par l'ambition, épaté par sa soudaine montée en grade, se dit Alice. Un homme certainement dangereux.

Steinholz se tourna vers Léonore avec un sourire ironique. « C'est normal, à présent que les Allemands dirigent les usines Courmont, que vous teniez à garder le contrôle des petites affaires de la famille. »

Elles étaient sans nouvelles de Gérard depuis six mois, mais savaient que les Allemands avaient pris possession des aciéries familiales qui produisaient à présent des armes et des véhicules pour le Reich.

« Mes hommes seront là dans la matinée. Je vous souhaite une bonne nuit. J'ai été ravi de faire votre connaissance. » Il se dirigea vers la porte et ses pas résonnèrent sur le marbre. Sur le seuil, il se retourna. « Dites à la petite, qui se cache derrière sa grand-mère, qu'elle a la permission de se baigner dans la piscine de l'hôtel autant qu'elle voudra. »

« Grand-mère, dit Prune à Alice qui lui enlevait sa gouttière pour la nuit, on ne peut pas la jeter dans la mer maintenant? »

Le visage de la fillette respirait la santé. Ses cheveux cuivrés, tirés en arrière, étaient maintenus par un ruban. Elle regardait sa grand-mère avec le plus grand sérieux.

Alice s'arrêta, les courroies de cuir à demi défaites. « Tu parles de ta gouttière? »

Elle hocha la tête.

« Je sais que tu la détestes, répondit-elle, mais tu en as besoin. » La jambe droite, sortie de sa prison d'acier, était sensiblement plus mince que l'autre.

« Je peux marcher sans elle.

– Mal, chérie.

– Si, je vais y arriver, dit-elle d'un ton farouche. Et je ne veux pas me baigner dans la piscine avec ces hommes. Je n'irai plus jamais là-bas. »

D'elles trois, c'était Prune que la rencontre avec l'officier allemand avait le plus choquée.

« Nous nagerons dans la mer, grand-mère, promit-elle, mettant sa petite main sur l'épaule d'Alice. Ils ne peuvent pas nous en empêcher, n'est-ce pas? »

Comment pouvait-elle comprendre si bien la situation? s'étonna Alice. Le ton de l'Allemand, peut-être, ses claquements de talons, le galon doré sur la casquette. Elle savait instinctivement que le pouvoir était de leur côté.

« Allez, dit-elle d'un ton léger, couche-toi vite, à présent. Nous reparlerons de ça demain matin.

– Ils seront là demain matin, répondit Prune en s'enfonçant sous ses couvertures. *Ce ne sera plus jamais comme avant.* »

8

Vêtue du dernier tailleur de printemps de Chanel, coiffée d'un petit chapeau, Laïs descendit la rue Cambon d'un bon pas. Elle avait rendez-vous avec son nouvel amant au bar du Ritz.

« Laïs! » Il lui fit signe. Il était entouré de plusieurs officiers.

« Tu es en retard, dit-il d'un ton réprobateur.

– Privilège de femme », répondit Laïs en s'asseyant. Elle jeta un coup d'œil à la ronde. « Et moi qui croyais que Chanel avait raflé tous les galons dorés! » Des rires saluèrent sa plaisanterie.

Elle but une gorgée de champagne. « Mmmm, le paradis, dit-elle, s'adossant à sa chaise. Un pur délice. » Croisant ses longues jambes gainées de soie, elle regarda tranquillement les hommes qui l'entouraient. « Eh bien, messieurs, qui se bat si vous êtes tous là? »

Ils rirent de nouveau, charmés par sa beauté et son esprit. « *Liebchen,* dit le plus grand, mettant une main possessive sur son genou, je ne pourrai pas déjeuner avec toi aujourd'hui. J'ai une réunion. »

Laïs fit une moue désappointée.

« Mais, ce soir, nous dînons tous ensemble chez Maxim's. Dis à Johann de mettre une bouteille de champagne à rafraîchir. Et commande du caviar et le fameux plat qu'Albert nous prépare toujours. Tu vois ce que je veux dire? C'est du veau... et une omelette norvégienne avec des fraises des bois.

– Tout ce que tu préféres, en somme », observa sèchement Laïs.

Il lui adressa un sourire rayonnant, puis dit à ses compagnons: « Oh... je m'aperçois que je ne vous ai pas encore présentés. Général von Rausch, de l'Oberkommando, et ses aides de camp, le capitaine Albers, le major Dorsch, de la Waffen S.S... Mademoiselle Laïs de Courmont. Et voici Herr Otto Klebbich. Il vient juste d'être nommé directeur des affaires de Champagne. » Le rire de son amant fusa dans l'élégant bar du Ritz. « Tu sais qui est Otto? C'est le Führer du champagne! »

Encore une soirée mortelle, songea Laïs, irritée tout en se préparant pour la nuit. Il ne faisait aucun doute que le fait que Hitler choisît les gens de son entourage dans le même milieu intellectuel que le sien rendait les soirées mornes. Il y avait ce jeune officier pourtant, Ferdi von Schönberg, l'assistant d'Otto Klebbich... il s'y connaissait en vins. Il l'avait rejointe à un moment. Appuyée sur le piano, elle écoutait le vieux pianiste jouer des airs de Cole Porter. Les autres, restés à table, discutaient des derniers développements de la guerre. Ils avaient sorti des cartes d'état-major et, l'alcool aidant, ils commençaient à parler fort et à s'esclaffer.

Laïs chantait pour accompagner le pianiste.

I get no kick for champagne
Mere alcool does'nt thrill me at all
So tell me why should it be true
That I get a kick out of you...

« Vous aimez Cole Porter ? » lui demanda Ferdi von Schönberg en souriant.

Il était grand, blond, avec un corps jeune et ferme. « Cole Porter et le bon champagne, répondit-elle en levant sa coupe. Mais pas le vin sucré qu'ils servent là-bas », dit-elle, montrant la salle à manger d'un mouvement de tête.

Il se mit à rire. « Chacun son goût, dit-il, élevant son verre de cognac pour porter un toast.

– Oui », répondit-elle en le regardant tranquillement. A cet instant, les autres émergèrent de la salle de restaurant et elle n'eut plus l'occasion de lui parler.

Avec un soupir, Laïs enfila sa chemise de nuit de soie verte. Karl l'aimait en vert. Et en soie.

Il était déjà couché et l'attendait. Le parfum des roses dans le gros vase de cristal était entêtant. Elle ouvrit la fenêtre en grand et contempla la Seine. Une patrouille passa devant la maison, éclairant la Mercedes noire et le chauffeur derrière son volant, prêt à démarrer en cas d'urgence. Son amant était un homme important. Elle alluma une cigarette et regarda la nuit.

« *Liebchen ?* » Le général Karl von Bruhel posa sur la table de chevet le document qu'il lisait et lui sourit. « Viens te coucher, mon ange. »

Bruhel avait quarante ans, des cheveux gris et drus, des yeux très bleus et le teint frais. Il était marié depuis dix-huit ans à une femme de la bonne société munichoise dont il avait eu une fille, de l'âge de Prune.

Laïs jeta sa cigarette dehors, fit tomber les bretelles de sa chemise de nuit et s'avança lentement vers lui. La soie glissa sur ses seins, puis à ses pieds dans un doux bruissement.

Karl la dévorait des yeux. Elle hésita un court instant. Il lui faisait toujours un peu peur. Il lui mit la main entre les cuisses et l'attira vers lui. Elle poussa un petit cri, mais il savait que la brutalité l'excitait. « Dites-moi que vous aimez ça, mademoiselle de Courmont. Allons, dites-moi ce que vous voulez.

– S'il te plaît, Karl, s'il te plaît, haleta-t-elle, se tortillant sur les deux doigts qu'il avait enfoncés en elle. Oh! Karl... » Cette main qui la fouaillait durement la faisait trembler de plaisir. « Oh! Mon Dieu, mon Dieu... » Il retira brusquement ses doigts.

« Maintenant, dit-il, en se recouchant sur l'oreiller, les mains croisées derrière la tête, dites-moi ce que vous voulez, mademoiselle de Courmont?

– Je t'en prie, Karl, baise-moi, oh, baise-moi », le suppliat-elle.

Avec un rire de triomphe, il la souleva et l'empala sur son sexe, savourant ses gémissements et ses pupilles dilatées par l'excitation.

« Attends, attends un moment, Laïs. Regarde-toi dans la glace. »

Elle leva la tête et contempla leur double reflet. Il la repoussa brutalement pour qu'elle voie mieux. Il sentait qu'elle était prête à faire tout ce qu'il lui demanderait. « Lève les yeux plus haut... au-dessus de nous. Que vois-tu d'autre? »

Laïs obéit avec réticence. Le portrait, que Karl l'avait obligée à accrocher au-dessus du lit, lui rendit son regard. Le visage était fin avec une bouche sensuelle et une expression perverse.

« Je vois Gilles de Courmont », chuchota-t-elle.

Karl partit d'un grand rire et la remit à califourchon sur lui.

« Alors, que pensez-vous de tout ça, duc de Courmont? demanda-t-il au portrait. D'abord, nous prenons votre pays, puis vos usines et vos biens. Et à présent votre petite-fille! »

Sans la lâcher, il roula sur elle et se mit à la sabrer avec frénésie. « Oh! Encore, encore », murmura-t-elle. Dieu, quel fantastique amant! « Encore, Karl, n'arrête pas... » Elle poussa un cri en jouissant.

9

Caroline Montalva avait toujours été considérée comme l'une des femmes les plus élégantes de Paris. Cependant, elle avait la particularité de ne jamais rien jeter. Depuis l'âge de dix-sept ans, elle entassait dans ses placards les robes de haute couture. Autrefois, Alphonse s'élevait contre cette détestable habitude. « Écoute, c'est de la folie de jeter des choses aussi coûteuses, répliquait-elle. Te débarrasserais-tu d'un tableau ou d'une chaise sous prétexte qu'ils ont été achetés l'année dernière ? » Et le cher Alphonse poussait un soupir, puis souriait. Il avait été toute sa vie en adoration devant elle. « Quand nous n'aurons plus de place, disait-il, que nous serons submergés par tes toilettes, je pourrai, grâce à tes économies, acheter une maison plus grande. »

Quelle tristesse, songea Caro en descendant la rue de Rivoli, qu'il ne soit plus là pour constater combien elle avait eu raison ! En dépit de la guerre, elle pouvait s'habiller décemment – et pourtant, certains de ces vêtements, venant de chez Worth, dataient du début du siècle ! Avec l'aide d'une petite couturière, elle rajeunissait toutes ces vieilleries et en faisait profiter ses amies. Aujourd'hui, elle se sentait élégante dans ce tailleur bleu marine remis au goût du jour. Vieillir a ses avantages, se dit-elle malicieusement. Cependant, comme elle détestait *se sentir* vieille ! Et, il fallait bien l'avouer, certains jours le poids de chacune de ses soixante-treize années pesait sur elle.

Un coup d'œil dans la glace d'une boutique lui renvoya l'image d'une femme chic, au dos bien droit. Dieu merci, ses jambes restaient fines et jolies. « Une pouliche de race avec de longues jambes et des chevilles fines », disait Alphonse. Il lui manquait encore, bien qu'il fût mort vingt ans plus tôt, pendant la guerre de 1914.

Caro fit un pas de côté pour éviter une bande de jeunes soldats allemands. Elle haïssait le son même de cette langue. Pourtant, elle aimait beaucoup les Allemands autrefois. Alphonse et elle passaient des mois à Baden-Baden. Mais il est vrai qu'ils ne fréquentaient que des gens bien élevés, cultivés et charmants. On avait presque l'impression qu'il s'agissait d'une autre nation. Ceux-là, avec leur horrible svastika flottant sur les plus beaux bâtiments de la ville, tous ces prétendus officiers qui se vautraient au bar du Ritz, n'étaient manifestement que de la racaille. Des rumeurs d'extermination massive commençaient à se répandre dans la ville, des histoires si abominables qu'on hésitait à y croire. Pourtant, des gens disparaissaient tous les jours. La famille juive, propriétaire de l'élégant appartement qui faisait face au sien – un banquier qu'elle connaissait depuis des années – avait été arrêtée en pleine nuit, quinze jours auparavant. Elle l'avait vue monter dans une camionnette noire aux vitres grillagées. C'était la Gestapo. Ce seul nom faisait frémir de peur toute la nation.

Elle aussi avait eu droit à leur visite – un jeune officier de haute taille en uniforme noir avec ces bottes luisantes qu'ils portaient tous. Leur amour des bottes confinait au fétichisme. Et cette façon de claquer des talons à tout propos était le comble du ridicule!

Il s'était présenté : « Lieutenant Ernst Müller. Je suis ici pour visiter les lieux. Je voudrais vous envoyer quelques-uns de mes hommes. » Son regard froid avait enregistré tous les objets rares, sédiments d'une vie entière, qu'elle avait gardés dans le salon. Heureusement, elle avait eu le bon sens de suivre le conseil de Jim et de cacher les tableaux de prix et l'argenterie ancienne dans son château de Rambouillet. S'y trouvaient-ils encore ? Ça, c'était une autre histoire. Elle comprit que l'officier mentait. Il voulait l'appartement non pour ses hommes, mais pour lui tout seul. Eh bien, elle allait lui ôter rapidement ses illusions. Elle eut envie de lui faire honte. Comment osait-il chasser une vieille dame de chez elle ? Mais elle aurait préféré se faire hara-kiri plutôt que d'avouer qu'elle était vieille. « Je voudrais discuter de cela avec votre commandant, dit-elle d'un ton sans réplique. Nous verrons ce qu'il pense de l'idée d'installer ici des sous-officiers. Marie-Luce! Voulez-vous m'apporter mon manteau, s'il vous plaît ? » La vieille bonne, plus âgée que sa maîtresse, tremblait de peur à la vue du moindre uniforme. Elle s'avança, muette, en triturant ses doigts.

Caro sortit avec une grimace de douleur de son fauteuil. Aujourd'hui, son arthrose la faisait souffrir. « Je vais faire un saut à la Gestapo avec ce monsieur. »

Marie-Luce faillit s'évanouir. « Oh non, madame, balbutia-t-elle, non! »

Caro lui jeta un regard courroucé. « Pour l'amour du ciel, Marie-Luce! Il faut que je vois le supérieur de cet officier.

– Non, non, vous ne pouvez pas faire ça, protesta l'Allemand.

– Non? Et pourquoi, je vous prie?

– Personne ne peut voir le commandant comme ça. C'est un homme très occupé!

– Eh bien, s'il ne peut pas me recevoir aujourd'hui, je prendrai rendez-vous. » Caro savait qu'elle l'avait eu. Il était rouge comme une betterave et son accent, léger au début, devenait de plus en plus prononcé. Sans doute un garçon de la campagne qui devait sa brusque ascension au nazisme. Il se demandait comment traiter cette femme du monde âgée, maligne comme un singe, qui avait exercé son esprit et ses facultés intellectuelles pendant plus d'un demi-siècle.

Claquant les talons, il se coiffa d'une casquette trop grande pour lui et se dirigea vers la porte. « Je vais demander au commandant de se mettre en rapport avec vous au plus vite », dit-il sans se retourner.

Lorsque la porte se fut refermée sur lui, elle se tourna vers Marie-Luce en souriant. « L'ennemi est gourmand, très gourmand. » Elle se laissa tomber dans son fauteuil. « Tous ces officiers ne valent guère mieux que les simples bidasses qui patrouillent dans les rues. » Elle savait qu'elle n'en entendrait jamais plus parler.

Cela faisait bien longtemps qu'elle n'avait pas déjeuné chez Maxim's. Pourtant, Albert la reconnut immédiatement. Il était si ému qu'il l'embrassa sur les deux joues. « Il paraît que vous collaborez avec l'ennemi », dit-elle d'un air sévère en regardant autour d'elle. Les Allemands occupaient la plupart des tables.

« Chut, madame Montalva! » Il roula des yeux de film muet, puis haussa les épaules. « C'est un mal nécessaire, dit-il. Maxim's *doit* rester ouvert. Mais *collaborer*, jamais, Madame! » Il se redressa de toute sa petite taille. « Jamais, répéta-t-il.

– Albert, vous êtes devenu un bourgeois. Les affaires comptent avant tout pour vous. Eh bien, aujourd'hui, j'entends en profiter. Il y a longtemps que je n'ai pas mangé correctement. Quant au champagne...

– Nous nous ferons un plaisir de vous l'offrir, Madame. Et du meilleur. » Il l'escorta à sa table et fit signe au sommelier. « Dom Pérignon 1932, s'il vous plaît, pour Madame et...? » Il la regarda d'un air interrogateur.

« J'attends le señor Goncalvez-Herrerra, de l'ambassade espagnole. »

Grâce à sa citoyenneté espagnole, Caro jouissait d'une certaine liberté qui était refusée aux Français. Aujourd'hui, elle se félicitait d'avoir toujours résisté à la pression de ses amis qui la poussaient à se faire naturaliser.

Elle savoura le délicieux champagne en fermant les yeux. La vision d'Alice, sa meilleure amie, inséparable de cette saveur et de ce lieu, s'imposa un instant à elle. Les reines de Paris, Alice et Caro. Elles avaient tout partagé, bonheur, soucis et drames. Quel bénédiction qu'Alice eût enfin trouvé son équilibre auprès de cet Américain si sympathique, de dix ans son cadet. Il avait pris sa vie en main et mis de l'ordre dans ce chaos. Et il était presque venu à bout de l'obsession d'Alice : la déesse Sekhmet. Et comme il l'aimait! Elle avait de la chance de susciter encore des sentiments aussi passionnés à son âge!

Elle chassa le passé de son esprit et observa les Allemands avec curiosité. Comment se comportaient-ils dans ce haut lieu de la vie parisienne? Son regard sombre et vif passait d'un visage à l'autre. « Chère Caro, excusez-moi, je suis en retard. J'ai été retenu à l'ambassade. » Son compagnon s'assit près d'elle sur la banquette.

Elle lui sourit. Il était jeune – enfin, à ses yeux... tout est relatif! La petite cinquantaine, sans doute. Très civilisé, vraiment charmant. Et, au moins, il ne portait pas l'uniforme abhorré. « Il n'y a guère que vous et moi qui soyons normaux dans cette salle, fit-elle observer, tandis que le maître d'hôtel leur resservait du champagne. Quel plaisir de boire du Dom Pérignon chez Maxim's! Comme au bon vieux temps!

– Presque, dit-il. Et cet endroit en vaut bien un autre pour essayer de trouver une solution à vos problèmes. »

Elle haussa les épaules. « Ils sont mineurs, comparés à ceux de certains. »

Un éclat de rire, venant de l'entrée, troubla leur conversation.

Caro se retourna. L'officier allemand devait faire partie de l'état-major pour qu'Albert se répande ainsi en courbettes. Du coin de l'œil, elle repéra les galons scintillants de l'officier. Il parlait fort et semblait satisfait d'attirer l'attention sur lui. Plusieurs autres officiers, installés près de l'entrée, se levèrent immédiatement pour le saluer. Il leur fit un signe cordial de la main. Un bel homme, bien qu'un peu trop... florissant. Sans doute un militaire de la vieille école. Il portait ce ridicule monocle qu'ils semblaient tous affectionner et souriait de façon passablement inquiétante. Il mit son bras autour des épaules de sa compagne et l'entraîna à l'intérieur. Qui était la fille? Une petite putain française, grisée par tout ce luxe? Elle était belle, très élégante et habillée à la dernière mode. Elle lui trouva soudain une ressemblance troublante avec Laïs. Non, ce n'était pas possible! *Ce ne pouvait être elle!*

« Ah! Caro, s'exclama Laïs, surprise. Je ne m'attendais pas à vous voir ici.

– Eh bien, tu n'es pas la seule étonnée, répondit-elle sèchement.

– Une de tes amies, mon ange? » L'Allemand mit une main possessive sur son bras.

« Une amie de ma grand-mère, rectifia Laïs. Caroline Montalva... Karl von Bruhel.

– Toute amie de la célèbre Alice est la bienvenue à la maison, n'est-ce pas, *Liebchen?* » Le général von Bruhel s'inclina. « Nous serions très honorés de vous avoir à dîner un de ces soirs, madame. Laïs va arranger cela.

– De quelle maison s'agit-il, Laïs? demanda Caro, glaciale.

– Eh bien, de la mienne naturellement, dans l'île Saint-Louis », répliqua-t-elle d'un air de défi. Elle serra nerveusement son étole de vison autour de ses épaules. « A bientôt, tante Caro. Invitez-vous à dîner quand vous voudrez. »

Goncalvez-Herrera, qui s'était levé poliment pendant toute la conversation, se rassit, visiblement mal à l'aise. Caro suivit des yeux Laïs et l'officier qu'Albert installait à l'une des meilleures tables.

« Ne me posez pas de questions, je suis trop secouée pour parler de ça maintenant, dit-elle.

– Je ne vous demande rien, répliqua-t-il, mais je peux vous en dire davantage si vous le souhaitez. »

Caro but une gorgée de champagne pour se donner du courage. « Allez-y, dites-moi tout.

– L'hôtel Courmont est le centre d'une activité sociale intense. On y donne des soirées très... sélectives. Les invités y sont triés sur le volet. Bruhel s'est installé là-bas. C'est son Q.G. Laïs de Courmont est censée habiter la partie de la maison qui lui est réservée. Bien entendu, ajouta-t-il en haussant les épaules, ce qui doit arriver entre un homme et une femme appelés à cohabiter est arrivé. Elle est devenue sa maîtresse et vit ouvertement avec lui. Elle fait ses courses conduite par un chauffeur allemand et s'habille chez Chanel. Karl von Bruhel la couvre de cadeaux, mais il lui fait subir toutes sortes de petites vexations en public.

– Comme quoi, par exemple?

– Eh bien, il lui interdit de l'appeler Karl. Elle doit s'adresser à lui de la façon la plus formelle. » Il semblait hésiter à continuer.

« Poursuivez, dit Caro.

– Bon, le reste, ce sont des bruits qui courent. Je ne l'ai pas constaté moi-même. Il paraît que Bruhel la caresse... de façon très intime devant les autres. »

Caro parut affreusement choquée. « Et elle le laisse faire?

– Le mot, j'en ai peur, ne convient pas, ma chère Caro. Elle aime ça.

– Oh! Mon Dieu! » Elle regarda Laïs. Bruhel avait passé son bras autour de sa taille et lui murmurait quelque chose à l'oreille. Caro n'avait plus faim. Son déjeuner était gâché. Il fallait qu'elle se mette en contact avec Alice au plus vite.

10

Le train de Nice, bourré de soldats allemands et italiens, roulait lentement vers Paris. A part eux, il n'y avait que quelques agriculteurs, des femmes et des enfants dans le convoi.

Alice avait obtenu du commandant von Steinholz un *Ausweis* pour se rendre à Paris.

« Qu'est-ce que vous allez faire là-bas? avait demandé machinalement l'officier.

– Régler des affaires de famille. Il faut que je voie mes avocats pour faire mon testament. En ces temps troublés, tout le monde devrait en faire autant.

– C'est la seule raison? » demanda-t-il, la regardant avec insistance d'un air amusé.

Il sait pour Laïs, se dit-elle soudain. « Je veux également rendre visite à ma petite-fille et inspecter la maison de mon gendre pour voir si tout va bien.

– Vous trouverez quelques changements. En revanche, d'après ce que j'ai entendu dire, votre petite-fille est toujours la même. » Il lui lança un regard lourd de sous-entendus, puis appela Kruger dans l'interphone.

« J'en jugerai par moi-même, Herr von Steinholz, répliqua-t-elle. Tout ce que je vous demande, c'est un *Ausweis.* »

Une lueur de colère passa dans les yeux de l'officier, mais il ne répondit pas. « Kruger, dit-il, Madame Alice va partir pour Paris. Veuillez lui fournir les papiers nécessaires. » Se tournant vers elle, il ajouta : « Je les signerai personnellement, ainsi vous n'aurez aucun ennui. Passez les prendre demain. »

En quittant le bureau de Steinholz, elle regretta que Jim ne fût pas là. Il aurait cloué le bec de cet affreux bonhomme. Jim était en Angleterre, où il avait rejoint l'Air Force Bomber Command. Elle l'avait appris par Gaston Lafarge, le boulanger de Saint-Jean, chef d'un réseau de résistants et source de toutes ses informations.

C'était également par Gaston qu'elle avait eu des nouvelles de Gérard. En lui tendant une baguette de pain, il avait dit rapidement : « Votre gendre est interné dans un camp de travail obligatoire, près de la frontière belge. Les nazis lui ont offert de travailler pour eux, de reprendre la direction de l'affaire – à cause du nom, vous comprenez –, mais Monsieur Gérard a refusé. Alors ils l'ont bouclé. »

Elle s'apprêtait à quitter la boutique lorsqu'il la rappela : « On aurait besoin de votre aide, Madame Alice, lui dit-il à voix basse, bien que la boutique fût vide. Il faut faire sortir du pays des prisonniers évadés, des pilotes abattus et des femmes de différentes nationalités qui travaillent pour nous. Ils *doivent* quitter la France. Nous sommes en train d'étudier un itinéraire par Marseille pour leur faire gagner l'Espagne. Nous avons besoin d'une planque sur la Côte et on a pensé aux caves de l'hôtel.

– Aux caves de l'hôtel! Mais les Allemands l'occupent! chuchota Alice.

– Justement! Jamais ils n'imagineront qu'on ait l'audace de faire ça. A part Steinholz et son personnel, les Allemands et les Italiens n'y résident que temporairement. Ce sont, la plupart du temps, des officiers en permission. Ils sont là pour s'amuser. Pour eux, les caves de l'hôtel ne contiennent que du champagne, une inépuisable réserve de champagne. »

Alice hésitait. Elle avait envie d'accepter, mais il y avait Léonore. Si la cachette était découverte, elle risquait de gros ennuis. Ils l'arrêteraient en premier, puisqu'elle était directrice de l'hôtel. Et peut-être Prune aussi, malgré ses sept ans. Comment faire courir un pareil danger à la petite fille?

« Je vous en prie, réfléchissez-y, Madame Alice, chuchota Gaston. C'est capital pour nous.

– Entendu, promit Alice. J'en parlerai à Léonore. »

La lettre de Caro, écrite des semaines auparavant, lui parvint le lendemain. Elle en garda le contenu pour elle-même pendant toute la journée, bénissant, pour une fois, l'absence de communication qui laissait Amélie dans l'ignorance des activités de sa fille. Finalement, elle fut bien obligée d'expliquer à Léonore la raison de son départ précipité pour Paris.

La jeune fille écouta, pétrifiée, puis éclata en sanglots. « Comment a-t-elle pu faire une chose pareille? Je suis sûre que c'est vrai, grand-mère, j'en suis certaine. »

Pauvre Léonore, elle avait une mine affreuse. L'obligation de continuer à diriger l'hôtel tout en refusant de collaborer avec les Allemands la minait. Au début, elle s'était rebellée. Sans en parler à Alice, elle avait fait irruption dans le bureau du commandant et lui avait dit qu'elle préférait fermer.

« Comme vous voudrez, avait rétorqué Steinholz avec son sourire cynique, mais nous ne fermerons pas. Nous allons le réquisitionner. Tout comme la maison de votre grand-mère. Vous, elle et la petite serez internées. » Il consulta une carte ouverte sur sa table. « Il y a un camp, là, tout près de la frontière italienne, qui serait très bien pour vous. » Il avait levé les yeux par-dessus ses lunettes cerclées de métal et lui avait souri. Léonore comprit qu'elle était battue. A supposer qu'elle-même supportât l'internement, comment infliger une pareille horreur à sa grand-mère et à Prune? Elles en mourraient. Cependant, l'idée de remplir son hôtel d'officiers allemands la mettait en rage. Désormais, toute rébellion de sa part devrait être plus subtile et plus prudente.

Lorsque Alice lui fit part de sa conversation avec le boulanger, Léonore n'eut pas une hésitation. « Il faut accepter, dit-elle. Les caves sont très vastes et on pourrait facilement les relier à la villa.

– Entre-temps, soupira Alice, il faut que j'aille régler ce problème avec ta sœur. »

11

Le Palacio d'Aureville était l'hôtel le plus élégant de Floride et les restrictions dues à la guerre n'avaient pas réussi à ternir sa réputation. Des officiers de marine bronzés, vêtus de costumes tropicaux, venaient se reposer là quelques jours avant de regagner leur base de Pensacola. Les pilotes, le regard las, séduisants dans leur uniforme bleu marine, attendaient les ordres.

Amélie de Courmont feignait de ne pas remarquer les signes de tension et de nervosité chez ses clients, le léger tremblement des mains, les tics, une expression soudain absente. Elle savait que ces hommes revenaient de l'enfer. Ils avaient vu trop d'horreurs. Elle faisait simplement de son mieux pour leur fournir ce dont ils avaient besoin : du repos, une nourriture saine et de l'alcool en quantité raisonnable.

L'hôtel avait été dessiné d'après le palais de l'Alhambra à Grenade, avec ses cours, ses fontaines et ses jardins disposés en terrasses, comme ceux du Generalife. De petits sentiers ombragés, menant à la mer, les traversaient.

En dépit du personnel réduit et de la longueur du service, aucun de ces hommes n'aurait songé à se plaindre tant le lieu leur semblait paradisiaque après ce qu'ils venaient de vivre.

Amélie, vive et efficace, menait à bien des dizaines de tâches à la fois. Physiquement, c'était le portrait de sa mère. Elle avait hérité de sa magnifique ossature qu'elle avait à son tour léguée à ses filles. Toutes avaient le même nez court et droit, de hautes pommettes, une mâchoire étroite et des yeux obliques. Amélie, qui pourtant avait vécu toute son enfance au Brésil, était tout sauf indolente. Sa volonté farouche lui avait valu de se faire une place dans le monde des hommes. Lorsque Amélie de Courmont désirait quelque chose, il était rare qu'elle ne l'obtînt pas.

Elle travaillait dur. Levée à 5 heures tous les matins, elle ne se couchait jamais avant minuit. Elle était toujours vêtue avec le plus grand soin – comme l'exigeait son rôle de propriétaire et de directrice d'hôtel –, ses longs cheveux blonds emprisonnés dans une résille de velours noir, sa main gauche ornée du superbe saphir que lui avait offert Gérard pour leurs fiançailles et qu'elle n'ôtait jamais.

Tous les soirs, elle traversait le jardin de l'hôtel pour rentrer chez elle. Il eût été plus facile, à présent qu'elle était seule, de coucher sur place, mais elle se forçait à revenir dans la maison vide et refoulait ses larmes. Elle pleurerait quand ils seraient tous rentrés, se promettait-elle, pas avant.

Après l'appel téléphonique annonçant l'affreuse maladie de Prune, après que Gérard fut parti pour la France, elle avait essayé de se persuader que tout irait bien, que sa petite fille chérie survivrait et que ses deux aînées reviendraient avec leur sœur avant que la guerre ne les bloque en Europe. Parfois, la nuit, elle priait et proposait un marché à Dieu : « J'abandonnerai tout – les hôtels, l'argent, le luxe – si vous me rendez mes enfants et mon mari en bonne santé. » Mais Prune ne pouvait marcher sans l'aide d'une gouttière d'acier. C'était si douloureux à imaginer qu'elle en faisait des cauchemars. L'enfant lui criait : « Enlève-la-moi, maman, jette-la. » Mais elle ne pouvait rien faire. Prune avait à présent sept ans et Amélie ne savait plus à quoi elle ressemblait. Elle n'avait plus que des souvenirs.

Les jardins lui paraissaient particulièrement beaux ce matin. L'herbe et les arbres étaient tout scintillants de rosée, les hibiscus et les bougainvillées commençaient juste à s'ouvrir. C'était une symphonie d'orange, de rose et de violet.

Amélie passa prendre une tasse de café dans la cuisine de l'hôtel avant de gagner son bureau, encore frais à cette heure-ci. Plus la matinée s'avançait et plus il y faisait chaud. Elle faisait rarement marcher l'air conditionné, réservant ce confort à ses clients. Elle préférait économiser l'énergie.

Une liste de choses dont il fallait s'occuper en priorité l'attendait. On manquait d'alcool et de cigarettes. Elle fit des notes pour le personnel, leur communiquant des noms et des adresses. La seule façon de ne pas devenir folle pour elle, c'était de travailler. Cette politique l'avait sauvée lors de la mort de Roberto, son premier mari. L'activité lui semblait maintenant la seule issue pour les solitaires et les désespérés. Ce n'était que lorsqu'elle travaillait qu'elle se sentait *réelle.*

Le télégramme de la Croix-Rouge lui fut remis à l'heure du déjeuner. Sa secrétaire resta immobile devant elle, l'observant avec appréhension tandis qu'elle l'ouvrait, le cœur battant.

« Oh... Oh! Dieu merci, Gérard est indemne. Il a été interné dans une sorte de camp de travail obligatoire en Belgique. Mais il est en bonne santé. Ouf! »

Ce soir-là, elle offrit un verre à tous ses clients.

Ce fut le vieux sénateur de Washington, venu pour une conférence navale, qui lui suggéra cette idée et ce fut encore grâce à sa diligence qu'elle prit corps.

« Vous ne pouvez pas rester aussi loin de votre fille, lui dit-il, l'air soucieux. Pourquoi ne partez-vous pas pour Lisbonne? Vous auriez plus facilement de ses nouvelles.

– Pour Lisbonne? » Amélie le regarda, surprise.

« Une drôle de ville, dit-il. J'y étais il y a quinze jours. Ça fourmille d'espions et d'agents du contre-espionnage, de Français de la France libre, d'Anglais et d'Allemands. On les retrouve tous dans les mêmes restaurants. On peut se procurer à peu près tout ce qu'on veut là-bas. Un bon repas, un renseignement, etc. Naturellement tout se paie... et cher, inutile de vous le dire. »

Les yeux brillants, Amélie mit sa main sur son bras. « Je serais prête à payer n'importe quoi pour avoir des nouvelles de ma fille. Mais, monsieur le sénateur, nous sommes en Floride. Comment une femme peut-elle aller à Lisbonne en temps de guerre? »

Le sénateur lui sourit. Il avait des filles à peine plus âgées que Prune. « Nous allons voir si nous pouvons arranger cela, chère madame. »

12

Prune grimpa le reste de la colline à quatre pattes et atteignit le carré d'ombre formé par les branches entrecroisées du vieil olivier. Le ciel était d'un bleu dur et le soleil de la mi-journée brillait avec l'intensité du plein été. Au-dessous, l'hôtel avec ses arches roses ressemblait à un gros gâteau sur le fond sombre des oliviers et des cyprès. Sa piscine rectangulaire brillait comme une aigue-marine. Prune regarda les baigneurs plonger dans l'eau bleue puis en ressortir. Ils se secouent comme des chiens mouillés, se dit-elle avec mépris. Des serveurs allemands à la veste blanche impeccable portaient des plateaux chargés de bières mousseuses. Un air de musique lui parvint. A part le fait qu'il n'y avait aucun enfant, on aurait cru des gens en vacances.

Prune se coucha et contempla le ciel. Les oiseaux et les cigales, terrassés par la chaleur, s'étaient tus. La brise charriait des odeurs de mer, de mimosa, de thym et de romarin. Elle ne pouvait plus supporter sa chambre. Les volets verts restaient clos tout l'après-midi à cause de la chaleur et la maison baignait dans une sorte de crépuscule verdâtre, comme lorsqu'on nage sous l'eau. Alice était absente depuis deux jours et Léonore avait beaucoup de travail. Mme Frénard faisait la sieste et le silence de la maison oppressait Prune. Elle aurait aimé qu'Alice restât. C'était si loin, Paris et, bien qu'elles n'eussent rien dit, grand-mère et Léonore paraissaient inquiètes. En outre, elle ne pouvait s'empêcher de penser à papa qui était parti un jour, comme grand-mère, en promettant de revenir bientôt. Même chose pour Jim. *Mais ils n'étaient jamais revenus!*

Prune se demanda ce qu'elle aurait fait si elle avait été avec maman en Floride. Léonore lui avait expliqué que, quand c'était la nuit ici, il faisait jour là-bas. Maman devait dormir en ce moment. Et peut-être rêver d'elle. Mais ça faisait si longtemps... Sans doute l'avait-elle oubliée!

Elle se redressa brusquement. Quelle idée idiote! Comme si les mères pouvaient oublier leurs enfants!

Sa gouttière d'acier lui tenait chaud. Elle regarda avec exaspération les lanières de cuir. « Merde! Merde et merde! » dit-elle, ravie de prononcer à voix haute les mots interdits. Se penchant en avant, elle défit les boucles. Voilà, enfin libre! Elle examina sa jambe avec anxiété. Elle n'était pas trop mal, juste un peu plus mince que l'autre. Elle faisait quotidiennement ses exercices et nageait tous les matins et tous les soirs en revenant de l'école. Elle aimait beaucoup se baigner, en partie parce que cela lui permettait d'ôter cette saleté de prothèse! Elle flottait sur le dos dans l'eau claire et laissait ses longs cheveux pendre autour d'elle comme des algues. Au bout de quelques minutes, elle se retournait et fendait l'eau de ses bras vigoureux, savourant la sensation de puissance que lui donnait la natation. La mer la rafraîchissait et elle se sentait à nouveau forte et presque normale.

Elle prit la gouttière et l'observa avec attention. L'homme qui avait dessiné ça n'avait sûrement pas d'enfant. Sinon il aurait utilisé du cuir rouge ou rose, ou peut-être même de jolis rubans. Elle voulait la jeter à la mer, mais grand-mère le lui avait interdit.

Prune regarda la mer si bleue, si calme. Il y avait un endroit, le long du chemin de ronde qui longeait la pointe Saint-Hospice, où les rochers surplombaient la mer. Là, l'eau paraissait noire. C'était le lieu idéal.

Se remettre debout sans sa prothèse ne fut pas aussi facile qu'elle se l'était imaginé, mais en s'agenouillant et en prenant appui sur ses mains posées à plat sur le sol, elle y parvint. Le chemin qu'elle avait suivi pour monter lui parut soudain très pentu. Elle s'appuya avec précaution sur sa jambe droite pour en mesurer la fiabilité. Son genou plia un peu, mais elle garda l'équilibre. Jusque-là, ça allait. Elle jeta un coup d'œil à la gouttière qui gisait sur le sol. Pourquoi ne pas la remettre *juste* pour redescendre? Non, elle ne remettrait jamais ce truc de *merde!*

La traînant par l'une des courroies, elle essaya de marcher, mais se tordit la cheville gauche sur les cailloux et faillit tomber. La sueur mouillait son dos. De la piscine lui parvenaient des rires et de la musique. L'horrible Steinholz devait être là ainsi que le non moins horrible Volker Kruger qui essayait toujours de donner des ordres à Léonore. Mais, Dieu merci, sa sœur n'en faisait qu'à sa tête.

En glissant à moitié, en s'écorchant les jambes sur les cailloux, Prune finit par se retrouver en bas de la colline et s'efforça de répartir son poids sur ses deux jambes. Elle boita jusqu'au surplomb puis, prenant la gouttière par les courroies, elle la lança de toutes ses forces dans la mer. L'acier étincela un instant au soleil puis fendit l'eau. D'un air triomphant, Prune la regarda s'enfoncer. Le truc de *merde* était englouti à jamais.

13

Enrique Garcia alluma une Gauloise. Que se passait-il? Laïs était l'exactitude même! Il but son ersatz de café en faisant la grimace.

Elle se glissa soudain sur le tabouret voisin. Ils s'étaient donné rendez-vous dans le bistrot des Halles où ils avaient fait connaissance. « J'ai besoin d'un verre, dit Laïs d'une petite voix.

– Désolé, c'est un jour sans.

– Oh merde! Merde! » Elle avait oublié que la vente d'alcool était interdite trois fois par semaine. Aujourd'hui, elle en aurait pleuré.

Elle lui parut très nerveuse. En retard, l'air accablé. Ce n'était pas bon signe. « Tu es devenue capricieuse à force de vivre dans tout ce luxe avec le nazi, dit-il, faisant signe au barman.

– Enrique, cette fois-ci, j'ai peur. » Le barman posa devant elle une tasse de café remplie de cognac.

« C'est pour les urgences, chuchota Enrique avec un clin d'œil au garçon. Nous avons tous peur, Laïs. On finit par s'y habituer. » Lorsqu'elle porta la tasse à ses lèvres, il remarqua que sa main tremblait.

« Tu ne comprends pas... tu ne peux pas comprendre. » Elle regardait fixement sa tasse. « Karl me terrifie. Il a une façon de me dévisager... de m'évaluer comme un cheval de course sur lequel il aurait misé mais dont il espérait davantage, compte tenu du prix et du pedigree. J'ai peur chaque fois qu'il me touche. Ce type est un sadique. Il aime infliger la souffrance. Oh! Jusqu'à présent, il n'a rien fait que je n'aie pu supporter – j'y prends même parfois plaisir, ajouta-t-elle d'un ton amer, mais ce que je peux me mépriser ensuite! »

Sans répondre, Enrique souffla la fumée de sa cigarette vers le plafond.

« Le reste, je m'en débrouille, continua-t-elle, les yeux pleins de larmes. Je peux me balader dans des vêtements de haute couture, feindre de ne pas remarquer le mépris dans les yeux des gens. Je peux parcourir Paris conduite par un chauffeur allemand et porter des bijoux sans doute volés à une famille française qui les possédait depuis des générations. Je peux aussi sourire quand Karl passe son bras autour de mes épaules en public, rire à ses plaisanteries et procurer des filles à ses camarades en visite. J'essaie de supporter qu'il me caresse les seins au restaurant ou au théâtre, de façon que chacun comprenne bien que je suis sa chose. Mais je me dis simplement que, la prochaine fois, je prendrai un couteau et je le tuerai. »

Ses cheveux blonds étaient enfouis sous un foulard de soie bleue et elle ne portait aucun maquillage. Elle avait l'air d'une gamine tout juste sortie du lycée. Sa vulnérabilité inquiétait Enrique. Laïs avait toujours joué le rôle d'une jeune fille riche et arrogante, se fichant complètement de l'opinion publique et donnant libre cours à tous ses caprices. Jusqu'à présent, ça avait très bien réussi.

Il lui saisit le bras et fit signe au barman de la resservir. « Ne fais pas de conneries, Laïs, dit-il d'un ton sévère. Tu ne peux pas te le permettre.

– Tiens, tiens! A t'entendre, on pourrait presque penser que tu tiens à moi.

– Laissons nos sentiments personnels en dehors de tout ça, dit-il calmement. En acceptant cette mission, tu savais à quoi tu t'exposais. Tu es un maillon capital de la chaîne. Nous avons *besoin* de toi, Laïs.

– C'est déjà quelque chose, soupira-t-elle en terminant son second cognac.

– Cesse de t'apitoyer sur toi-même, dit Enrique d'un ton sec. Il y a des centaines de femmes qui vivent dans des conditions bien plus précaires que toi, qui ne se vautrent pas dans le luxe. Elles se cachent dans les taudis de Belleville ou de Ménilmontant. Elles sont recherchées par la Gestapo. Beaucoup ont perdu un mari ou un fils. Elles savent pourquoi elles font de la résistance. Elles ne sont pas près de l'oublier. »

Laïs contempla le visage en colère d'Enrique. Il avait raison. Bien sûr qu'elle avait su ce qui l'attendait. Au début, le jeu l'avait excitée, le danger la stimulait, mais, maintenant, elle avait peur.

Karl était intelligent. Son regard pénétrant enregistrait tout. Aucune de ses sautes d'humeur ne lui échappait. Lorsqu'il lui faisait l'amour, il guettait son expression, cherchait à mesurer son plaisir véritable. Quand il l'obligeait à le supplier de la prendre, il levait son visage vers elle avec un sourire bizarre qui lui faisait froid dans le dos. Elle savait qu'une nuit il irait trop loin et la perversité se transformerait en sadisme. Elle sentit une coulée froide dégouliner le long de son épine dorsale. *C'était d'elle-même qu'elle avait peur!* Elle ne savait pas comment elle réagirait. « Si seulement je pouvais le quitter, travailler ailleurs! » Elle regarda

Enrique d'un air suppliant. « Je ferais n'importe quoi, n'importe quoi pour échapper à cet homme.

– C'est trop tard. » Il sortit un paquet de cigarettes de sa poche. « Il faut que tu restes avec lui jusqu'à ce qu'il en ait marre de toi. Alors... dis-moi qui sont ces importants visiteurs?

– Le général Guderian – c'est lui qui a détruit Reims – et Otto Klebbich, le type qui contrôle toute la production champenoise.

– C'est du menu fretin.

– Nous donnons une réception ce soir. Goebbels doit venir avec sa femme. Il y aura aussi le Reichführer SS Heinrich Himmler et Speer, le ministre de l'Armement. Naturellement, ils viennent avec toute la clique des parasites qui les entourent. » Elle prit la cigarette d'Enrique et en tira une longue bouffée.

Enrique arrondit ses lèvres, comme pour siffler. « Tu sais pourquoi ils sont là? »

Elle haussa les épaules. « Oui, en gros... Ils doivent se réunir demain pour discuter d'une éventuelle extension du S.T.O. dans les aciéries allemandes. J'ai cru comprendre que Himmler et Speer n'étaient pas d'accord. Goebbels est ici avec sa femme, la jolie Magda. On m'a chargée de la piloter dans Paris. Nous allons faire la tournée des couturiers et des fourreurs, des modistes, des parfumeurs et des joailliers. C'est une femme agréable... » Sa voix se brisa et les larmes jaillirent de ses yeux. « Je n'en peux plus. Ne me demande pas de continuer ça, Enrique...

– Fais-le encore cette fois. Il le *faut.* Tu t'es parfaitement débrouillée jusqu'à présent. Les renseignements que tu nous as fournis sont d'une importance capitale. Tu ne t'en rends pas compte, mais ils ont sauvé bien des vies. Écoute bien les conversations – surtout après le dîner. Quand ils ont bien bu, ils parlent volontiers de choses qui devraient être discutées derrière des portes closes. Observe tout, lis les documents sur lesquels tu pourras mettre la main avant et après cette réunion. Toute information nous intéresse. Ensuite, on verra comment te faire sortir de cette souricière.

– C'est vrai? Tu ne me racontes pas d'histoires?

– Non, je te le promets », dit-il gravement. Ce salaud de Bruhel l'avait vraiment démolie. Pourtant, Laïs, grâce à sa position, avait été l'une de leurs meilleures sources d'information.

« Promets-moi de tenir le coup ce soir, dit-il. Joue ton rôle de belle maîtresse, de charmante hôtesse des lieux. Après avoir fait l'amour avec lui, verse-lui ça dans son champagne. » Il lui tendit le petit paquet familier. « Avec ce truc, il dormira à poings fermés. Comme ça tu pourras fouiller tranquillement dans ses papiers. »

Elle s'efforça de sourire. « Laïs de Courmont, la super-espionne. » Il se pencha vers elle et l'embrassa sur les lèvres. « Sois prudente. Je penserai à toi. »

Il la regarda franchir le seuil de la porte. Elle s'arrêta un instant, tourna la tête des deux côtés de la rue avant de s'éloigner d'un bon pas. Pourvu qu'elle tienne le coup, se dit-il, inquiet.

Les grands chandeliers de cristal répandaient une lumière douce dans le hall. Des gens d'une grande élégance sortaient des limousines noires garées dans la cour. Karl von Bruhel pesta contre Laïs, en retard pour accueillir ses invités. Que fichait-elle, bon sang? *Ah! Enfin!* Laïs descendait l'escalier, dans une robe de crêpe de Chine verte qui moulait son corps mince. Elle portait une parure d'émeraudes et des boucles d'oreilles assorties.

« C'est trop aimable de ta part de descendre enfin, Laïs, dit-il d'un ton acerbe. Pour un peu, nos invités auraient été là avant toi! »

Ignorant sa remarque, elle alla accueillir Magda et Joseph Goebbels qui franchissaient le seuil de la porte. Magda, plus âgée qu'elle, était une jolie blonde. Son mari dévisagea Laïs de ses yeux protubérants. Il avait la réputation d'être un coureur de jupons. Magda et lui s'étaient séparés à plusieurs reprises mais le bruit courait que Hitler leur avait interdit de divorcer. C'était un mauvais exemple pour le Reich. Himmler, tout scintillant de décorations, la botte luisante, se pencha sur sa main.

« Quel plaisir de faire votre connaissance, Fraülein de Courmont, dit-il, d'autant plus que j'ai eu récemment le plaisir de rencontrer votre beau-père. »

A ces mots, Laïs sentit le sang se figer dans ses veines. Himmler, à la tête des SS, s'occupait des camps de concentration. S'il avait rencontré Gérard, cela signifiait peut-être que ce dernier avait été transféré en Allemagne.

Prenant son bras, Himmler entra dans le salon rempli de fleurs.

Deux énormes pots de caviar beluga trônaient sur le buffet. Des serveurs en gants blancs proposaient toutes sortes de boissons. Himmler se servit lui-même, généreusement, de caviar et lécha ses doigts avec gourmandise.

« C'est quelqu'un de bien, votre beau-père, dit-il à Laïs. Un homme franc et tout d'une pièce. *Honorable.*

– Oui, c'est vrai. Mon beau-père est un homme honorable.

– Mais entêté, poursuivit-il. Très entêté. Vous devriez lui parler. Peut-être parviendrez-vous à le convaincre de travailler pour nous.

– Il ne s'est jamais intéressé aux affaires de la famille, dit-elle. Il est architecte. A quoi vous servirait-il?

– Vous n'ignorez pas l'importance de la propagande, Fraülein. Un Courmont à la tête des usines Courmont ferait très bon effet. Beaucoup d'industriels travaillent déjà pour nous – pourquoi pas le duc de Courmont? Son nom est célèbre dans le monde entier.

– Mon beau-père et moi n'avons pas les mêmes idées, répondit-elle avec raideur. Je n'arriverai jamais à le faire changer d'avis. »

Himmler s'essuya la bouche avec une serviette blanche et poussa un soupir. « Quel dommage! La vie pour lui serait tellement plus agréable s'il acceptait. »

Elle posa la main sur son bras. « Je vous en prie, dites-moi où il est.

– Dans un camp de travail, Fraülein, et j'ai bien peur qu'il y reste jusqu'à ce qu'il retrouve un peu de bon sens. »

Ses lèvres minces s'étirèrent en un sourire glacial et elle lut dans son regard le même fanatisme que dans celui de Karl.

Elle se tourna vers Magda Goebbels. « J'espère que vous êtes prête à faire la conquête de Paris, Frau Goebbels, dit-elle. Nous allons chez Chanel mercredi matin. » Elle prit des airs de conspiratrice : « Vous avez un voisin de table charmant, Ferdi von Schönberg. Venez, je vais vous le présenter. »

Goncalvez-Herrera conduisait lui-même son Hispano-Suiza. Sa plaque du corps diplomatique lui permettait de rouler après le couvre-feu. Il traversa le pont Marie, tourna quai d'Orléans et se gara sur le trottoir.

« Madame Jamieson, ne voulez-vous pas réfléchir encore ? C'est un peu inquiétant, non ? » Il lui montra la rangée de Mercedes, les chauffeurs appuyés contre les carrosseries étincelantes, fumant et bavardant, et les patrouilles qui passaient et repassaient devant la maison des Courmont.

On entendait de la musique. La porte à double battant s'ouvrit pour laisser entrer d'autres invités. Alice bouillait d'une rage silencieuse. Laïs, sa propre petite-fille, se compromettait avec les nazis alors que des Français risquaient leur vie pour reconquérir la liberté de leur pays. « Ne m'attendez pas, c'est inutile, dit-elle en descendant.

– Je vous attends, naturellement », répondit-il avec un soupir. Il la regarda se diriger d'un pas décidé vers l'hôtel Courmont, la tête haute. Elle semblait indomptable. Mais, pour sa propre sécurité et celle de sa petite-fille, mieux valait qu'elle ne le fût pas.

« *Halt!* » Une paire de baïonnettes surgit devant elle dès qu'elle pénétra dans la cour. « Qui êtes-vous? Que voulez-vous? » Le sergent la repoussa sans ménagement vers la grille. « Vos papiers! » ordonna-t-il.

Alice les lui tendit. « Je suis la grand-mère de Mlle de Courmont, précisa-t-elle pour écourter la formalité.

– *Sa grand-mère?* » La sentinelle lui jeta un coup d'œil soupçonneux.

« Oui. Maintenant voulez-vous me laisser passer, s'il vous plaît? Je veux voir ma petite-fille.

– Que se passe-t-il? » Un jeune officier écarta les soldats qui entouraient Alice et la regarda, surpris.

« Je suis Alice Jamieson, dit-elle calmement. Je viens voir ma petite-fille.

– Je sais qui vous êtes », répondit Schönberg en souriant.

Ce fut au tour d'Alice d'avoir l'air étonné. Cependant, quelque chose dans le visage de cet homme lui était vaguement familier. Ils se ressemblent tous, se dit-elle, blonds, les yeux bleus, le teint clair.

« Laissez-la entrer, ordonna Ferdi, cette dame est bien la grand-mère de Fraülein de Courmont. » Il la prit par le bras, mais elle se dégagea avec colère.

Embarrassé, il la précéda dans l'escalier et entra dans la maison.

« Voulez-vous attendre ici, madame ? Je vais aller chercher Laïs. »

Elle le regarda s'éloigner. Était-ce l'amant de Laïs ? Non, sûrement pas. Il n'avait pas un grade assez élevé. Elle devait viser plus haut.

Des sentinelles armées veillaient à toutes les portes. Ce n'était pas une réception ordinaire.

« Grand-mère ! » Laïs, merveilleusement belle, la regardait du palier avec une expression horrifiée. Ou bien était-ce la peur ? Alice eut soudain le cœur serré. Pauvre Laïs ! Elle avait l'art de se fourrer dans des situations impossibles. Mais, cette fois, elle était allée trop loin. Il ne s'agissait plus d'un enfantillage !

« Grand-mère, *que fais-tu ici ?* » Elle descendit les marches quatre à quatre, et se jeta à son cou.

« Mets ton manteau, Laïs. Je suis venue te chercher.

– Tu es folle ! Tu sais bien que c'est impossible ! » Ses yeux bleus cherchaient désespérément un peu de compréhension de sa part. « Je ne peux pas partir maintenant. Nous... j'ai des invités. Demain... je te verrai demain et nous parlerons de mon retour.

– Excusez-moi, Fraülein... » Magda Goebbels sourit à Alice. « Je suis une de vos grandes admiratrices, madame. Je vous ai vue sur scène à Munich il y a des années et je ne vous ai jamais oubliée.

– Grand-mère, je te présente Frau Goebbels », dit Laïs avec nervosité.

Alice feignit de ne pas voir la main tendue. « Merci du compliment, dit-elle avec froideur, mais c'était il y a longtemps... avant la guerre. »

Magda la regarda avec tristesse. « Je comprends, répondit-elle, nous vivons des temps difficiles. Malgré tout, je suis contente de vous avoir rencontrée, madame. »

Elle se dirigea vers le grand salon et la sentinelle lui ouvrit la porte. Un coup d'œil suffit à Alice pour tout enregistrer : les serveurs allemands aux gants blancs, l'élégance des femmes, – des Françaises comme des Allemandes – tout le clinquant des nazis. Et le grand pot de caviar auquel plus personne ne touchait. « Mon Dieu, Laïs, à quoi joues-tu ?

– Ne te fie pas aux apparences, chuchota la jeune fille. Ce n'est pas ce que tu crois.

– De quoi parles-tu, ma *Liebchen ?* » Karl passa son bras autour de sa taille et la plaqua contre lui. Sa main était juste sous son sein. « Tu as une visiteuse, dit-il d'un ton jovial. Très heureux, madame... bien que l'heure ne se prête guère aux visites. Cependant, puisque vous êtes là, faites-nous le plaisir de vous joindre à nous. Je crois que Magda a eu la chance de vous voir en scène. Vous êtes toujours aussi belle...

– Grand-mère, intervint Laïs, je te présente le général Karl von Bruhel. »

Karl offrit son bras à Alice. « Venez, madame, mes invités seront ravis de faire enfin votre connaissance.

– Je suis venue chercher ma petite-fille, dit Alice, jetant un regard chargé de mépris vers le salon. Une Courmont... une Française n'a rien à faire ici.

– Votre petite-fille ne s'en plaint pas, que je sache. Tu t'en plains, Laïs ?

– Non, bien sûr que non.

– C'est même le contraire. Laïs est très contente ici. Elle est très intelligente, madame. Elle a su choisir son camp. »

Avec une légère inclination du buste, il prit congé d'elle. A la façon dont elle le regardait s'éloigner, Alice comprit que Laïs avait peur de lui. Il se retourna :

« Ne néglige pas nos invités, ma chère. » Sa voix contenait une mise en garde qui n'échappa pas aux deux femmes.

« Laïs, que se passe-t-il ? Dans quoi t'es-tu fourrée encore ? murmura Alice. Rentre avec moi.

– Pas ce soir, c'est impossible.

– Je ne te demanderai pas pourquoi. L'heure n'est pas aux explications. Mais je suis venue ici pour t'aider, chérie. J'ai le sentiment que tu cours un danger terrible. » Elle sentait la nervosité de la jeune fille. « Écoute, je suis descendue chez Caro. Je t'attendrai là-bas demain et je te ramènerai à la maison.

– Oui, je n'en peux plus », répondit Laïs, luttant pour refouler ses larmes.

14

Karl von Bruhel se réveilla frais et dispos. Il s'assit dans son lit et constata que Laïs n'était plus là. Il fourragea dans ses cheveux gris et sonna pour qu'on lui monte son petit déjeuner. Certains détails de leur nuit lui revinrent à la mémoire et il sourit. Rejetant ses draps, il se leva et alla uriner dans la salle de bains. La vision de Laïs, tremblante de peur, le suppliant d'arrêter, flotta devant lui. Cependant, ses supplications ne faisaient qu'attiser son désir. La réception avait été très réussie, en dépit de l'arrivée intempestive d'Alice. Pas ordinaire, celle-là, comme grand-mère! La chair encore ferme, belle, mais froide et arrogante. Son genre de femme, en somme!

Il prit sa douche. Il aimait l'instant où le jet glacé cingle la peau tiède et vous coupe la respiration. Ses pensées se tournèrent vers la réunion qui aurait lieu dans quelques heures au château Villelme. Il allait être l'un des principaux participants de cette conférence au sommet. Il était chargé de présenter le plan d'extension du S.T.O. Cette journée s'annonçait bien. Il consoliderait sa position. Et qui sait s'il ne se retrouverait pas bientôt dans la peau d'un maréchal du Reich? Himmler en ferait une tête! Il le détestait presque autant que Goebbels. Ce dernier trompait ouvertement sa femme et on disait même qu'il obligeait Magda à vivre sous le même toit que sa maîtresse. Choquant! Tout cela était de très mauvais goût.

Un coup frappé à la porte lui fit lever les yeux. Laïs entra, vêtue d'une élégante robe gris-vert. Ses cheveux longs et souples encadraient son visage et elle portait des lunettes noires. « Déjà prête? s'exclama-t-il, surpris.

– Oui, je vais passer voir ma grand-mère », dit-elle d'une petite voix.

Il posa son rasoir et lui jeta un coup d'œil dans la glace. « Enlève tes lunettes », dit-il. Elle obéit. Ses yeux étaient rouges, ses paupières gonflées. Karl soupira et reprit son rasoir. « Encore! Tu as *encore* pleuré! »

Elle remit ses lunettes. « Je pensais que, dans la mesure où tu vas être absent toute la journée...

– Tu veux aller pleurnicher dans le giron de ta grand-mère, hein? Tu perds ton temps. Elle va seulement te faire honte, te dire que tu es une mauvaise fille. C'est vrai, d'ailleurs. » Il la saisit par le poignet et l'attira brutalement contre lui. Elle poussa un cri. « Tu étais une vraie garce, hier... une belle salope! » Il prit sa bouche. Lorsqu'il la lâcha enfin, elle recula vers la porte, le menton barbouillé de rouge à lèvres. « Sois ici à 6 heures, dit Karl. N'oublie pas que nous allons au théâtre. »

Vêtu d'un bleu de travail, Enrique Garcia rafistolait une vieille Citroën à l'arrière d'une station-service. Le patron, coiffé d'un béret, sirotait d'un air mélancolique le cognac qu'Enrique lui avait apporté. Il songeait à l'époque où les affaires étaient prospères. A présent, avec l'essence rationnée et l'impossibilité de se procurer des pièces détachées, le vieux se morfondait et ressassait ses malheurs. Comme beaucoup d'hommes qui n'avaient plus grand-chose à perdre, il aidait volontiers la Résistance.

Enrique regarda le ciel. De grosses gouttes commençaient à tomber. Il jeta un coup d'œil à sa montre. Il savait que la voiture avait quitté Paris à l'heure prévue et qu'elle ne devrait plus tarder.

La Mercedes se mit soudain à donner des signes de faiblesse et le chauffeur, surpris, regarda le tableau de bord. La voiture s'était comportée bizarrement toute la matinée. Le voyant rouge s'alluma et une sorte de sifflement, provenant du radiateur, le fit ralentir. Le moteur chauffait. Il observa avec inquiétude son distingué patron à l'arrière, mais le général von Bruhel, plongé dans ses documents, ne semblait s'apercevoir de rien. Perplexe, le chauffeur se demanda ce qu'il convenait de faire. La réunion de son patron commençait dans trente-cinq minutes et ils avaient encore vingt kilomètres à parcourir sur d'étroites routes de campagne. La fumée commençait à s'échapper du capot lorsque, à son grand soulagement, il aperçut, au loin, un garage.

« Que se passe-t-il? s'enquit Bruhel. Pourquoi vous arrêtez-vous?

– Désolé, mon Général, mais le moteur chauffe. »

Bruhel vérifia l'heure à sa montre. Il n'avait pas voulu partir trop tôt car il aimait bien arriver dans les derniers aux réunions. Il passait ainsi pour décontracté et sûr de lui. Mais, évidemment, il ne s'attendait pas à tomber en panne.

Le chauffeur entra dans la cour et avisa le mécanicien. Enrique s'avança rapidement et siffla en voyant la fumée qui s'échappait du moteur. « Vous avez des ennuis, m'sieur, constata-t-il en prenant l'accent campagnard.

– Je sais, répondit le chauffeur d'un ton sec. Regardez ce qui se passe, s'il vous plaît... »

Enrique se pencha pour regarder le passager assis à l'arrière et récolta un regard furieux. Ces sacrés paysans français, tellement lents! Enrique sourit paisiblement à Bruhel. Celui-ci détourna la tête d'un air impatienté et se replongea dans sa lecture.

L'Espagnol ouvrit le capot et se rejeta vivement en arrière pour éviter le jet de vapeur qui s'échappa du radiateur. Puis il farfouilla d'un air compétent dans le moteur. « C'est la pompe à eau, dit-il en se relevant. Elle est cassée. *Kaput!* Faut la changer, m'sieur.

– Trouvez-m'en une neuve, dit le chauffeur. Nous sommes très pressés. »

Enrique haussa les épaules. « Écoutez, j'sais pas si on en a. On n'est plus habitués à ce genre de voiture et vous savez bien qu'on peut pas avoir de pièces détachées. Attendez une minute... J' vais voir c' que j' peux faire. »

Il entra dans l'arrière-boutique et en ressortit, quelques minutes plus tard, muni d'une pompe en caoutchouc. « Ça devrait faire l'affaire. Y a des années qu'elle est là. Ah! On dépannait de bonnes voitures autrefois! »

Il remplaça la pompe défectueuse. Le chauffeur le paya et remonta dans sa voiture.

Enrique secoua son paquet de cigarettes et alluma une Gauloise en regardant la Mercedes s'éloigner. Il retourna ensuite dans l'arrière-boutique, ôta sa combinaison et son béret et ressortit dans l'accoutrement d'un cultivateur. « Au revoir, Clément, soûlez-vous bien la gueule, mon vieux. Vous verrez la vie en rose.

– C'est fait. » Le vieux leva son verre, comme pour porter un toast.

Enrique se dirigea vers le nord. Il coupa à travers champs et longea les bois pour éviter de se faire repérer. A six kilomètres de là, un camion rempli de légumes et de fruits destinés aux Halles l'attendait. Ses papiers étaient en règle. Il n'y aurait aucun problème.

Laïs avait tenu sa promesse, à quel prix pour elle, il ne le saurait jamais. Ils avaient eu les renseignements et c'est tout ce qui comptait. Il entra dans le bois, s'adossa à un tronc d'arbre et attendit. L'explosion se produisit sur le pont à l'instant prévu. La voiture allait rapidement s'enfoncer dans l'eau avec les restes de ses deux passagers. Enrique repartit. Lui aussi avait tenu sa promesse envers Laïs.

15

Assise à côté de sa grand-mère dans l'Hispano, Laïs regardait défiler le paysage entre Paris et Reims. C'était Goebbels lui-même, poussé par la douce Magda, qui avait signé l'*Ausweis*. En apprenant la mort de Karl, Laïs avait simulé une crise de nerfs devant témoins. Elle savait que, si Enrique n'avait pas assassiné Karl, elle aurait fini par le faire elle-même. Son corps portait encore les stigmates de sa perversion. La dernière nuit qu'ils avaient passée ensemble avait été terrible.

Sans grand-mère et sans Caro, Dieu sait comment tout cela se serait terminé. La Gestapo – sous la forme d'un jeune homme vêtu de noir – avait sonné à la porte de Laïs. Il l'avait longuement interrogée sur son emploi du temps le jour du crime. La séance avait duré des heures. Il ne la croyait manifestement pas lorsqu'elle affirmait avoir passé la journée entière avec sa grand-mère. Par chance, son histoire était vraie. Ils n'avaient pas réussi à l'accuser du meurtre de Karl ni même à l'y associer.

Elle avait raconté aux deux femmes sa rencontre avec Enrique et son entrée dans la Résistance. En raison de sa position unique, elle avait pu rencontrer la plupart des hommes de l'entourage de Hitler. Au début, elle se contentait de glaner de petites informations au cours des conversations, mais, très vite, elle avait pu avoir accès aux documents de Karl et avait renseigné la Résistance sur la politique des nazis, les mouvements de troupes et l'armement.

Toutefois, sa mission, comme ses relations avec Karl, devenaient de plus en plus dangereuses.

Alice avait fait part à Laïs de sa conversation avec Gaston. C'était cette dernière qui avait eu l'idée des camions de champagne.

Les Allemands avaient un tel amour pour cette boisson qu'ils avaient été jusqu'à nommer un des leurs « Führer du champagne », comme disait Karl, afin d'être constamment approvisionnés. Le vin était livré régulièrement dans tous les hôtels et notamment à l'hostellerie. C'était la planque idéale pour transporter des fugitifs vers le Sud.

Alice et Laïs faisaient à présent route vers Reims afin de contacter le réseau champenois et demander l'aide des viticulteurs.

La police allemande patrouillait dans les rues de la ville à moitié détruite et des sentinelles surveillaient l'entrée des caves.

Elles déjeunèrent à la brasserie Boulingrin, près de la Halle aux poissons. Ce fut là qu'on leur donna les renseignements sur leur contact.

Elles le trouvèrent adossé au bar du café Billy. Laïs commanda un café. « Capitaine Laurier? » demanda-t-elle à voix basse en allumant une cigarette.

Il les envoya au 20, avenue de Champagne où elles firent la connaissance du comte Robert de Vogüé, directeur général de Moët et Chandon. Les six kilomètres de caves de cet immense vignoble avaient abrité bien des réfugiés au cours de la Première Guerre mondiale. Le comte de Vogüé, un ancien officier de l'armée française, était devenu le porte-parole de toute l'industrie champenoise chapeautée par les Allemands, et le chef de la Résistance locale.

Avec la coopération des chauffeurs, on décida que les fugitifs seraient conduits à l'hostellerie ou dans d'autres hôtels de la Côte.

16

Jim était coincé à Lisbonne. Arrivé de Londres la veille, il espérait prendre l'avion de Washington D.C. qui faisait escale à New York, mais celui-ci ne se posa jamais sur la piste. Le personnel au sol évitait le sujet et il se dit que l'appareil avait sans doute été abattu au-dessus de l'Atlantique.

Laissant à l'ambassade une adresse où le joindre, il prit une chambre dans un hôtel, près du Rossio. Après le black-out de Londres et le rationnement des denrées alimentaires, Lisbonne lui fit l'effet d'un pays de Cocagne. Les rues étaient brillamment éclairées, les boutiques regorgeaient de tout, les voitures roulaient et, lorsqu'on entendait un avion dans le ciel, on ne se précipitait pas vers l'abri le plus proche dans des hurlements de sirène. C'était une ville de transit. Les ambassades et les consulats étaient pris d'assaut par les demandeurs de visas et les officiers d'une demi-douzaine de pays s'y arrêtaient avant de repartir pour quelque destination secrète.

Fort élégant lui-même dans son uniforme de l'U.S. Air Force, Jim monta à Santa Justa, puis flâna le long des rues étroites du Chiado où s'alignaient les boutiques de luxe. Il s'arrêta devant le magasin Modas de Criancas et avisa dans la vitrine, parmi les robes à smocks, une jolie poupée en chiffon. Il décida de l'acheter pour Prune.

En entrant il faillit heurter une femme qui en sortait. Tous deux dirent pardon en anglais et Jim s'effaça pour la laisser passer. Ils se regardèrent brusquement, aussi stupéfaits l'un que l'autre.

« Mon Dieu, *Amélie!*

– Jim! Oh! Jim! » Elle laissa tomber ses paquets sur le sol, se précipita dans ses bras et sanglota éperdument.

« Je suis entrée pour acheter une robe à Prune, expliqua-t-elle en reniflant. Ma pauvre petite fille!

– Et moi, la poupée qui est dans la vitrine. Grand Dieu, que fais-tu à Lisbonne ? » Il se baissa pour ramasser ses affaires.

« J'essaie de rejoindre Prune, Laïs et Léonore. Peut-être parviendrai-je aussi à voir Gérard. Il est dans un camp de prisonniers politiques à la frontière belge. » Amélie lui emprunta son mouchoir pour s'essuyer les yeux. « Et toi ?

– J'attends un vol pour les États-Unis. J'espère partir demain. Amélie, tu ne penses pas sérieusement à regagner la France ? »

Ils descendirent la rue do Carmo et Amélie expliqua que le sénateur lui avait trouvé une place d'avion et donné le nom de plusieurs personnes susceptibles de l'aider. Elle avait maigri et son visage s'était creusé. Le bruit courait que Gérard avait été déporté en Allemagne, mais Jim décida de ne pas lui en parler. Peut-être n'était-ce qu'une fausse rumeur. De toute façon, elle apprendrait la vérité bien assez tôt.

« Comment comptes-tu te rendre en France ? s'enquit-il.

– Je voulais acheter une voiture et passer par l'Espagne. Les contacts du sénateur devraient me fournir les papiers nécessaires, moyennant finances, naturellement. Tout s'achète, à Lisbonne – sauf les voitures. J'ai passé ma matinée à courir les garages.

– C'est le comble pour une Courmont ! Je vais t'en trouver une – bien que je sois contre toute cette équipée.

– J'irai en France, dussé-je m'y rendre à pied », dit-elle d'un ton farouche.

17

Les orphelins d'Alice constituaient sa seconde famille. Elle avait fondé cet orphelinat des années auparavant, alors qu'elle était au sommet de sa carrière. Elle avait racheté le château d'Aureville – là où était né le père d'Amélie – avec l'argent de ses tournées dans le monde, donnant ainsi un toit à quarante enfants dont s'occupaient avec amour une dizaine de jeunes religieuses.

Pour y avoir été elle-même contrainte, Alice savait combien il était douloureux d'abandonner un enfant, de ne pas le voir grandir. Elle avait dû confier Amélie aux Aureville qui vivaient au Brésil afin de la soustraire à la folie et à la vengeance de Gilles de Courmont.

Alice avait demandé à Steinholz la permission de se rendre une fois par mois au château situé près de Tours, comme elle l'avait toujours fait.

Ne voulant pas arriver dans une voiture allemande conduite par un chauffeur de même nationalité, elle lui demanda l'autorisation d'y aller toute seule. « Après tout, pourquoi déranger un homme qui est certainement très occupé ? ajouta-t-elle.

– Comme vous voudrez », répondit sèchement Steinholz. Des photos encadrées de sa femme et de ses deux enfants trônaient sur son bureau. L'officier aurait aimé faire ouvertement un geste charitable envers des orphelins, mais Alice lui refusait cette petite satisfaction d'amour-propre.

« Ces papiers vous permettront de voyager trois jours par mois, Madame Alice. Cela devrait vous donner suffisamment de temps, je pense.

– Autre chose... Puis-je emmener mes petites-filles avec moi, Herr Kommandant ? Elles adorent aller au château »

Steinholz tamponna les papiers d'un air impatienté et les lui tendit. « Vous obtenez toujours ce que vous voulez, Madame Alice ? demanda-t-il sans en douter une seconde.

– Presque toujours », rectifia-t-elle modestement.

C'était une soirée tiède et claire. Les derniers nuages roses glissaient sur l'horizon. Le chant des grillons se mêlait au bruit du ressac sur la grève. Prune quitte la villa et traversa les jardins pour se rendre à l'hostellerie La Rose du Cap. L'air embaumait le jasmin et les lauriers-roses. Elle avait remonté ses cheveux épais qui lui tenaient si chaud, mais qu'elle ne voulait pas couper de peur que ses parents ne la reconnaissent pas après la guerre. Cette question la tracassait en permanence. Parfois elle en riait et se traitait de folle. A d'autres moments, cette idée s'imposait si fortement à elle qu'elle en pleurait. Alice la prenait dans ses bras et lui disait combien ses parents seraient fiers d'elle, de son courage, de la façon dont elle s'était débarrassée de sa gouttière.

Elle s'était soumise sans jamais se plaindre à des heures de rééducation. Elle n'avait plus, à présent, qu'une légère claudication qui, selon sa grand-mère, finirait par disparaître. Je suis comme les autres enfants maintenant, se disait Prune et, en outre, j'aide la France.

Un jour, en cherchant son chat, elle avait entendu une radio dans la cave. Prêtant l'oreille, elle perçut également des voix anglaises! Les hommes ressemblaient à des routiers et elle avait pensé qu'ils livraient du champagne, mais ils lui avaient souri et dit en anglais: « Bonjour, qui es-tu? » Stupéfaits, ils l'entendirent répondre dans leur langue: « Je suis Prune, bien sûr! »

Ils se mirent à rire. Elle leur expliqua qu'elle habitait la villa avec sa grand-mère et ses demi-sœurs, Laïs et Léonore. Laïs avait été furieuse, pas contre Prune, mais à l'idée que quelqu'un avait été assez négligent pour laisser la porte ouverte. Elle avait été obligée de mettre Prune dans le secret en lui faisant jurer de ne jamais en parler à personne. Puis elle avait ajouté: « Nos vies et celles d'un certain nombre de gens en dépendent. » Prune, effrayée, regrettait d'être partie à la recherche de son chat.

Par la suite, c'était devenu excitant. Un jour, Laïs, le visage soucieux, lui avait demandé si elle pouvait se charger d'un message ultrasecret. « Je ne peux pas le porter moi-même. Kruger me surveille. Quant à Grand-mère, ça paraîtrait bizarre qu'elle aille soudain à Monte-Carlo. Léonore, elle, attend les généraux italiens. Kruger l'empêchera de partir. »

Prune avait senti l'angoisse de Laïs lorsqu'elle avait plié le morceau de papier et l'avait glissé sous ses crayons, dans son plumier. Le tout avait disparu dans son cartable. Dans l'autobus, elle avait fait un signe d'adieu, puis rejoint la file des écolières qui, deux par deux, se rendaient à l'école à travers les rues de Monte-Carlo. Lorsque la cloche sonna, elle sortit discrètement le papier et le glissa dans la poche de son tablier.

Il attendait au coin de la rue. C'était un homme de petite taille, corpulent, avec une grosse moustache, en tenue de croupier. Elle fit tomber le message sur le trottoir tout en continuant son chemin. Deux mètres plus loin, elle s'arrêta pour tirer sur ses socquettes: le message avait disparu. L'homme s'éloignait déjà en sifflotant, les mains dans les poches. Enivrée par le succès de sa première mission, Prune courut prendre son bus, fière d'elle, de son travail pour la France et de ses jambes solides qui, à présent, lui obéissaient. A sept ans, elle faisait déjà partie de la Résistance!

Léonore recensait les denrées alimentaires dans l'office. Elle ne perdait jamais son calme, en dépit de l'attitude du capitaine Kruger, toujours sur son dos, et des ordres du commandant Steinholz. Cependant, à force de froncer les sourcils, deux petites rides verticales s'étaient creusées sur son front. Léonore et Laïs avait un caractère si différent qu'on arrivait à en oublier leur ressemblance physique. L'expression délibérément sereine de Léonore devant une difficulté à résoudre contrastait avec l'impétuosité de Laïs, dont le visage reflétait toutes les humeurs.

« Prune! Je ne t'avais pas entendue arriver. » Léonore jeta un coup d'œil autour d'elle pour s'assurer que les portes étaient bien fermées, puis, de derrière les pots de confiture alignées sur l'étagère, elle sortit une boîte qui disparut aussitôt dans le cartable de Prune. « Il n'y a plus qu'un seul homme dans la cave, chuchota-t-elle. Il part ce soir. Voilà sa ration pour le voyage et des instructions pour la suite. Assure-toi qu'il les brûle après les avoir lues. C'est très important. »

L'enfant hocha la tête. « Je ne peux pas y aller moi-même, reprit Léonore, parce que Kruger ne me lâche pas d'une semelle en ce moment. Ça ira?

– Bien sûr... Personne ne s'occupe de moi. Le vieux Kruger sait à peine que j'existe. » Plantant un baiser rapide sur la joue de sa sœur, elle se glissa dehors.

Comme Prune tournait l'angle de l'hôtel, le capitaine Kruger surgit devant elle et, s'arrêtant jambes écartées, lui barra la route. Un vent de panique souffla sur elle. *Savait-il? Venait-il pour les arrêter?* Soudain, sa peur se mua en rage. Elle se mit à haïr Kruger comme elle avait haï sa gouttière. C'était une *merde!* Rejetant la tête en arrière, elle s'avança vers lui en balançant son cartable et en chantonnant.

« *Guten Tag, Fraülein Prune.*

– Bonsoir, monsieur. » Elle leva les yeux vers lui. Il avait des jambes courtes, trapues et des yeux pâles, protubérants comme ceux des langoustes.

« D'où venez-vous? demanda-t-il en regardant son cartable. Ne devriez-vous pas être à la maison en train de faire vos devoirs pour demain ? »

Prune se dandinait, embarrassée. « J'y vais », dit-elle en le contournant pour poursuivre son chemin. Résistant à l'envie de s'enfuir à toutes jambes, elle se retourna et lança : « Bonsoir, monsieur. » Stupéfait, Kruger l'entendit fredonner une chanson anglaise. Il la suivit d'un regard soupçonneux, puis rentra à l'hôtel.

Laïs était assise sur son tabouret habituel, au bar de l'hostellerie. Elle buvait du champagne au milieu d'un groupe d'officiers manifestement sous le charme. Elle est ravissante, se dit Léonore en se frayant un chemin vers elle. C'était l'heure de l'apéritif et le bar était bondé. Laïs avait bruni et ses cheveux, décolorés par le soleil, étaient, à certains endroits, presque blancs. Elle était vêtue d'une robe de couleur améthyste, provenant de l'inépuisable garde-robe d'Alice. Laïs pouvait porter n'importe quoi. Tout, même des vêtements qui dataient des années 25, avait de l'allure sur elle. Rejetant ses longs cheveux en arrière, Laïs fit signe au barman de resservir du champagne. Elle demanda au pianiste de jouer plus fort car sa musique était couverte par le bruit des conversations et les éclats de rire.

Du coin de l'œil, Léonore repéra Kruger, appuyé contre le piano, les yeux fixés sur Laïs, la lippe pendante. Elle n'avait jamais vu un visage refléter un désir aussi cru, aussi bestial. En regardant sa sœur, elle eut soudain peur pour elle. Elle la rejoignit et, en s'asseyant, murmura à son oreille : « Prune est en train de faire ses devoirs. »

Laïs leva sa coupe comme pour porter un toast et sourit à sa sœur. « Prenons un dernier verre avant le dîner, proposa-t-elle aux officiers. A propos, qui va au casino, ce soir ? »

Léonore surprit de nouveau le regard de Kruger rivé sur Laïs. Totalement immobile, l'œil fixe, il avait l'air d'un animal guettant sa proie. Les gens commençaient à se diriger vers la salle à manger et elle entendit Laïs décliner l'invitation des officiers à se joindre à eux. « Peut-être plus tard », dit-elle.

Posant bruyamment son verre sur le piano, Kruger sortit de la pièce, de sa démarche raide. « Fais attention, chuchota Léonore à sa sœur. Ce type est fou. Et il est jaloux.

– Jaloux ? De quoi ? » Elle le suivit des yeux d'un air méprisant. « Cette larve sait que je ne la vois même pas.

– Tu n'as pas remarqué la façon dont il te regarde ? Il te désire, Laïs.

– Aucune importance. C'est la énième roue du carrosse, tu sais.

– Il est imprévisible et dangereux », insista sa sœur. Mais Laïs se contenta de rire.

« En tout cas, tu ne pourras pas dire que je ne t'aurai pas prévenue, soupira-t-elle. Bon, il faut que j'aille à la cuisine.

– Une femme a toujours à faire », railla Laïs. Elle se sentit soudain fatiguée. Un flot de clandestins leur arrivait régulièrement d'Épernay. En se mêlant aux officiers, Laïs entendait souvent des bribes de conversation qui pouvaient leur être utiles. Le souvenir de Karl la hantait encore. Il était logé dans les méandres de son cerveau, comme un cobra, déroulant ses anneaux dès qu'elle était seule. Elle était terrifiée mais ne le montrait à personne. Elle regarda fixement son verre. Le champagne était un accessoire indispensable à sa performance. Laïs, la charmeuse, l'ex-maîtresse de Bruhel.

« Laïs ? Vous souvenez-vous de moi ? Nous nous sommes déjà rencontrés à Paris. »

Elle regarda droit dans les yeux dorés, piquetés de vert, du commandant Ferdi von Schönberg.

18

Volker Kruger s'examina dans la grande glace. Ce soir, il allait demander à Laïs de Courmont de dîner avec lui. En repensant à sa robe moulante, il eut une érection. Il toucha son pénis à travers son pantalon et déboutonna un bouton de sa braguette. Non... il n'avait pas le temps. Si Laïs avait un gramme de bon sens, elle accepterait immédiatement de dîner avec lui. Elle manigançait quelque chose, il en était certain.

Il surveillait les demoiselles Courmont depuis quelque temps déjà. Il les faisait suivre lorsqu'elles se rendaient à Monte-Carlo ou à Nice et s'arrangeait, plusieurs fois par jour, pour surprendre Léonore dans la cuisine ou à l'office. Quand Laïs se baignait dans la piscine, il ne la quittait pas des yeux. Il avait même fait filer Prune sur le chemin de l'école. L'officier de renseignements du commandant von Steinholz soupçonnait le boulanger de faire partie d'un réseau. Kruger ne comprenait pas pourquoi cet homme n'avait pas encore été arrêté. Aller le chercher en pleine nuit aurait eu l'avantage de faire encore une fois la preuve de la puissance nazie et de terrifier les habitants qui blêmissaient dès qu'ils voyaient débarquer la Gestapo. Steinholz préférait attendre afin d'essayer de remonter toute la filière. Kruger renifla avec mépris en tapotant son revolver. Ce Luger était l'insigne de son pouvoir, tout comme le badge qui ornait sa casquette de capitaine.

Au bar, le pianiste jouait des chansons de taverne allemandes, entouré d'un petit groupe d'officiers à moitié ivres qui rentraient d'Afrique. Ils chantaient et riaient nerveusement en renversant de la bière sur les touches d'ivoire que le pianiste essuyait avec un mouchoir blanc. Volker chercha Laïs des yeux. Son tabouret était vide. Il demanda au barman s'il l'avait vue.

« Non, capitaine, répondit ce dernier. Elle n'est pas venue ce soir. »

Volker, en fulminant, regarda sa montre. Il aimait dîner à 8 heures précises. Il commanda une bière et s'installa sur le tabouret vide. Bien sûr, Laïs ne voudrait jamais d'une bière. Elle ne buvait que du champagne. Une boisson de femme, se dit-il, méprisant. Il demanda néanmoins au barman de mettre une bouteille à rafraîchir. 8 heures sonnèrent. Laïs n'était toujours pas arrivée. Il commanda une seconde bière et décida d'attendre encore une demi-heure.

Assis en face de Laïs au café de Paris, à Monte-Carlo, Ferdi von Schönberg la regardait dévorer son cocktail de crevettes. Son masque de femme hautaine dissimulait quelque chose de vulnérable, d'enfantin qui éveillait son instinct de protection. Il avait déjà ressenti cela lorsqu'elle était avec Bruhel dont tout le monde connaissait les instincts sadiques. Il avait brisé de nombreuses femmes dans sa vie et le bruit courait qu'il en avait même assassiné une. Les autorités avaient étouffé l'affaire et évité le scandale de justesse. D'une part, Bruhel passait pour un excellent officier de renseignements, d'autre part, sa charmante femme venait d'une excellente famille bavaroise proche du pouvoir.

Laïs termina son cocktail et son vin. Ferdi fit signe au garçon de la resservir. Consciente d'être déjà un peu grise, elle le regarda d'un air soupçonneux. « Vous essayez de me soûler? demanda-t-elle en repoussant fermement son verre.

– Je ne crois pas que cette décision puisse venir de moi.

– Que voulez-vous dire? » Elle s'adossa à sa chaise et plongea son regard dans le sien. Les yeux de Ferdi étaient magnifiques, dorés avec des taches vertes.

« S'enivrer est une décision qu'on prend soi-même. Personne ne vous soûle de force.

– C'est vrai, admit-elle. Cependant, c'est parfois la seule solution.

– La seule solution?

– Pour venir à bout d'une journée... ou d'une nuit. »

Il se tut, attendant une explication qui ne vint pas. « Dites-moi, reprit-elle d'un air provocant, que ressent-on lorsqu'on est un officier de l'armée allemande? Vous vous faites l'effet d'un conquistador? »

Il haussa les épaules. « Je n'ai pas le choix. J'ai été mobilisé pour faire mon devoir envers mon pays... comme les Français. Que je sois d'accord ou non avec la politique actuelle n'a rien à voir là-dedans. »

Surprise, elle le regarda avec attention. Aucun des nazis qu'elle fréquentait n'émettait jamais la moindre critique à l'égard du régime. Peut-être essayait-il de lui tendre un piège. Curieusement, elle ne le pensait pas. Il avait un regard trop honnête, une bouche trop ferme... il ne pouvait avoir aucun point commun avec ces brutes.

« Vous ne devriez pas parler ainsi, lui dit-elle prudemment.

– Je sais, mais c'est ce que je ressens. Je pensais que vous le comprendriez. »

Il la soupçonnait. Maintenant elle le savait. Elle soutint son regard insistant.

« La veille du jour où Bruhel est mort, vous avez donné une

soirée, vous vous en souvenez, j'imagine. Vers 2 heures du matin, je suis allé à la bibliothèque. La pièce était très sombre. Il n'y avait qu'une lampe allumée sur le bureau de Bruhel. Je me suis versé un cognac que j'ai siroté dans un grand fauteuil, au fond de la pièce. J'ai dû m'endormir parce que vous m'avez réveillé en entrant. Je vous ai regardée compulser les documents de Bruhel et prendre des notes. »

Laïs était blême, les yeux agrandis par la peur.

« Ne vous inquiétez pas, dit-il d'une voix douce. Si vous ne l'aviez pas tué, je crois que j'aurais fini par le faire moi-même.

– Je ne l'ai pas tué!

– Alors je remercie celui qui s'en est chargé. Bruhel était un monstre.

– Qu'allez-vous faire maintenant? » D'une main tremblante, elle ouvrit son porte-cigarettes en or gravé à ses initiales. Ferdi se pencha pour allumer sa cigarette.

« Rien du tout. Bruhel méritait son sort. Et je ne fais pas partie des services secrets. Je ne suis pas censé traquer les espions. En outre, je suis amoureux de vous.

– Amoureux de moi? répéta-t-elle, médusée.

– Je vous ai aimée dès que je vous ai vue, ce fameux soir où, appuyée contre le piano, vous écoutiez du Cole Porter. Vous aviez l'air si amère. J'avais envie de vous prendre dans mes bras, d'effacer cette amertume, de vous faire rire... »

La cigarette, oubliée, se consumait dans le cendrier. Elle avait accepté l'invitation de Ferdi von Schönberg parce que, pour la première fois depuis des mois, elle s'était sentie physiquement attirée par un homme. Cependant, cette déclaration d'amour la stupéfiait.

La main de Ferdi se posa sur la sienne. Sa voix l'hypnotisait. « Je veux te voir nue, tes cheveux défaits. Je veux nager avec toi. Je veux te caresser, t'aimer jusqu'à ce que tu redeviennes la jeune fille que tu as été avant cette horrible histoire, Laïs. Je veux te faire l'amour, je t'aime.

– Je ne sais rien de tout ça », murmura-t-elle. Des larmes tremblaient au bord de ses cils. « Je ne comprends pas l'amour. »

Il lui sourit et pressa tendrement sa main prisonnière de la sienne. « Il est temps que tu apprennes. »

Kruger faisait les cent pas dans le parking de l'hostellerie. Il était près de minuit. Que fabriquait-elle ? Sa voiture, la Courmont bleue qui roulait grâce aux tickets d'essence fournis par Steinholz – cela exaspérait Volker – n'avait pas bougé de la soirée.

Vers 1 heure et demie, une petite Citroën emprunta lentement l'allée de gravier et s'immobilisa à quelques mètres de lui. Les lumières s'éteignirent et il distingua deux silhouettes à l'intérieur, deux têtes qui se rapprochaient. Le couple s'embrassait. Kruger scruta l'obscurité pour tenter de voir le compagnon de Laïs – car il était sûr que c'était elle. La portière du conducteur s'ouvrit et un homme de haute taille sortit de la voiture, fit le tour et aida la jeune fille à descendre. Il l'attira vers lui et la serra dans ses bras. Un instant, leurs deux silhouettes se confondirent. Cependant, Kruger ne parvenait toujours pas à identifier l'homme. Le couple enlacé remonta vers l'hostellerie. Marchant sur l'herbe pour ne pas être repéré, Kruger les suivit à distance, sa curiosité en éveil. *Qui diable cela pouvait-il être ?*

En montant les marches du perron, Ferdi prit le bras de Laïs et ils se dirigèrent vers les ascenseurs. Kruger continua de les regarder fixement tandis que l'ascenseur s'élevait. Il était comme frappé de stupeur. Ainsi Laïs couchait avec Ferdi von Schönberg ! Il en tremblait de rage. De tous les êtres qu'il connaissait, Schönberg était celui qu'il haïssait le plus. Il représentait tout ce qu'il détestait. Ferdi appartenait à une vieille et illustre famille. Ses grands-parents maternels possédaient les aciéries Merker qui fournissait des armes à l'armée allemande. C'étaient leurs tanks qui roulaient dans le désert. Grâce à eux, l'Allemagne remportait toutes ses victoires. Schönberg n'avait pas besoin de lutter pour monter en grade. Cependant, chose étrange, il n'était encore que commandant. Le bruit courait qu'il refusait toute promotion, préférant se battre avec ses hommes plutôt que de se retrouver dans un pose administratif à l'arrière. Cependant, Irène von Schönberg, la mère de Ferdi, une femme autoritaire qui passait pour mener son monde à la baguette, avait usé de son influence pour faire muter son fils à Reims où il était devenu le bras droit de Klebbich.

C'était facile pour tous les Schönberg de ce monde d'avoir des filles. Ils n'avaient qu'à se baisser pour les ramasser. A présent, Laïs devait être nue dans ses bras. Il l'embrassait, la suçait.

Tremblant de désir, Kruger ouvrit sa braguette et contempla son pénis tumescent dans la glace. C'est lui qui aurait dû être en elle, ce soir. Il aurait été si excité que sa queue aurait doublé de volume, serait devenue énorme. Il l'aurait remplie... Le rythme de sa main s'accéléra et son sperme gicla sur le miroir.

19

A demi éveillée, Laïs se retourna et serra l'oreiller contre elle. Elle sentit les doigts de Ferdi dessiner la ligne de ses cils sur sa peau et lui sourit. Tout allait bien, ce n'était pas un rêve. Elle sentait son souffle tiède sur sa figure. Il l'embrassa.

« Bonjour, mon amour », murmura-t-il, repoussant tendrement une mèche de cheveux de son visage. Laïs ouvrit si brusquement les yeux qu'il se mit à rire. « C'est ridicule de se sentir aussi heureuse, murmura-t-elle contre sa poitrine.

– Ce sentiment ridicule prouve-t-il que tu m'aimes ? » demanda-t-il en l'embrassant encore.

Laïs s'agenouilla près de lui et lui planta de petits baisers partout sur le ventre. « J'aimerais que tu me fasses l'amour, dit-elle.

– Ce n'est pas ce que je t'ai demandé, dit-il, gémissant à mesure que ses lèvres descendaient. Je t'aime, Laïs, et je veux que tu m'aimes. »

Elle leva la tête et le regarda gravement. Elle repensait à la veille au soir. Ferdi tremblait de désir, mais il s'était retenu, l'avait longuement caressée. Lorsqu'il l'avait enfin pénétrée, elle était si excitée qu'elle avait joui très vite. C'était un merveilleux amant, le plus extraordinaire qu'elle eût jamais connu. Ils avaient fait l'amour toute la nuit. Blottie contre lui, Laïs poussa un soupir heureux. « Je n'ai jamais été amoureuse, répondit-elle. Tout ce que je sais, c'est que je n'ai jamais ressenti ça pour personne. »

Il la serra si fort contre lui qu'il lui fit mal. « C'est l'amour, murmura-t-il à son oreille. Je te le promets, ma chérie, c'est l'amour. »

Amélie avait l'impression de rouler depuis des mois, pourtant elle n'était partie que dix jours auparavant. Elle avait pris par le nord de l'Espagne et traversé Salamanque, Valladolid et Bilbao, avant de passer la frontière à Hendaye, le poste de douane le plus facile à franchir selon les contacts de Jim. Ils lui avaient suggéré de dire qu'elle rentrait en France après avoir fait un séjour en Espagne. Ses papiers français lui avaient coûté très cher mais elle les avait obtenus en deux jours. Ils l'autorisaient à quitter la France pour une période de dix jours. Elle n'avait eu aucun problème avec les douaniers espagnols. Ils avaient manifesté leur étonnement en secouant la tête. A leurs yeux, il fallait être fou pour rentrer en France quand on avait la chance de se trouver en Espagne. Elle avait roulé lentement vers la ligne de démarcation matérialisée par des monceaux de fils barbelés. Des soldats allemands, armés jusqu'aux dents, lui enjoignirent de s'arrêter. Amélie coupa le contact et attendit. Ils lui ordonnèrent de sortir de sa voiture et l'escortèrent jusqu'au poste de commandement où un gros sergent joufflu l'inspecta des pieds à la tête avant d'examiner soigneusement ses papiers. Il alla ensuite à la voiture dont il fit deux fois le tour pour s'assurer qu'elle n'y cachait rien. Amélie le regardait avec nervosité à travers la fenêtre du poste. Ils ouvrirent le coffre où elle avait rangé sa valise et le sac contenant la robe de Prune. L'Allemand s'empara du sac et revint vers elle.

« Ces choses sont neuves, dit-il. Où les avez-vous achetées ? » Dieu merci, l'emballage portait l'inscription « Modas de Criancas » sans adresse ni nom de ville. Son laissez-passer ne mentionnait pas de séjour au Portugal. Amélie, tout en priant pour que le sergent ne parlât pas le portugais, répondit fermement : « A Bilbao, où je suis allée rendre visite à ma mère malade. »

Il la dévisagea un moment. « Vous êtes espagnole, alors ?

– Non, française, mais ma mère vit en Espagne depuis des années. A cause du climat. » Elle sentait la sueur couler entre ses seins. Il la considérait en silence et, soudain, elle comprit pour la première fois l'énormité de ce qu'elle était en train de faire. La France était occupée et elle avait affaire à l'ennemi.

« Et cette poupée ?

– C'est pour ma petite fille. »

Il remit le tout dans le sac qu'il poussa vers elle. Il tamponna ensuite ses papiers et les lui tendit.

Elle arriva à Biarritz en fin d'après-midi. La lumière commençait à baisser mais elle décida de rouler encore un peu. Elle longea la côte et s'arrêta à quelques kilomètres de là, dans un charmant village de pêcheurs. Au port, un café louait des chambres. Elle passa sa première nuit en France toute seule dans un grand lit de cuivre. Elle ne ferma pas l'œil. Dehors, la lune éclairait la mer. Courage, tu y es presque, se dit-elle pour se rassurer. Elle ne s'endormit qu'à l'aube.

Elle se réveilla vers midi et, s'habillant à la hâte, but un ersatz de café dont le seul mérite était d'être chaud.

Elle reprit la route. Il y avait des Allemands partout, y compris dans les villages. Elle remarqua que les Français se montraient polis avec eux, sans plus. Dans les bistrots, on les servait mais on ne bavardait pas avec eux. A Carcassonne, elle se rendit compte qu'elle allait manquer d'essence. A la station-service, on lui conseilla de s'adresser à la Kommandantur, installée dans les bureaux de la marie mais elle fut découragée par l'impressionnante file d'attente. Trop fatiguée pour attendre, elle repéra un café sur la place et commanda un citron pressé qu'elle but à l'ombre des platanes. Une demi-douzaine de retraités jouaient aux boules en commentant joyeusement les coups. Une fillette, revenant de l'école, passa à bicyclette, sa baguette de pain dépassant de sa sacoche. N'eût été le svastika flottant sur le toit de la mairie, on aurait pu se croire en temps de paix.

La façon dont Jim s'était procuré la Courmont lui revint brusquement à la mémoire. Elle se précipita à la poste et chercha dans l'annuaire l'adresse du concessionnaire Courmont le plus proche. Elle en dénicha un à Narbonne. Avec un peu de chance, on lui donnerait là de quoi arriver sur la Côte.

A Narbonne, le directeur lui promit des tickets d'essence, mais cela risquait de prendre quelques jours. En attendant, sa maison était à sa disposition. La perspective de passer ses soirées avec le concessionnaire et sa femme ne la tentait pas. Elle le remercia chaleureusement et s'installa à l'hôtel.

Deux jours plus tard, le réservoir plein, elle put reprendre la route. Hélas, à Nîmes, la voiture rendit l'âme. « Merde! Oh! Merde! » cria Amélie, hors d'elle en donnant de furieux coups de pied dans les pneus. Au garage, le mécanicien haussa les épaules. « Nous n'avons pas de pièces détachées, madame. Remplacer une tête de cylindre, ça prend des mois! »

A la gare, les transports de troupes avaient priorité. Les soldats allemands montaient dans d'interminables convois tandis que les civils attendaient, assis sur leurs valises. Au crépuscule, la gare ferma. Amélie revint le lendemain à l'aube, munie d'un viatique – du pain, du fromage et une bouteille d'eau pour le voyage. A 3 heures, le troisième jour, le train entra en gare. Amélie trouva une place assise qu'elle céda rapidement à une jeune mère serrant contre un nourrisson apathique.

En regardant défiler le paysage, debout dans le couloir, Amélie se demanda si elle atteindrait jamais le Cap-Ferrat.

20

En remontant de la plage après leur baignade de l'après-midi, Alice et Prune aperçurent Laïs qui se promenait sur le chemin de ronde, la main dans celle d'un jeune homme. Abritant ses yeux du soleil, Alice regarda les deux silhouettes au loin avec un sentiment de déjà vu. Le jeune homme, grand et blond, lui rappelait Rupert von Hollensmark, son premier amour. Bien des années auparavant, elle aussi avait emprunté ce sentier avec Rupert dont elle était alors éperdument amoureuse. Ils se baignaient, s'embrassaient et faisaient l'amour derrière les rochers.

C'était Rupert qui lui avait fait connaître la vieille auberge du Cap-Ferrat. La chambre, qu'elle occupait à présent, avait été la leur. Ils fermaient les volets dans la journée à cause de la chaleur et, la nuit, ils dormaient dans un grand lit recouvert d'une courtepointe blanche. Par la fenêtre ouverte, on entendait le bruit du ressac sur la grève. Ils en avaient fait des projets d'avenir dans cette chambre! Pourtant un jour, Rupert, cédant aux pressions familiales, était rentré en Allemagne, laissant derrière lui leur amour et leurs rêves. Elle ne l'avait jamais revu. La douleur qu'Alice avait ressentie lorsqu'elle avait enfin compris qu'il ne reviendrait pas demeurait encore vivace en elle.

Elle fit un effort pour chasser ce souvenir. « Qui est ce jeune homme? demanda-t-elle à Prune.

– C'est Ferdi. Je crois que Laïs est amoureuse de lui. »

Alice sourit. Prune grandissait. « Que sais-tu de l'amour? la taquina-t-elle.

– Eh bien, je sais qu'on soupire beaucoup et qu'on a l'air bizarre, répondit-elle avec gravité. Et aussi qu'on a une petite lumière spéciale dans les yeux. Comme Laïs. »

Ainsi Laïs était amoureuse. Avec un coup au cœur, elle se dit soudain que Ferdi devait être allemand. Oh! Laïs! Voilà qu'elle recommençait! Devrait-elle toujours vivre des amours impossibles?

« Grand-mère, dit Prune, tendant la main à Alice pour l'aider à monter l'escalier, je t'aime, j'aime Jim, maman, papa et mes sœurs. Alors pourquoi je ne suis pas comme Laïs?

– C'est différent, chérie. Quand un homme et une femme choisissent de s'aimer, il s'agit d'une forme d'amour très particulière. Je ne peux pas te l'expliquer, mais, quand ça t'arrivera, tu la reconnaîtras tout de suite. »

Prune se pencha pour prendre sa chatte, Ziggie, dans ses bras. « Je t'aime, Ziggie », murmura-t-elle, fourrant son nez dans la fourrure soyeuse. Le chaton lutta pour s'échapper et la griffa. « Oh! Regarde ce qu'elle m'a fait! s'exclama-t-elle en montrant son bras. Si Ziggie m'aimait vraiment, elle ne ferait pas ça. »

Alice se mit à rire.

« Tu as encore beaucoup de choses à apprendre sur l'amour, Prune. »

Ferdi était en adoration devant Laïs. Il buvait ses paroles, la couvait du regard, s'absorbait dans le bleu de ses yeux. Lorsqu'il était loin d'elle, son visage le hantait. Il faisait le long trajet de Reims à la Côte d'Azur tous les week-ends afin de passer deux jours et deux nuits avec elle. Et, chaque fois, repartir était une torture. Il avait besoin de la toucher, de l'embrasser. Il savait qu'il s'agissait de bien d'autre chose que d'une simple attirance physique. Il aimait cette femme à la fois courageuse et fragile.

Laïs s'arrêta et l'entoura de ses bras, la tête contre sa poitrine. Toute anxiété avait disparu de son visage.

« Je t'aime, dit-elle en le serrant contre elle. Je t'aime, Ferdi.

– Je croyais que tu n'étais pas capable de ressentir de l'amour, la taquina-t-il.

– C'était le cas, murmura-t-elle, embrassant sa peau sous la chemise déboutonnée, mais ça me paraît si loin! »

Ils se connaissaient depuis trois mois. « Vous vous souvenez de moi? » lui avait-il demandé. Maintenant, elle ne pourrait plus jamais l'oublier.

Il la prit par les épaules et la regarda dans les yeux. « Je veux t'épouser, Laïs. »

Ils savaient tous deux qu'un officier allemand ne pouvait se marier avec une étrangère. Elle soupira sans répondre.

« Je veux que tu saches combien je t'aime. Tu es dans ma vie à jamais. Nous nous appartenons. Un jour, la guerre finira. Est-ce que tu m'épouseras alors?

– Quand tu voudras, Ferdi. Tu n'as qu'à demander », répondit-elle avec un sourire malicieux.

« Grand-mère! Grand-mère! appela Laïs. Oh! Bonjour, Prune! Où est grand-mère? Je veux vous présenter quelqu'un.

– Je parie que c'est Ferdi, déclara Prune, mangeant une figue qu'elle venait de cueillir dans le jardin.

– Comment as-tu deviné? Où est grand-mère?

– Dehors. »

Un vieux chapeau de paille sur la tête, Alice plantait. « Grand-mère! cria Laïs. Il est ici. Je veux te le présenter.

– Qui ça? Ton Allemand? » s'enquit Alice d'un ton sec. La lueur de bonheur disparut si vite du regard de Laïs qu'Alice regretta immédiatement ses paroles.

« Ferdi est effectivement allemand. Il se bat parce qu'il y est obligé. Ce n'est pas *sa* faute. Quand la guerre sera finie, nous nous marierons. Il veut m'épouser. »

Laïs rayonnait d'optimisme et d'amour. « Je t'en prie, reçois-le, l'implora-t-elle. Je l'aime tellement! »

Alice savait qu'elle disait la vérité. L'amour avait transformé

Laïs. Elle était douce et fière d'aimer cet homme. Le fait qu'il fût capable de modifier ainsi la personnalité de son insupportable petite-fille était à porter à son crédit. « Très bien, dit-elle, ôtant son chapeau et ses gants de jardinage. Je vais faire sa connaissance.

– Oh! Merci, merci, grand-mère! » Laïs lui jeta les bras autour du cou.

« Donne-moi cinq minutes, dit Alice en riant. Je voudrais me laver les mains et me recoiffer. »

Prune examina le jeune homme qui attendait, debout, près de la fenêtre du salon. Il était séduisant, grand et blond comme les princes de contes de fées.

« Prune? » Ferdi lui sourit. « J'ai beaucoup entendu parler de vous.

– Qu'est-ce qu'on vous a dit? » demanda-t-elle, méfiante. Elle avait peur que Laïs lui ait parlé de sa jambe. Elle tenait à ce que personne ne le sache.

« Elle m'a dit que vous étiez ravissante et très mûre pour votre âge. Je vois qu'elle avait raison. »

Prune rougit. Papa et Jim la trouvaient jolie, bien sûr, mais c'était différent. « Où habitez-vous? demanda-t-elle en s'asseyant à côté de lui sur le rebord de la fenêtre.

– Dans un château, sur le Rhin.

– Un château! s'exclama-t-elle, très impressionnée.

– Et parfois dans une maison, à Cologne. En ce moment, j'habite Reims, ici en France.

– Moi, avant je vivais en Amérique, se vanta Prune. Je crois que je m'en souviens encore.

– Et moi, je crois que je me souviens du château. Mais ça fait si longtemps! »

Prune le regarda avec sympathie. « Ferdi! » Laïs entra en trombe. « Ma grand-mère sera ici dans une minute. N'est-ce pas merveilleux? »

Ferdi savait que Laïs s'était fait beaucoup de souci pour cette rencontre. Elle avait peur que sa grand-mère refuse de le voir, ce qui l'aurait rendue très malheureuse. Toutes deux semblaient très proches. Elle lui avait dit un jour : « Grand-mère est ma conscience. Quand je plonge, elle me repêche toujours et me maintiens la tête hors de l'eau. Sans elle, je crois que j'aurais fini par me noyer. »

En entendant des pas, il leva la tête.

« Grand-mère, je te présente Ferdi von Schönberg. »

Alice regarda le beau jeune homme blond lui baiser la main. Sa ressemblance avec Rupert lui causa un choc et lui fit l'effet d'un mauvais présage. Puis elle se dit qu'il serait injuste de faire peser sur eux l'ombre de son propre passé et l'amertume que la guerre avait fait naître en elle. Elle voulait leur donner sa bénédiction. Dieu seul savait combien il leur faudrait attendre avant de pouvoir se marier. Elle espéra que l'aventure de Laïs ne se terminerait pas aussi mal que la sienne.

Léonore entra tranquillement dans la cuisine, consciente des yeux de Kruger fixés sur elle. Elle s'arrêta et feignit de lire le menu du déjeuner. Il ne lui laissait pas une seconde de répit. Elle se dirigea vers le chef pâtissier pour lui donner des instructions concernant le gâteau du commandant von Steinholz dont on fêtait l'anniversaire le soir même. Du coin de l'œil, elle vit Kruger pousser la double porte et s'immobiliser dans sa posture favorite, les jambes largements écartées, les mains sur les hanches. Il inspecta la cuisine, puis, personne ne lui prêtant attention, il finit par repartir.

Léonore sortit dans la cour. Un jeune garçon l'attendait, son panier rempli de baguettes fraîches, posé à côté de lui. « A vos ordres, mademoiselle », dit-il tout haut, puis il se pencha vers elle et murmura : « Gaston vous fait dire qu'il y a danger. La Gestapo a arrêté le comte de Vogüé. Il est en prison, à Châlons-sur-Marne. Il paraît qu'il va être exécuté. Il y a eu d'autres arrestations à Épernay, mais trois des nôtres ont pu s'échapper. Ils arriveront ce soir par le camion. Il faut les aider à gagner Marseille. C'est urgent. »

Léonore le regardait, horrifiée. Sans l'aide des gens d'Épernay, le transport des résistants devenait impossible. Elle pria pour que Vogüé et les autres fussent épargnés.

En réfléchissant aux propos du commis boulanger, elle porta le pain à la cuisine. Elle eut soudain le sentiment que quelqu'un l'épiait et se retourna brusquement. C'était Kruger. « Nous n'avions pas assez de pain pour la soirée, expliqua-t-elle sentant le sang affluer à son visage.

– Ça ne risque pas d'arriver avec le champagne, hein ? Pas de problème de ce côté-là ? »

Léonore se ressaisit. « Le chef voudrait vous montrer comment il compte décorer le gâteau d'anniversaire du commandant », dit-elle.

Kruger l'observa d'un air soupçonneux. « Je vais y aller », dit-il, maussade.

Désespérée, Amélie regarda les gens qui attendaient avec elle le car d'Aix-en-Provence. Sa valise avait disparu! « Pardon, madame... monsieur, vous n'auriez pas vu ma valise? Le temps de prendre mon billet... »

On haussa les épaules, les regards se détournèrent. Tout le monde s'en fichait, de sa valise. Ils avaient leurs propres problèmes. Oh! Merde! A présent, il ne lui restait plus que cette robe de coton qu'elle portait sur elle et ses sandales. Dieu merci, elle avait gardé à la main le paquet de Modas de Criancas et son sac contenant ses papiers et son argent.

Chose surprenante, le vieux car bringuebalant arriva à l'heure. Amélie, jouant des coudes comme les autres, parvint à trouver une place. Il y avait longtemps qu'elle avait compris que les bonnes manières n'étaient plus de mise si l'on voulait s'asseoir. Dans cette chaleur étouffante, des relents d'ail se mêlaient à l'odeur des oignons et à celle de la sueur. Elle lutta vainement pour ouvrir la fenêtre puis, résignée, finit par se rasseoir. Le car s'ébranla lentement en direction d'Aix-en-Provence.

21

Le gros camion dont la bâche portait l'inscription « Champagne d'Épernay » s'arrêta dans la cour de l'hostellerie. Volker Kruger s'avança vers le chauffeur d'un air important. Il avait entendu parler du réseau d'Épernay. C'était la troisième livraison de champagne en trois semaines et il soupçonnait ce véhicule de livrer tout autre chose que du vin.

« Votre bon de livraison, vociféra-t-il.

– T'as le bon, Jules? demanda le chauffeur, impassible.

– Moi? Non, j'croyais que tu l'avais pris », répondit son compagnon avec le même flegme.

Kruger les considéra avec colère. Ils étaient paisibles et forts, la poitrine large, habitués à manier de lourdes caisses de vin. Il se sentit soudain petit et insignifiant comparé à eux.

« Si vous conduisez un camion de livraison, vous devez avoir un bon! glapit-il. Montrez-le-moi immédiatement ou je vous fais arrêter! »

Jacques, le chauffeur, s'esclaffa. « On va nous arrêter parce qu'on a oublié le bon? C'est nouveau, ça! Allez, viens, Jules, on va casser une petite graine avant de décharger. Ça fait long jusqu'ici, quand même. »

Kruger les regarda descendre et s'éloigner. Ils *savaient* qu'il aurait pu les faire coffrer et ils s'en foutaient. Ou bien essayaient-ils de le lui faire croire? Il était sûr que Léonore et Laïs manigançaient quelque chose pour cette nuit. La plupart des membres du réseau Vogüé avaient réussi à s'enfuir. Aussi bien ces deux gars en faisaient partie. Ils ne les avait jamais vus et ils avaient l'air un peu trop malins pour de simples chauffeurs.

Un quart d'heure plus tard, une escouade de six motards, précédant le fourgon de la Gestapo, s'arrêtait dans un bruit assourdissant devant l'hostellerie. Debout sur une marche d'escalier, Kruger donnait des ordres. « A la cuisine », cria-t-il, pilotant les hommes de la Gestapo à travers l'élégant hall de marbre rose sous l'œil ébahi des officiers.

Les deux chauffeurs levèrent les yeux et posèrent leur énorme assiette de bouillabaisse. Jacques finit paisiblement sa bouchée. « Eh bien, dit-il, on est allé chercher du renfort, à ce que je vois. »

Dans la pièce, tout le monde s'était immobilisé. Médusé, le personnel observait la scène. Que se passait-il? Avec la Gestapo, il fallait toujours craindre le pire.

« Ce sont ces deux hommes! Voulez-vous vérifier leurs papiers, s'il vous plaît? »

Le capitaine de la police allemande le considéra avec stupeur.

« Comment ça ? Vous voulez dire que vous ne l'avez pas fait vous-même ? »

Kruger ignora sa question. « Ils sont sûrement faux, reprit-il. Cherchez-les.

– Capitaine Kruger, je vous en prie ! s'exclama le capitaine de la Gestapo irrité par ces ordres brefs. « Debout ! » ordonna-t-il sèchement aux deux hommes. Ceux-ci se levèrent en s'essuyant la bouche d'un revers de main. « Vos papiers ? »

Léonore courut à la cuisine et comprit immédiatement ce qui se passait. A travers la fenêtre, elle vit le camion garé dans la cour. Il n'était pas gardé.

« Bonsoir, dit-elle poliment au capitaine de la Gestapo. Je suis Léonore de Courmont, la propriétaire de l'hôtel. Quel que soit le problème, je préférerais le traiter dans mon bureau. Le chef prépare le dîner d'anniversaire du commandant von Steinholz et vous l'empêchez de travailler. » Kruger et le capitaine échangèrent un regard, puis lui emboîtèrent le pas. Les deux chauffeurs suivaient. Le reste de la troupe, botté et casqué, fermait la marche.

Laïs remonta sa longue robe de crêpe de Chine verte au-dessus de ses genoux et la ceintura sommairement pour pouvoir courir. Elle se précipita vers l'escalier qui menait à l'entrepôt et, refermant la porte derrière elle, attendit dans l'obscurité. Elle avait peur. Son cœur battait fort. Maintenant qu'elle aimait Ferdi, elle ne pouvait plus considérer tout cela comme un jeu. Elle risquait sa peau au moment même où elle commençait à y tenir. Elle songea à Vogüé, confiné dans la tristement célèbre prison de la Gestapo à Châlons-sur-Marne, condamné à mort. Elle savait pourtant qu'elle continuerait comme les autres. Comment faire autrement ? La vie, sous la botte allemande, n'était pas possible. De surcroît, elle ne pourrait épouser Ferdi qu'une fois la France libérée.

La porte s'entrouvrit. « Laïs ? » C'était Prune. Soulagée, Laïs la rejoignit et toutes deux coururent le long du couloir vers la cour.

« Ils sont dans le bureau de Léonore, murmura Prune, haletante. Elle dit que nous avons cinq minutes. »

Laïs lutta avec le système de verrouillage du camion et l'abattant s'ouvrit soudain dans un grand bruit de ferraille. Elles échangèrent un regard inquiet. Derrière la fenêtre de la cuisine, on voyait le cuistot et ses aides s'activer aux fourneaux. « Vite, chuchota Laïs, je vais t'aider à monter. »

Elle grimpa dans le camion puis tendit la main à Prune qui se faufila vers l'avant en rampant sur les caisses. Elle frappa deux coups sur la quatrième à gauche en partant de l'arrière et tendit l'oreille. On lui répondit. A l'aide d'un levier qu'elle prit dans sa poche, elle ouvrit la caisse. Elle répéta l'opération trois fois. Chaque caisse contenait un homme. « Vite, murmura-t-elle aux résistants qui, fourbus, se dépliaient en gémissant, suivez ma sœur. » Ils se glissèrent hors du camion puis coururent lourdement derrière Laïs. Leurs pas faisaient crisser le gravier et Prune, inquiète, les suivit des yeux. Puis elle referma rapidement les caisses et sauta hors du camion dont elle referma l'abattant. Des voix fortes lui parvinrent de l'hôtel. A travers la fenêtre de la cuisine, elle aperçut Kruger et les hommes de la Gestapo. Ils venaient vers elle! Affolée, Prune laissa tomber la clé et jeta un coup d'œil vers la fenêtre. *Merde!* Elle n'hésita qu'une seconde. Kruger était déjà à la porte. En un tournemain, elle avait contourné le camion et filé vers les arbres avant que Kruger eût même ouvert la porte.

Laïs conduisit les trois hommes à la cave. Ils suivirent des couloirs sans fin, longèrent des centaines de mètres de casiers à bouteilles. Les caves faisaient toute la surface de l'hôtel. C'était un véritable labyrinthe, rendu plus complexe encore par quelques faux murs et culs-de-sac. Élevant sa torche, Laïs les guida vers un petit tunnel sombre. Elle écarta une pile de caisses, révélant un large regard qui dissimulait une volée de marches. « Là-dedans, messieurs », chuchota-t-elle. La faible lumière diffusée par une simple ampoule accrochée au plafond éclairait le réduit relativement confortable. Des couchettes avec couvertures et oreillers étaient disposées le long des murs. Sur une table de bois entourée de quatre chaises, ils trouvèrent de quoi se restaurer : du pain, du vin, des fruits et de l'eau. Ils repérèrent le poste émetteur sur un banc.

« Ah! Dieu merci, s'exclama l'un des résistants. Nous devons envoyer un message à Marseille immédiatement. C'est vital, mademoiselle. Vital! »

Laïs mit les écouteurs à ses oreilles et essaya vainement

d'obtenir la liaison. Elle sentait la tension des trois hommes. « Il ne marche plus, dit-elle. On va venir vous chercher le plus tôt possible et vous emmener à Marseille. Avec un peu de chance, vous y serez demain soir. Ça peut attendre jusque-là?

– Les Allemands projettent de faire sauter le Vieux-Port demain. Ils veulent liquider la Résistance et leurs déserteurs à eux. Ils ont essayé de localiser la planque mais ils ont échoué. C'est leur réponse. Si nous ne parvenons pas à prévenir nos gars là-bas, on va perdre beaucoup d'hommes et de matériel. »

Leurs visages barbus étaient hagards, leurs yeux rougis à force de veiller. Ils avaient laissé derrière eux une femme et des enfants sans savoir s'ils les reverraient jamais et, pourtant, ils se préoccupaient encore du sort de leurs camarades.

« Je vais m'arranger pour faire parvenir le message, promit Laïs. Donnez-moi le nom de votre contact là-bas. »

22

Prune redescendit la colline en courant. Son cartable rebondissait dans son dos. Elle s'arrêta dans la cour, hors d'haleine et décida pour ne pas risquer de tomber sur Kruger qui surveillait peut-être le camion, de passer par le jardin et l'entrée principale comme si elle venait de chez sa grand-mère et non du village.

Les notes familières de la *Lettre à Élise*, de Beethoven, lui parvenaient du bar. Respirant à fond pour se calmer, Prune rejoignit Laïs, assise sur son tabouret habituel. C'était Kruger qui jouait du piano.

« Salut, ma puce, dit Laïs, ébouriffant les cheveux de sa sœur. Tu as soif? » Prune se hissa sur le tabouret voisin. « Prenons un peu de champagne, proposa-t-elle à voix haute en regardant Kruger. Nous venons juste d'être livrés. »

Son rire caustique résonna dans la salle vide. Kruger lui jeta un regard furieux. Il vida son verre de bière et sortit. Le capitaine de la Gestapo avait vérifié les papiers des deux chauffeurs et n'avait rien constaté d'anormal. Pas plus que sur le bon de livraison miraculeusement retrouvé. Après une inspection sommaire du camion, ils étaient repartis non sans avoir relâché les deux hommes et emporté une caisse de champagne offerte par la maison. L'homme de la Gestapo avait accusé Kruger de lui faire perdre son temps. Ce dernier était furieux. Quant à Laïs, elle se félicitait de la rapidité et de la précision avec lesquelles le sauvetage s'était opéré.

Un commandant italien, qui faisait à Laïs une cour pressante avant que Prune n'arrive, se glissa entre elle et la fillette afin de reprendre son badinage interrompu par l'arrivée de la petite. Prune regrettait que Ferdi ne fût pas là. Il lui aurait été plus facile de parler à sa sœur. Ses yeux anxieux émettaient des signaux qui, manifestement, échappaient à Laïs. « Je crois que j'ai quelque chose dans l'œil, dit-elle enfin en frottant sa paupière gauche.

– Permettez... » L'Italien produisit un mouchoir immaculé et, inclinant la tête de Prune en arrière, entreprit de chercher la cause de sa gêne. « Tu n'as rien, *bambina* », dit-il, tamponnant son œil à présent larmoyant.

Prune le regarda d'un air mauvais. *Bambina!* Elle qui avait près de huit ans et se battait pour la France.

« Laïs, je ne me sens pas très bien, reprit-elle. Tu peux m'accompagner aux toilettes, s'il te plaît? »

Laïs haussa les sourcils. « Pauvre chérie, murmura-t-elle, ce doit être le champagne. » Elle descendit de son tabouret et les deux sœurs gagnèrent la sortie.

De son poste d'observation, tout près de la réception, Kruger surveillait les allées et venues du personnel. Apercevant Prune et Laïs, il les suivit et les vit s'engouffrer dans les toilettes. Il s'adossa au mur et attendit.

Un doigt sur les lèvres, Laïs vérifia qu'il n'y avait personne dans les cabinets. « Gaston dit qu'on ne peut pas venir chercher les trois hommes ce soir, murmura Prune. Il faut qu'ils attendent.

– Attendre! Combien de temps? »

La fillette haussa les épaules. « Une semaine, d'après Gaston.

– C'est impossible! S'ils ne gagnent pas Marseille dans les vingt-quatre heures, ils seront abandonnés. Quand les Allemands vont faire sauter le Vieux-Port, tout le monde sera déjà éparpillé.

Nos hommes ne seront plus en sécurité nulle part. Nous ne savons même pas si leurs contacts sont toujours en vie.

– Justement, reprit Prune. Gaston n'arrive pas à leur faire passer le message. La radio semble brouillée. Il pense que les Allemands ont dû finir par la repérer. Il va fermer une semaine et cacher le poste. »

Si Gaston, qui avait amplement fait preuve de son courage, décidait de mettre la clé sous la porte, c'est qu'il ne pouvait faire autrement sans mettre tout son réseau en danger.

« Si tu veux envoyer le message à Marseille, fais-le, mais lui ne peut pas t'aider.

– Mais comment? s'exclama Laïs, désespérée. Comment, bon Dieu?

– Il doit bien y avoir un moyen », dit Prune.

Une étincelle jaillit soudain du cerveau de Laïs. « Le croupier! » s'exclama-t-elle.

Prune s'en souvenait. C'était l'homme qui avait ramassé son premier message sur la route de l'école.

« Il est de Marseille! Il connaît l'itinéraire et les contacts. Il pourrait leur faire parvenir un message. » Laïs se précipita vers la porte, puis s'immobilisa, la main sur la poignée. Comment aller à Monte-Carlo? C'était impossible, Kruger ne la lâchait pas d'une semelle. Quant à Léonore, censée superviser le dîner d'anniversaire de Steinholz, jamais Kruger ne la laisserait partir. Il comprendrait immédiatement qu'elles manigançaient quelque chose. « Qui pourrait aller à Monte-Carlo pour contacter le croupier et le ramener ici? » demanda-t-elle à Prune.

Alice conduisait lentement la longue Courmont bleue sur la Corniche, résistant à l'envie d'appuyer sur l'accélérateur afin d'arriver plus vite. Avec un foulard sur la tête et des lunettes de soleil, elle pouvait passer pour Laïs allant rendre visite à des amis au casino, comme elle le faisait souvent. Les nazis connaissaient Laïs et savaient que Steinholz lui fournissait des tickets d'essence. En outre, elle était la maîtresse d'un officier allemand. Ils la considéraient presque comme l'une des leurs.

Elle se gara devant l'entrée du casino et monta les marches imposantes du perron. Mon Dieu, que de souvenirs lui évoquait ce lieu! La première fois qu'elle en avait franchi la porte, elle était âgée de dix-sept ans et se préparait à jouer pour survivre.

Touchant furtivement la statue de l'entrée pour que la chance l'accompagne – comme des milliers d'autres l'avaient fait avant elle – Alice entra dans la salle de jeu. A part quelques vieux messieurs en smoking, on voyait surtout des uniformes allemands. En dépit de la neutralité de Monaco, les présences nazie et italienne n'y étaient pas négligeables.

Alice avait enfilé une simple robe de soie noire. Elle ne voulait surtout pas se faire remarquer. Elle s'assit à la troisième table, comme le lui avait recommandé Laïs. Le croupier, petit et gros, transpirait sous la lampe et des gouttes de sueur perlaient sur son front. Alice le regarda fixement, puis poussa son argent vers lui. Il lui rendit son regard avec l'indifférence propre à sa fonction et lui donna l'équivalent en plaques. Il n'y avait que trois autres personnes autour de la table : un officier allemand accompagné d'une jeune Italienne et un homme en smoking qui lui parut arménien. Il était huit heures – trop tôt encore pour la foule. Alice avait exactement une heure pour s'acquitter de sa mission. Tranquillement, elle plaça sa mise.

A 8 heures un quart, elle avait gagné quinze cents francs. A 8 heures et demie, l'Allemand et sa compagne partirent dîner. Lançant un coup d'œil à l'Arménien, Alice décida de tenter sa chance. Elle fit signe au croupier. « J'aimerais encaisser mes plaques, dit-elle.

– Bien sûr, madame, un moment. » Il les ratissa vers lui.

« Voici pour vous... » Elle lui tendit le pourboire habituel, enveloppé d'un morceau de papier. Leurs regards se croisèrent. Cette fois, il avait compris. Il recouvrit la plaque de sa main.

Fourrant l'argent dans son sac, Alice quitta le casino. En mettant sa voiture en marche, elle s'aperçut qu'elle tremblait. Elle était terrifiée à l'idée que l'Arménien eût remarqué leur manège. Elle démarra en trombe, puis roula un moment, l'œil rivé sur son rétroviseur. Personne ne la suivait. La rue était déserte. Alors elle fit demi-tour et alla se garer dans un coin sombre, près de l'hôtel de Paris.

Amélie n'avait pas pensé que son arrivée à la maison se passerait ainsi. Naturellement, elle ne s'était pas fait une idée très précise de la façon dont elle s'effectuerait. Les trois dernières nuits, elle les avait passées dans de petites chambres d'hôtel étouffantes. Les robinets de la baignoire ne fonctionnaient pas et ses cheveux étaient collés par la sueur et la poussière. Amélie sourit tandis que la carriole poursuivait lentement son chemin, tirée par une vieille jument à bout de souffle. Elle avait renoncé à bavarder avec le charretier qui ne semblait guère plus fringant que son cheval et se contentait de répondre à ses questions par des grognements et des hochements de tête. Cependant, il allait à Saint-Jean et avait accepté immédiatement de l'emmener. C'était tout ce qui comptait. Bientôt, ses trois filles et elle seraient réunies.

Le commandant von Steinholz contempla le gâteau d'anniversaire blanc et bleu que Léonore apportait dans la salle éteinte. Il accueillit en souriant les applaudissements et le « Joyeux anniversaire » chanté en allemand. Puis il souffla les bougies d'un seul coup. Volker Kruger regardait Laïs. Celle-ci ralluma les lampes. Elle manigance quelque chose, se dit-il. Elle me paraît tendue, en dépit de son sourire de commande... Un serveur s'approcha avec une bouteille de champagne. « Non, pas pour moi, dit-il d'un ton sec. Donnez-moi une bière. » Entre-temps, Laïs avait disparu. Il se leva aussitôt.

« Votre gâteau, capitaine, dit Léonore, posant une assiette devant lui. Voyons, ajouta-t-elle, s'appuyant contre la table pour l'empêcher de se dégager, vous ne pouvez pas partir avant le discours du commandant. Je suis sûre qu'il ne vous le pardonnerait jamais. »

Kruger se rassit d'un air impatienté tandis que Steinholz se levait pour porter un toast.

« A notre Führer, dit-il. Heil Hitler!

– Heil Hitler! » Le col déboutonné, à moitié ivres, ses commensaux trinquèrent avec lui. Steinholz aussi semblait passablement soûl. Kruger les observait d'un air méprisant. Comment osaient-ils porter un toast à Hitler dans cet état?

Il se leva à son tour. « Au commandant von Steinholz, dit-il d'une voix assurée. Joyeux anniversaire, mon commandant! »

Steinholz le regarda d'un air incrédule. « Vous trinquez à la bière, Kruger? »

Tous éclatèrent de rire. Kruger s'empourpra. « Kruger trinque à la bière, répétaient-ils, morts de rire. Il se croit chez lui, à Munich! »

Instinctivement, la main de Kruger se posa sur la crosse de son revolver. Ce geste lui redonna confiance en lui. Tremblant de rage, il écarta sa chaise et quitta la pièce, ignorant Léonore de Courmont qui se précipitait vers lui.

« Capitaine Kruger, et le discours du commandant? »

Lorsqu'il se tourna vers elle, il saisit une expression anxieuse qui fit aussitôt place à un sourire angélique. A quoi songeait-elle? se demanda-t-il. *Pourquoi* tenait-elle tant à ce qu'il écoute le discours de Steinholz? *Et où était passée sa sœur?*

« J'ai déjà entendu parler le commandant, mademoiselle de Courmont », dit-il sèchement. Se retournant brusquement, il entra en collision avec Laïs. Celle-ci s'accrocha à lui pour retrouver son équilibre. Pendant un instant, elle fut contre lui. Il respira son parfum, sentit sa peau satinée sous ses doigts.

« Vous m'avez sauvé la vie, dit-elle en riant. J'ai failli tomber. »

Une succession d'images, bribes de ses rêves érotiques, flotta devant lui. Il sentit son sexe durcir. Ses yeux se posèrent sur les seins de Laïs, rondeurs exquises qui disparaissaient dans la soie verte, aussi douce que sa peau. Il s'imagina, fourrant son visage contre cette gorge superbe, suçant ses mamelons... Il rougit et fut pris d'un tremblement. Ses yeux dilatés par l'excitation ne lâchaient pas ceux de Laïs. Il éjacula dans son caleçon avec un gémissement sourd.

« Eh bien, eh bien, Herr Kruger, murmura Laïs d'un air ironique, vous vous laissez un peu aller, il me semble. »

Elle s'éloigna. Lui resta figé là, comme un collégien surpris en train de se masturber. Il entendit son rire moqueur tandis que, le bras passé sous celui de sa sœur, elle lui chuchotait quelque chose à l'oreille.

Prune attendait au portail de la villa. Elle scrutait l'obscurité pour tenter d'apercevoir au loin les phares de la voiture. Sa grand-mère avait quinze minutes de retard et chaque minute lui semblait une heure. Enfin, la voiture surgit dans la nuit.

L'homme assis à côté de sa grand-mère portait la casquette de la Gestapo et Prune, terrifiée, retint sa respiration. Comme ils sortaient de la voiture, elle entendit Alice lui parler en français et l'homme répondre dans la même langue. A la lumière des phares, elle reconnut le croupier.

« Grand-mère, murmura-t-elle, soulagée, je suis là. »

Alice se retourna en fronçant les sourcils. « Prune! Que fais-tu ici? Tu devrais être couchée depuis longtemps!

– J'ai un message de Laïs. Ni elle ni Léonore ne peuvent faire sortir les hommes de la cave. Kruger ne les lâche pas d'une semelle. Il faut que j'aille les chercher moi-même et que je les amène à la villa. Le croupier les prendra en charge à partir de là.

– Je ne peux pas te laisser faire ça, s'insurgea Alice, affolée. Je vais y aller moi-même.

– C'est impossible, grand-mère. Laïs a raconté à Kruger que tu étais malade et que tu ne pourrais pas assister à la réception de Steinholz. Il soupçonne tout le monde, sauf moi. » Ses yeux l'imploraient. « Tu ne comprends pas? Je suis la seule qui peut le faire.

– C'est impossible, Prune... » Mais l'enfant avait déjà disparu dans la nuit.

Les hommes remontèrent en silence après avoir replacé les caisses qui dissimulaient leur refuge. Ils suivirent Prune, traversèrent la cour et se mirent à couvert derrière les arbres. « On va là-bas, chuchota-t-elle en montrant la villa, mais on va faire le tour, passer par la pointe et redescendre de l'autre côté. Le raccourci est trop dangereux.

– Entendu, petite, murmura l'un des résistants. Allons-y. »

Prune se fraya un chemin à travers les arbres, s'arrêtant de temps en temps pour que les hommes ne la perdent pas de vue. Elle savait qu'il lui faudrait revenir à la cave. Sa chatte Ziggie, qui la suivait tout à l'heure, n'était pas remontée avec eux. Impossible de la laisser dans ce labyrinthe. Elle risquait d'y mourir. Ils décrivirent un large demi-cercle autour de la villa qu'elle aborda par l'ouest. Quinze minutes plus tard, ils entraient dans la maison.

Le croupier les attendait à la cuisine. Il avait revêtu un bleu de travail semblable au leur. « Dépêchons-nous, dit-il. On va couper à travers champs et bois jusqu'à Sainte-Maxime où nous prendrons vos permis de travail. Le reste du trajet s'effectuera dans un camion de ferme qui livre du lait et des légumes. » Il fit un clin d'œil à Prune. « Le tout, dans ce boulot, c'est d'être un bon acteur. » Les trois résistants serrèrent la main de la petite fille. Ils lui dirent qu'ils n'oublieraient jamais ce qu'elle avait fait pour eux. « Bonne chance », murmura-t-elle en les regardant s'éloigner dans la nuit.

Prune rejoignit Alice dans la cuisine. Elle but un verre de lait et mangea un morceau de gâteau. La lumière de la suspension faisait briller les casseroles et les cocottes en cuivre astiquées par Mme Frénard. Des bouquets d'herbes séchées pendaient de la poutre centrale. C'était un lieu paisible, intime et on avait du mal à imaginer que, dehors, le danger rôdait.

Prune s'adossa à sa chaise et bâilla. Ziggie devait déjà l'attendre, pelotonnée sur son édredon. Elle se leva d'un bond. « Grand-mère, il faut que je retourne à l'hôtel. Ziggie est enfermée dans la cave. » Elle prit sa torche et fila avant qu'Alice eût pu l'en empêcher.

Kruger s'assit à côté de Laïs. Son haleine empestait la bière et elle s'écarta de lui. Le commandant italien qui faisait une cour pressante à Laïs depuis une semaine se glissa entre Kruger et elle. Ce faisant, il renversa un peu de bière sur le pantalon de Kruger qui le regarda d'un air furieux et se mit à frotter ostensiblement sa cuisse. Le souvenir de son éjaculation intempestive lui empourprait le visage. Comment avait-il pu à ce point perdre son contrôle? *Et elle s'en était rendu compte!* Il l'avait vu clairement dans son regard. Il était au comble de l'humiliation. Laïs, appuyée au bar, murmurait quelque chose à l'oreille de l'Italien. Elle riait. Elle se moquait de lui! Il descendit de son tabouret et gagna la sortie.

Dans le hall, il prit son mouchoir pour s'éponger le front. C'était un solitaire. Il avait toujours détesté la foule. Du coin de l'œil, il repéra la petite Courmont qui empruntait le couloir menant derrière la maison. Sans doute allait-elle rejoindre Léonore. Il traversa le hall et, en quête d'air frais, s'apprêtait à s'engouffrer dans les portes-tambours lorsque une pensée le traversa comme la foudre : *elle avait une torche à la main!*

Un sourire de triomphe étira ses lèvres épaisses. Si Prune prenait la peine de se munir d'une torche, c'est qu'elle allait dans un endroit sombre. *La cave, par exemple!*

Léonore, qui sortait de la cuisine, vit Kruger se diriger vers elle d'un pas décidé. « Qu'y a-t-il encore, capitaine? demanda-t-elle, l'air excédé.

– Où va-t-elle? Où va votre petite sœur?

– Elle rentre à la maison. Où voulez-vous qu'elle aille?

– A la cave? » suggéra Kruger.

Léonore se figea. Prune lui avait pourtant promis qu'elle n'irait pas récupérer Ziggie ce soir. Elle savait que c'était dangereux.

« C'est ridicule, s'exclama-t-elle. Pourquoi voulez-vous qu'elle aille à la cave?

– Elle avait une torche à la main! » Il savait que, seules, les caves principales étaient éclairées.

« Bien sûr! » Léonore se força à rire. « Elle est obligée de traverser le jardin pour rentrer chez elle. Il y fait noir comme dans un four!

– Je vais aller à la villa pour vérifier, dit Kruger.

– Certainement pas! Ma grand-mère dort et vous allez la réveiller. Je vous l'interdis!

– *Vous me l'interdisez?* répéta le capitaine, haussant les sourcils.

– Parfaitement, et au besoin je demanderai au commandant d'intervenir. Ma grand-mère est souffrante. Elle n'a même pas pu assister au dîner d'anniversaire et je ne crois pas qu'elle apprécierait l'intrusion chez elle d'un simple capitaine. » Léonore savait qu'elle jouait sur du velours. Steinholz avait un faible pour Alice.

« Très bien, mais vous ne m'empêcherez pas de faire un tour à la cave. » Il tourna les talons.

« Capitaine Kruger! Vous oubliez qu'il n'y a qu'une clé et que c'est moi qui l'ai. Je refuse de vous laisser inspecter la cave sous prétexte que vous avez vu ma sœur avec une torche. Vos soupçons sont ridicules. Je vais en parler au commandant von Steinholz immédiatement. » Elle passa en trombe devant lui et se dirigea vers le bar. Steinholz était déjà si soûl au dîner qu'avec un peu de chance, il serait au-delà de toute compréhension.

« Ziggie! Ziggie! appela Prune. Viens ici, ma chatte, viens vite. » Les culs de bouteille brillaient à la lueur de sa torche. Elle écouta, espérant l'entendre miauler. Elle regarda sur le sol mais ne vit aucune trace de pattes. Elle poursuivit son chemin. « Ziggie, ma chérie! » Un faible miaou, semblant venir d'en haut, lui répondit. Elle leva la tête. Les yeux de la chatte luisaient dans le faisceau de sa lampe. « Viens ici, espèce de folle, ordonna Prune, tendant le bras pour essayer de saisir le chaton juché sur un casier à bouteilles. « Pauvre petite chose! » Ziggie poussa affectueusement son museau contre elle. Prune embrassa la chaude fourrure. « Il ne faut plus jamais t'enfuir comme ça. Promets-le-moi », dit-elle en remontant l'escalier.

Léonore n'avait jamais vu le bar aussi bondé. On se serait cru dans le métro, à 6 heures du soir. Une odeur de cuir, mêlée à celle de la lourde eau de Cologne qu'utilisaient les Allemands, imprégnait l'atmosphère. Plissant le nez de dégoût, elle se fraya un chemin vers sa sœur.

« Il faut que je te parle », murmura-t-elle.

Laïs se leva et la suivit. « Prune a fait des siennes, chuchota Léonore. Ziggie s'est retrouvée enfermée dans la cave tout à l'heure et elle a insisté pour aller la récupérer. Kruger l'a vue avec sa lampe électrique et il demande à inspecter les caves. Je crois que je l'en ai dissuadé mais je n'en suis pas sûre.

– Oh! Mais quel salaud, ce type! Quelle sale fouine! *Tiens, le voilà!* » Kruger se tenait à son poste d'observation habituel, à la réception.

« Ne te tracasse pas, Léonore. Les hommes n'y sont plus. Que veux-tu qu'il arrive? Prune cherche son chat, c'est tout. »

Le trajet en voiture de Reims à Saint-Jean-Cap-Ferrat parut interminable à Ferdi von Schönberg qui était fatigué. Cependant, en songeant à la joie de Laïs qui ne l'attendait pas avant une quinzaine de jours, il eut un sourire de bonheur. Il regarda sa montre. Elle devait être au bar, en train de « divertir l'ennemi ». Elle était aussi belle que courageuse. Elle écarquillerait les yeux en l'apercevant, comme la première fois, puis lui sourirait... et ce sourire contiendrait un message que lui seul comprendrait. La Mercedes s'arrêta devant le perron. Ferdi claqua la portière et boutonna sa veste. L'air était tiède, tout bruissant d'insectes. C'était bon d'être de retour.

Kruger enrageait. Il *savait* que la fillette était descendue à la cave. S'il attendait ici suffisamment longtemps, il la pincerait. Elle serait bien obligée de ressortir. Ainsi, son instinct ne l'avait pas trompé. Elles cachaient des fugitifs là-dedans. L'enfant servait de messager. Il devait y avoir un poste émetteur. Il allait enfin montrer à tous ces imbéciles d'aristocrates de quoi sont capables les buveurs de bière! Il allait coincer des résistants sous leur nez pendant qu'ils se vautraient dans le champagne. L'Allemagne de Hitler était faite pour des hommes comme lui. Le Führer sortait d'un milieu modeste où on buvait de la bière et non du vin.

Kruger arpentait le hall et ses bottes résonnaient sur le sol de marbre. Il regardait fixement Laïs et Léonore, debout à l'entrée du bar. *Il les avait maintenant! Toutes les trois!* C'était si évident qu'il se demandait comment il n'y avait pas pensé plus tôt. La tête blonde de Laïs était tout près de celle de sa sœur. Elle lui chuchotait quelque chose à l'oreille. Il eut soudain le sentiment désagréable qu'elles parlaient de lui. Laïs rejeta la tête en arrière et s'esclaffa. Son rire ricocha sur les parois du hall et vint se ficher dans son cerveau à vif. Elle se moquait de lui, racontait à sa sœur qu'il s'était conduit comme un collégien. La main de Kruger trembla sur la crosse de son revolver. Il eut brusquement envie de la tuer, de faire un trou dans cette gorge déployée.

Prune traversa le hall, sa chatte dans les bras.

« *Halt!* » cria Kruger, l'œil exorbité. Il la fixait d'un air de fou en avançant vers elle, la main posée sur la crosse de son Luger. Prune le regardait, terrorisée. C'était la seule chose qu'elles comprenaient, se dit-il avec un sentiment de triomphe. *La puissance! Sa puissance!* Le Luger se retrouva, il ne sut comment, dans sa main. C'était le symbole de sa supériorité. Personne n'oserait, pas même une Courmont, discuter ses ordres en ce moment. Le cri de terreur que poussa Prune interrompit le cours plaisant de ses pensées. Elle passa devant lui en trombe. « *Halt!* » hurla-t-il, se précipitant derrière elle. Elle avait compris qu'il ne tirerait pas, se dit-il, stupéfait. Elle savait qu'il était lâche, comme sa mère le lui avait répété pendant toute son enfance. Il aurait dû les tuer toutes les trois!

« Un revolver, cria Laïs. Kruger a sorti son revolver! »

Il aurait dû tirer à l'instant, faire disparaître à jamais ce fléau blond qui l'obsédait et peuplait ses rêves. De la sueur coulait sur son visage violacé. Sa main tremblante pointait le revolver vers Laïs qui, d'un bond, s'était retrouvée devant Prune. Appuie sur la détente, se dit-il. APPUIE! Avec un grognement de défaite, il s'effondra contre le bureau de la réception et se cogna l'épaule contre l'angle. Le Luger bougeait dans sa main et son doigt sans force jouait avec la détente. Il eut l'impression que le coup se répercutait sans fin sur tous les murs du hall. Il entendit une femme hurler.

Ferdi von Schönberg vola au-dessus des trois dernières marchez, son revolver à la main. Assise sur le sol, Prune serrait dans ses bras une jeune fille dont la robe de soie verte se teintait déjà de rouge. Ses longs cheveux blonds recouvraient en partie son visage. Prune, éclaboussée par le sang, les écarta avec une infinie tendresse.

Voilà le prince charmant de Laïs, se dit-elle. Viens, réveille-la d'un baiser. Hélas, elle savait maintenant que cela n'existait que dans les contes. Le regard terrifié de Prune rencontra celui du jeune officier. Elle entendait des hommes courir, crier...

« Elle est morte, Ferdi, chuchota-t-elle. Kruger l'a tuée. »

Ce dernier était toujours affalé contre le bureau. Il tremblait en contemplant la scène, le visage décomposé. Le revolver gisait à ses pieds. Pétrifiée, Prune vit Ferdi lever son bras droit, viser soigneusement puis tirer.

Deuxième Partie

23

« Je ne peux rien en faire », s'emporta M. Hill, poussant Noël sans ménagement dans le bureau de Mme Grenfell. L'agrippant toujours par le cou, il le secoua violemment, exaspéré par son apathie. Noël venait de *marcher* le cross-country de sept kilomètres. Il avait pris tout son temps, arrivant plus de deux heures après tout le monde.

« Il n'y a pas que ça, fulmina M. Hill. Il est toujours là, planté comme un soliveau, que ce soit au basket, au football ou au base-ball. Je ne sais vraiment plus quoi en faire! »

Le regard embrumé de l'enfant fixait un point au-dessus de la tête de Mme Grenfell. Se rasseyant avec un soupir, elle tapota ses cheveux gris et frisés par la permanente, puis considéra Noël au-dessus de ses lunettes cerclées de métal. Elvira Grenfell était très grosse. Les coussinets de graisse rembourrant ses cuisses auraient pu, lorsqu'elle était assise, offrir un refuge à un enfant de dix ans. Mais elle n'était pas tendre. Son regard minéral et ses propos sarcastiques, proférés d'une voix sèche, plongeaient les enfants dans le doute et l'insécurité. Pourtant, ayant consacré sa vie à l'orphelinat, Elvira se considérait comme une femme de cœur. Elle veillait à ce qu'on fît de ses pensionnaires de bons chrétiens, prêts pour les tâches modestes qui leur incomberaient dans la société. C'est pourquoi les garçons inadaptés comme Noël la déprimaient. Que faire des marginaux, des non-conformes? En outre, cet enfant était si laid! Elle se hâta de rejeter cette pensée peu chrétienne.

« Eh bien, demanda-t-elle sèchement, qu'avez-vous à dire pour votre défense? Pourquoi êtes-vous une constante source d'ennuis pour M. Hill? »

Le regard de Noël resta vague. « Je ne suis pas bon en sport, madame, murmura-t-il.

– Il n'essaie pas! vociféra le professeur. Il est la risée de la classe et c'est un très mauvais exemple pour les autres. Les garçons ricanent quand ils le voient se moquer de mes instructions. Et, naturellement, ils lui tombent dessus à la récréation. C'est une telle demi-portion! Il faut qu'il se développe, enfin, qu'il devienne un homme! »

Noël, qui était passé maître dans l'art de s'évader quand cela l'arrangeait, ne les entendait même pas. Il aurait aimé être l'Homme invisible. Il éprouvait une vive sympathie pour ce personnage qui observait le monde avec un œil d'entomologiste.

« Eh bien? »

La voix de Mme Grenfell avait grimpé d'une octave. « Répondez-moi, exigea-t-elle. A quoi êtes-vous bon? Que faites-vous, Noël Maddox, pour contribuer à la bonne marche de notre petite société? »

Il haussa les épaules et regarda le sol.

Mme Grenfell et M. Hill échangèrent un regard exaspéré. Vraiment, on finissait par se demander s'il était utile de s'occuper de ce garçon.

« Très bien. Lorsque les autres feront du sport, vous viendrez travailler ici. Vous nettoierez le garage. Vous laverez les étagères et vous les rangerez. Vous laverez également ma voiture et celles du personnel. Vous finirez peut-être par comprendre que le sport a du bon. Outre que cela ne pourrait que vous améliorer physiquement... » Son regard exprimait toute l'horreur que lui inspirait ce gringalet pâlichon. « Vous commencerez cet après-midi. M. Hill sera chargé d'inspecter votre travail. Allez... sortez à présent. » Remontant ses lunettes, elle reporta son attention sur le plateau que venait d'apporter sa secrétaire. Ça sentait bon. Le gâteau spécial du chef voisinait avec le café. C'était vraiment enfantin de sa part d'aimer à ce point l'*angel cake*, mais elle ne pouvait tout simplement pas y résister. Sa main gourmande se tendit vers la pâtisserie.

Noël, le visage sombre, sortit du bureau. Ils pouvaient le punir de toutes les façons, l'accabler de travail, il s'en fichait. Peut-être le renverraient-ils. Il les embarrassait parce qu'il ne jouait pas le jeu. Quant aux enfants, les plus vieux l'ignoraient, les jeunes se moquaient de lui et les filles ne le voyaient même pas. Il aurait voulu être mort.

Au garage, Noël nettoya et rangea sans entrain, mais la voiture l'attira comme un aimant. C'était une automobile solide, haute sur roues, pas neuve, mais en bon état. Les trajets de Noël dans des véhicules à moteur s'étaient limités à quelques sorties dans le bus loué par l'orphelinat qui emmenait les enfants à la foire du comté, ou au pique-nique annuel. *Il n'était jamais monté dans une vraie automobile.* Il oublia le seau et les éponges et se glissa derrière le volant. L'intérieur sentait le cuir et un mélange de naphtaline et d'eau de Cologne – l'odeur de Mme Grenfell. Il tripota la poignée du changement de vitesses et regarda avec intérêt les différents compteurs. *Dieu, il adorait ça!* Comme il aurait aimé posséder cette voiture! Lorsque Luke était parti, il avait coupé net le flot de ses émotions mais il avait tellement envie de cette voiture qu'il en aurait pleuré.

Ses larmes jaillirent soudain et coulèrent sur le beau cuir, entre ses genoux osseux. Bientôt ce furent les grandes eaux. Il ne pouvait plus s'arrêter. Il passa un quart d'heure ainsi, le visage sillonné de larmes, sans bouger. Puis il se ressaisit, essuya le siège avec un chiffon propre et se moucha dedans. Il se sentait mieux, bien mieux, même, qu'il ne s'était senti depuis des années.

Noël eut du mal à ouvrir le capot. Le moteur était magnifique, à la fois simple et complexe. Il huma l'odeur chaude de l'huile et de l'essence, consumé par le désir de comprendre comment il marchait.

Par la suite, il emprunta des livres à la bibliothèque et les emporta au garage. Il comparait moteur et dessins et n'hésitait pas à plonger ses mains dans le cambouis comme un vrai mécanicien.

Le problème réglé de façon satisfaisante, puisque tout rutilait dans le garage, la colère de Mme Grenfell se mua en indifférence.

Le samedi, pendant que les autres gamins faisaient du sport, Noël se familiarisait avec les mécaniques de précision à l'Old Joe Garage ou à Body Shop, en ville, où il vendait aussi de l'essence. Ces heures passées en compagnie des voitures meublèrent sa solitude et son désert affectif.

24

Arrachant les fleurs du balcon de Caroline Montalva, Prune les lança sur les troupes américaines qui libéraient Paris. Les soldats rirent et levèrent la tête. « Je suis américaine, moi aussi », cria-t-elle.

« Dieu merci, ce cauchemar est fini, Caro, dit Alice avec soulagement. Les gens s'embrassent dans la rue comme avant.

– Oui, mais ce qui est terrible, c'est d'être trop vieille pour descendre en faire autant. Bah! C'est comme ça, la roue tourne, dit-elle d'un ton léger. Vers quelle heure Amélie et Gérard vont-ils arriver? »

Alice jeta un coup d'œil à la pendule en porcelaine de Meissen qui avait ponctué la vie de Caro depuis qu'elle la connaissait.

« Bientôt », répondit-elle. Elle aurait aimé accueillir son gendre chez lui, dans l'île Saint-Louis. Mais c'était à présent le Q.G. d'un général américain.

Prune regarda le bouquet de zinnias qui ornait la table couverte d'une nappe damassée. Elle savait qu'elle avait bien de la chance de revoir son père. Dans beaucoup de familles, les fleurs ne décoraient pas les tables mais les tombes.

« Ils doivent être à l'hôpital en ce moment, dit-elle joyeusement. Bientôt, *papa sera là!* Elle se mit à danser sur le tapis bleu saphir puis s'arrêta brusquement, assombrie par la pensée de sa sœur. Si seulement Laïs avait été là pour partager leur joie! Mais elle gisait dans un lit d'hôpital, avec des poids et des poulies attachés aux membres et des flacons qui se balançaient au-dessus d'elle. Des tubes dans ses bras et sa gorge la maintenaient en vie. Elle était blême, les yeux clos, recouverte d'un drap qui n'était jamais, *jamais* froissé.

Chaque jour, lorsque Prune allait la voir, elle espérait que sa sœur se réveillerait brusquement et la verrait là, près d'elle. Cependant, depuis cette nuit de cauchemar, Laïs n'avait plus jamais ouvert les yeux.

Parfois, un terrible sentiment de culpabilité s'emparait d'elle. Tout était de sa faute. Si elle n'était pas partie chercher Ziggie... Elle ne pouvait s'empêcher de revivre ces moments. L'odeur du sang emplissait de nouveau ses narines et le cri de Laïs résonnait à ses oreilles. Elle revoyait le regard froid, terrible de Ferdi quand il avait braqué son arme sur Kruger et cette fontaine de sang jaillissant de la gorge de l'Allemand. Elle avait été étonnée qu'un si petit homme pût contenir tant de sang. C'était Léonore qui avait pris le pouls de Laïs et crié pour qu'on appelle une ambulance. Le médecin allemand s'était employé à arrêter l'hémorragie.

La sonnette retentit enfin. « Le voilà! Le voilà! » cria Alice en se précipitant vers la porte.

Prune traînait sur le balcon, soudain intimidée. Elle n'avait pas vu son père depuis cinq ans et elle était grande pour ses onze ans. Peut-être s'attendait-il à voir sa petite fille presque comme il l'avait quittée.

Papa était maigre, si maigre qu'on aurait pu lui compter les côtes. Ses cheveux magnifiques étaient devenus tout gris et il avait un regard las même quand il souriait. Il s'appuyait lourdement sur une canne à pommeau d'argent et Amélie lui tenait le bras d'un geste protecteur.

Le regard de Prune croisa le sien et cinq années furent abolies d'un coup. Gérard laissa tomber sa canne et ouvrit les bras. Elle s'y précipita. « J'avais peur que tu sois devenue une grande fille, mais tu es toujours mon bébé.

– Toujours, papa, chuchota Prune en se serrant contre lui. Je serai toujours ton bébé. »

La sonnette retentit de nouveau et chacun s'immobilisa, étonné. Le temps où un coup de sonnette inattendu vous glaçait de peur était encore présent dans toutes les mémoires. « J'espère que je ne suis pas en retard pour le déjeuner », dit une voix familière dans l'entrée. Vêtu de son uniforme de colonel de l'armée de l'air américaine, Jim s'avançait vers eux. « Ah! dit-il, enregistrant d'un coup d'œil la table, le seau à champagne et la famille assemblée, je vois qu'on n'attendait plus que moi.

– Jim, oh! chéri », cria Alice. Il la souleva, la serra contre lui et la couvrit de baisers.

« Pourquoi ne m'as-tu pas prévenue? » protesta-t-elle.

Jim se mit à rire. « J'étais sous les ordres du commandant, ma p'tite dame. Je fais partie de l'armée de libération. Lorsque j'ai dit que j'allais faire un saut pour voir une vieille amie, ils ne m'ont pas cru. Ils doivent s'imaginer que j'entretiens une maîtresse à grands frais quelque part dans Paris. » Il sourit à Caro. « Je dois admettre que je ne m'attendais pas à vous trouver tous réunis ici.

– Papa et maman sont là tous les deux! s'exclama Prune. C'est un miracle, un vrai miracle!

– Le second de la journée, dit Amélie. Nous arrivons de l'hôpital. Gérard a tenu la main de Laïs et il lui a parlé tout doucement. Au bout d'un moment, nous nous sommes levés pour partir. Avant de quitter la pièce, nous nous sommes retournés. *Les yeux de Laïs étaient ouverts!* »

25

Vêtu d'une chemise bleue délavée et de son plus beau pantalon de flanelle grise auquel il manquait deux bons centimètres, Noël fourgonna dans les entrailles du moteur avec la jauge. Il remarqua qu'il avait taché la manche de sa chemise empesée et jura entre ses dents. Il aurait de beaucoup préféré enfiler sa combinaison bleue pour travailler au garage mais Mme Grenfell avait insisté pour qu'il mette ses habits du dimanche. Aujourd'hui, ils recevaient des hôtes de marque. La dame en question réunissait d'énormes sommes d'argent dans un but charitable. La *charité!* Noël méprisait ce mot. La charité profitait surtout à ceux qui la faisaient. Quand on en était le bénéficiaire, il fallait se montrer reconnaissant et passer son temps à rendre grâces à celui ou celle qui vous permettait de manger votre « pain quotidien ».

La cloche, invitant tout le monde à se regrouper dans le hall, résonna. Noël frotta sa manche mais il ne fit qu'étaler le cambouis. Il s'essuya les mains et se dirigea à pas traînants vers la maison.

Prune, qui contemplait la morne plaine par la vitre de la voiture, se tourna vers sa grand-mère. Elle conduisait les bras tendus, bien adossée à son siège, comme il convient. Pourtant la grosse Chrysler se traînait à cinquante à l'heure. A cette vitesse, elles n'y seraient pas avant 4 heures.

« Cesse de pousser des soupirs à fendre l'âme, dit Alice. Nous arriverons, comme prévu, pour le déjeuner. » Elle avait emmené Prune dans sa tournée des orphelinats américains car Amélie, qui habituellement l'accompagnait, avait voulu rester à New York où Laïs, hospitalisée, subissait un énième traitement. Mais Prune manquait de patience. Elle n'était pas plutôt assise dans la voiture qu'elle demandait si on était bientôt arrivé.

« Tu ne peux pas aller un peu plus vite?

– Je n'ai pas l'habitude de conduire ces grosses voitures américaines. En outre, c'était toujours le chauffeur ou Jim...

– Je sais bien que tu as connu les voitures à cheval, la taquina Prune, mais vraiment, tu exagères!

– C'est vrai, j'ai vu rouler les premières automobiles, admit Alice. Je me souviens encore du jour où ton grand-père m'a emmenée faire un tour dans la toute première Courmont. C'était un bijou. Rouge avec des sièges de cuir beige clair. Il y avait même de petits vases de Lalique, tu te rends compte? Quel luxe! Gilles avait mis du jasmin plein la voiture. Je portais une robe aussi rouge que la carrosserie... »

Prune était suspendue à ses lèvres. Grand-mère allait-elle enfin lui parler de ses amours avec Gilles de Courmont?

« Crois-moi, lorsque nous sommes arrivés devant le théâtre, nous avons fait sensation!

– Tu as toujours fait sensation, répondit tranquillement Prune.

– Pas toujours. En fait, c'était plutôt Gilles qui suscitait la curiosité. Cet homme avec sa puissance, son intelligence... » Elle s'interrompit et ses mains se crispèrent légèrement sur le volant.

« Pourquoi ne l'as-tu pas épousé? » s'enquit Prune, enhardie par ces confidences.

Le visage de sa grand-mère se ferma si brusquement qu'elle regretta sa question. « Peut-être te le dirai-je un jour, chérie... si j'y suis contrainte. Ne serait-ce que pour t'épargner ces pièges dans lesquels les femmes tombent si facilement. Tu sais, l'amour est le sentiment le plus complexe de tous et il fait bien souvent de nous des idiotes.

– N'empêche... si j'aimais quelqu'un, je l'épouserais, insista Prune.

– C'est très bien, ma chérie, répondit Alice d'un ton léger destiné à mettre fin à cette conversation. Mais, surtout, présente-le à ta vieille grand-mère avant... que je voie s'il est acceptable. Ah! Regarde... ce grand bâtiment à droite. Ce doit être l'orphelinat. »

Une cloche sonna lorsqu'elles franchirent la grille. A la vue des pavillons gris sans fleurs ni plantes pour en adoucir l'austérité, le cœur de Prune se serra. Les enfants qui attendaient, bien alignés devant le perron, semblaient tout gris eux aussi.

« Oh! Grand-mère, je ne peux pas », chuchota-t-elle.

Alice, surprise, se tourna vers elle. « Tu ne peux pas quoi?

– Je ne peux pas entrer là-dedans. » A la pensée de ce qui l'attendait là, elle en avait l'estomac noué. « Je n'aime pas... »

Le visage de Mme Grenfell se rapprochait. Ses fausses dents brillèrent un instant au soleil.

« Tu ne te sens pas bien?

– Si, si, mais, je t'en supplie, ne m'oblige pas à t'accompagner. »

Alice regarda l'orphelinat, le visage plein d'espoir de Mme Grenfell et les enfants pâlichons alignés devant la porte. Elle comprit. « Attends-moi ici, chérie », dit-elle en ouvrant la portière. Sa tâche à elle consistait à voir ce que pouvait faire sa propre organisation pour leur venir en aide. A présent, elle regrettait d'avoir emmené la fillette.

Celle-ci s'adossa à son siège avec un soupir de soulagement. Jamais elle n'aurait supporté de déjeuner parmi ces orphelins comme elle le faisait si volontiers au château d'Aureville. Ce bâtiment était sinistre. Elle en imaginait l'odeur sans peine. Des relents d'un puissant désinfectant mêlés à ceux de la cuisine. Elle se redressa et regarda les lettres d'acier qui luisaient au soleil.

Un visage hâve apparut soudain à la vitre. Des yeux clairs et froids la fixaient. Effrayée, elle se rejeta en arrière.

« Pardon... excusez-moi, dit le garçon. Je voulais juste regarder la voiture. » Il s'éloigna, la tête basse, les mains enfoncées dans les poches de son pantalon.

Prune se redressa et le suivit des yeux. Il n'avait pas l'air beaucoup plus vieux qu'elle. Il était pathétique avec ses cheveux coupés en brosse et son pantalon qui flottait autour de ses chevilles. Elle ouvrit la portière et le rappela. « Hé! Attends une seconde... »

Encore ébloui par cette vision, Noël continua. Il devait rêver... Elle ne *pouvait* pas l'appeler.

« S'il te plaît, cria Prune, attends... attends-moi! »

Noël entendit ses pas sur le gravier et se retourna.

« Bonjour, dit-elle, je m'appelle Prune de Courmont. Et toi? »

Elle était encore plus belle qu'il ne l'avait cru. Sa peau était blanche et douce sous l'auréole de ses boucles rousses. Les filles de l'orphelinat étaient toujours rougeaudes à cause du vent. Et ses yeux... bleu foncé, comme l'eau des lacs en été. Tout au moins le supposait-il, n'ayant jamais vu de lac que sur le calendrier des postes.

Elle lui sourit. « Alors?

– Alors quoi?

– Comment tu t'appelles?

– Noël.

– Noël quoi?

– Noël Maddox. »

Prune comprit et regretta immédiatement sa question. « Pourquoi n'es-tu pas rentré avec les autres?

– Je voulais voir la voiture, murmura-t-il.

– Viens... je vais te la montrer. » Elle le prit par le bras.

Le contact de sa main propulsa une onde électrique le long de son échine. Mort de timidité, il se laissa entraîner vers la grosse automobile.

« Regarde tout ce que tu veux. Je ne peux pas te dire à combien elle va parce que grand-mère conduit comme une tortue », dit-elle en pouffant de rire.

Son rire était merveilleux, un pur délice. « Est-ce que je peux... voir l'intérieur ?

– Bien sûr! » Elle ouvrit la portière et s'écarta.

« Non... je veux dire : sous le capot.

– Tu veux voir le moteur ? demanda-t-elle, incrédule. Je ne sais pas trop comment ça s'ouvre.

– Moi, je sais. » Il repéra la manette, puis souleva le capot et contempla le magnifique moteur encore chaud.

Prune se pencha aussi pour regarder. « Qu'est-ce qui te plaît tant dans les moteurs ? demanda-t-elle, intriguée.

– Je ne sais pas... c'est merveilleux. Chaque pièce, le moindre détail a son utilité. C'est si logique, si simple!

– Simple ? Je trouve ça plutôt compliqué, moi!

– C'est parce que tu es une fille. »

Elle rejeta la tête en arrière et éclata de rire. « Oui, mais une Courmont! »

Le nom se planta dans son cerveau comme une flèche. « *Une Courmont ?* Tu veux dire les automobiles *Courmont ?*

– C'est nous », répondit-elle, amusée par son air ébahi. Quand il daignait les lever, il avait de jolis yeux gris bordés de cils épais et noirs. « Mon grand-père a construit la première de ses mains, enfin... presque, ajouta-t-elle fièrement.

– Elles sont formidables, ces voitures, commenta Noël, tout excité. Bien sûr, je n'en ai jamais vu... sauf dans les livres. »

Prune poussa un soupir. « Nous ne savons pas si nous pourrons continuer. Les usines ont été détruites pendant la guerre. Il ne reste plus grand-chose. »

Noël essayait d'imaginer à quoi ressemblaient les usines Courmont. En tout cas, elles devaient être assez importantes pour que les Allemands les aïent détruites.

« Noël! »

Il se retourna brusquement. M. Hill s'avançait vers lui, l'air en colère.

« Que faites-vous ici ? Pourquoi n'êtes-vous pas rentré avec les autres ? Vous n'avez pas assisté au discours de Mme Jamieson et, dans la salle à manger, vous brillez par votre absence!

– Je suis désolé », marmonna Noël.

Prune le regarda, inquiète. C'était comme si, soudain, quelqu'un avait débranché une prise, plongeant son cerveau dans l'obscurité. Son regard vif s'était éteint. Il semblait absent. « C'est ma faute, dit-elle, tendant la main à M. Hill. Je m'appelle Prune de Courmont. Mme Jamieson est ma grand-mère. Je ne me sentais pas très bien, alors... » Elle montra la voiture d'un geste vague. « Noël est resté derrière pour me demander si j'avais besoin d'aide. »

Elle comprit que l'homme ne la croyait pas mais que pouvait-il dire ? Elle était la petite-fille de leur future bienfaitrice. Il lui serra poliment la main.

« Ça va mieux, mademoiselle ? Voulez-vous entrer maintenant ? »

Elle secoua la tête. « Merci. Je vais attendre ma grand-mère dans la voiture.

– Bon. Noël, venez avec moi. Le déjeuner est commencé.

– Au revoir, Noël », cria Prune au jeune garçon qui s'éloignait. Il se retourna. Elle lui fit un clin d'œil complice, puis remonta dans la voiture.

Sa grand-mère revint une demi-heure plus tard. Elle fit un dernier geste d'adieu, puis mit le moteur en marche. « Dis-leur au revoir, Prune. Mon Dieu, quel endroit sinistre, ajouta-t-elle. Tu as bien fait de ne pas venir. Pauvres petits ! »

Noël, qui traînait dans l'allée, vit la voiture disparaître. Prune de Courmont... un univers fait d'amour, de rire, de liberté et de succès. Les champs de blé frissonnaient sous le vent et un soupir aussi profond que l'éternité souleva sa maigre poitrine. Il savait maintenant qu'il voulait obtenir au moins deux choses dans la vie : travailler dans l'automobile et vivre avec une fille comme Prune de Courmont.

26

L'avion de la Pan Am, venant de New York, atterrit en retard, après un vol de dix-huit heures plutôt agité. Léonore retrouva les rues parisiennes avec soulagement. New York n'était pas fait pour elle. Trop rapide, trop brillant. Trop *neuf.* Quelques jours dans cette ville suffisaient à lui ôter toute énergie. Elle finissait par ne quitter qu'à regret sa chambre d'hôtel. Elle n'aimait pas davantage voler. Elle sortait toujours de l'appareil avec le sentiment d'être encore à New York alors que tout lui prouvait le contraire.

Dans le taxi qui la ramenait à l'île Saint-Louis, elle décida qu'elle prendrait un train dès le lendemain pour regagner la Côte d'Azur. Oliver, le nouveau majordome anglais, lui ouvrit la porte. Il l'informa qu'un monsieur l'avait appelée le matin même.

Elle n'attendait personne. « A-t-il laissé son nom? demanda-t-elle, surprise.

– Non, mademoiselle. Il a juste dit qu'il rappellerait. »

Léonore monta dans sa chambre. Dieu, que la maison était silencieuse! A New York on finissait par s'habituer au bruit incessant de la circulation, des sirènes de police et des parades. Les mains dans les poches de sa robe blanche, elle alla à la fenêtre et contempla la vue familière. La Seine était éclairée et les lumières des voitures dessinaient une traînée scintillante, jaune d'un côté, rouge de l'autre, sur les ponts et dans les avenues. Ce soir, tout le monde semblait être dehors. Les bistrots de Saint-Germain devaient être bondés. Comment pouvait-on envisager de se coucher à 8 heures quand Paris vous tendait les bras? Elle enfila à la hâte un pantalon noir et un pull-over en cachemire vert pâle. Elle défit ensuite son chignon et secoua sa longue crinière blonde. Elle allait goûter Paris toute seule, se promener, prendre un café peut-être...

Elle dévala l'escalier, prit son sac et sortit dans la nuit tiède.

Un homme entrait dans la cour au moment où elle s'apprêtait à franchir la grille. Pour éviter la collision, ils firent tous deux un pas de côté.

« Excusez-moi. » Il s'était exprimé en allemand.

« Pardon », dit-elle simultanément en français. Dans l'ombre, elle distingua une haute silhouette, des cheveux blonds et raides...

« Ferdi!

– Laïs! Oh! Laïs! »

Avec un gémissement, Ferdi referma ses bras sur elle et prit avidement ses lèvres. Elle était serrée contre lui, perdue dans ce baiser...

Elle lutta pour se dégager. « Ferdi, non... je t'en prie... Ferdi ! »

Il prit son visage entre ses mains avec une expression émerveillée. « C'est vraiment toi ? Je te croyais morte ! Ils m'ont mis en prison, tu sais... après que j'ai tiré sur Kruger. Quelqu'un m'a dit que tu étais à l'hôpital en Amérique. D'autres prétendaient qu'il t'avait tuée. Je ne voulais pas les croire. J'espérais que tu m'attendais. Je suis revenu dès que j'ai pu. Laïs... mon amour...

– Ferdi, *je t'en prie*, écoute-moi... je ne suis pas Laïs, je suis Léonore. »

Il prit une mèche de cheveux blonds et la laissa filer entre ses doigts. « Non, non... ce ne sont pas les cheveux de Léonore. »

Elle comprit soudain d'où venait la méprise. Avec ce pantalon et ces cheveux défaits, elle ressemblait beaucoup à Laïs. Ferdi avait dû garder le souvenir d'une Léonore en tailleur bleu marine, les cheveux tirés en un chignon strict. Seuls, leurs yeux étaient différents. Il fallait que Ferdi les vît à la lumière.

« Viens, Ferdi... » Elle le prit par la main et l'entraîna sous le réverbère. « Regarde-moi bien. »

Il la considéra longuement en silence. « Alors, c'est vrai, Laïs est morte ? demanda-t-il, accablé. Je n'arrive pas à y croire. »

Elle hésita un instant. Sa sœur, toujours hospitalisée à New York, était paralysée et aphasique. Les médecins essayaient vainement toutes sortes de traitements. Peu à peu, sa famille avait perdu l'espoir de la voir guérir. De toute façon, aucun remède ne lui rendrait l'usage de ses jambes. Il était préférable pour Laïs que Ferdi la crût morte.

« Je suis désolée », chuchota-t-elle.

Il lui caressa les cheveux d'un air absent. « Ferdi, je voudrais savoir ce qui t'est arrivé après ce drame. Veux-tu que nous allions prendre un verre quelque part ? »

Ils traversèrent le pont Marie et entrèrent dans un café. Devant un verre de beaujolais, il lui raconta tout : son arrestation, son procès en cour martiale, le verdict : dix ans de prison. Dieu merci, sa famille avait obtenu que la peine fût commuée en assignation à résidence jusqu'à la fin de la guerre sous prétexte que les aciéries Merker avaient besoin de lui. A l'époque, la puissance du Troisième Reich commençait à faiblir. Toutes les nuits, Ferdi regardait les avions alliés lâcher des tonnes de bombes sur sa ville. Ses usines avaient été détruites. Il s'en fichait complètement. Il ne pensait qu'à Laïs, qu'il croyait morte. Puis, un jour, quelqu'un lui avait dit qu'elle était à l'hôpital. Il avait décidé de venir à Paris, ne supportant pas l'idée de se retrouver à l'hostellerie après ce qui s'y était passé. Il la voyait encore, gisant sur le sol, baignant dans son sang. « Voilà, conclut-il, j'étais à la recherche d'un fantôme. »

Physiquement, Ferdi avait beaucoup changé. Ce n'était plus un prince de contes de fées, comme disait Prune. Un fin réseau de rides entourait ses yeux et il avait une étrange fixité dans le regard, comme s'il contemplait des souvenirs qui s'étaient peu à peu pétrifiés.

Il la raccompagna chez elle et lui serra la main. « Excuse-moi pour le baiser, dit-il.

– Ça s'explique, répondit-elle en rougissant.

– Je n'ai jamais parlé de tout cela... à personne. Merci de m'avoir écouté. J'ai maintenant le sentiment que je parviendrai à faire face à l'avenir sans elle. Mais il fallait que je sache, tu comprends? Que je sois sûr... »

Léonore hocha la tête.

« Est-ce que je peux te revoir? Je te promets que je ne parlerai plus de moi. »

Il eut un sourire désenchanté qui l'émut. Elle eut envie de sentir à nouveau ses lèvres sur les siennes.

« Entendu, dit-elle tranquillement. Appelle-moi quand tu voudras. »

Il l'embrassa fraternellement sur la joue. « Sans doute demain », dit-il en s'éloignant.

Elle ouvrit la porte d'un air songeur et l'ébauche d'un sourire flotta sur ses lèvres. Elle avait perçu une lueur d'espoir dans le regard de Ferdi lorsqu'il lui avait demandé s'il pouvait la revoir. Comme un désir secret... Honnêtement, mieux valait qu'il crût Laïs morte. Pauvre chérie... infirme, enfermée en elle-même...

Elle s'endormit avec la sensation des lèvres de Ferdi sur les siennes, de son corps pressé contre le sien.

Ils se revirent. Au lieu de rentrer à Saint-Jean le plus tôt possible, comme elle avait initialement prévu de le faire, elle traîna à Paris et passa ses journées à attendre les coups de fil de

Ferdi qui, d'ailleurs, se manifestait quotidiennement. Elle ne lui proposait jamais de venir chez elle mais s'arrangeait pour le rencontrer dehors, la plupart du temps aux Deux-Magots où ils avaient leurs habitudes.

Après tout, je ne fais rien de mal, se disait Léonore. Nous sommes simplement amis. Elle n'éprouvait aucun remords à l'entendre parler de Laïs au passé. Elle finissait presque par croire elle-même à sa mort.

« Ferdi, il faut que je rentre à l'hostellerie, lui dit-elle un jour, tandis qu'ils se promenaient dans les jardins des Tuileries. Tu sembles oublier que je fais partie des classes laborieuses, ajouta-t-elle en riant.

– Je ne veux pas que tu partes. » Une lueur de souffrance traversa son regard. « Tu ne peux pas savoir comme parler avec toi me fait du bien. » Il lui prit les mains et les serra dans les siennes. « Ne me laisse pas... pas encore. » Léonore poussa un soupir. Le vent aigre rabattait ses cheveux sur son front. D'un geste tendre, il les écarta. Sa main effleura sa joue, puis sa bouche. Leurs yeux se rencontrèrent et tous deux y lirent le même désir.

« Léonore », dit-il doucement en l'attirant contre lui. Elle se retrouva dans ses bras et lui tendit ses lèvres.

Elle s'attendait à un pied-à-terre de célibataire mais sa famille louait à l'année une vaste suite au Ritz. Depuis la fin de la guerre, cet appartement était devenu la résidence secondaire de Ferdi. Léonore regarda autour d'elle avec nervosité. Rien ne traînait, pas même un manteau jeté sur le dossier d'une chaise. Il n'y avait aucune photo. Elle ne put s'empêcher de penser que ce devait être ainsi que les choses se passaient pour *les filles de la nuit*[1]. Une chambre d'hôtel anonyme et un homme qui remplaçait votre visage par un autre en prenant possession de vous. Elle sentit les lèvres de Ferdi sur ses seins. Il la souleva dans ses bras et la déposa sur le lit. Les draps étaient frais sous sa peau. Il lui communiqua sa chaleur, son désir et la fit jouir comme jamais elle n'avait joui.

Lorsque leurs sens furent enfin apaisés, ils restèrent un moment étendus côte à côte, à reprendre leur souffle. Puis il prit ses cigarettes sur la table de chevet et lui en glissa une entre les lèvres.

1. En français dans le texte. (*N.d.T.*)

« Je ne fume pas, dit-elle d'une petite voix. C'était Laïs qui fumait. »

Elle prit son train le lendemain et laissa un message pour Ferdi à Oliver : on l'avait appelée d'urgence à l'hostellerie. Elle y resterait sans doute un certain temps et elle aurait trop de travail pour le voir.

27

La passion de Noël pour la boxe stupéfia M. Hill. Il arriva un samedi avec les autres enfants et, quand vint son tour de monter sur le ring, il encaissa les coups sans broncher. Mieux encore, il les *rendit!* Bien sûr, chétif et lent comme il était, il n'avait aucune chance contre son adversaire, mais il fit preuve de courage et prit sa dérouillée en silence. Il revint la semaine suivante, puis celle d'après. Cette fois, M. Hill refusa de le laisser boxer. Le gamin allait encore se faire démolir. Il le prit à l'écart et lui demanda des explications sur ce soudain amour pour la boxe. Était-ce une sorte de punition qu'il s'infligeait? Le gamin se contenta de répondre avec son obstination habituelle : « Je veux apprendre. » Hill soumit Noël à un entraînement intensif comportant, outre la boxe en salle, de la course à pied et du saut. Il voulait être sûr qu'il ne s'agissait pas d'une foucade. Il en eut rapidement la preuve. Noël tapait des heures dans le punching-ball et courait ses six kilomètres par jour avant le petit déjeuner, même lorsqu'il pleuvait. Les premières chutes de neige mirent fin à cette débauche d'activité sportive, mais il poursuivit son entraînement à l'intérieur. Six mois plus tard, il pouvait se mesurer aux plus forts.

C'est avec un sourire chaleureux que M. Hill lui remit sa première coupe en métal argenté portant l'inscription : « Championnat de boxe junior, Orphelinat Maddox, 1946. »

Noël avait quatorze ans. Il regagna le vestiaire, très fier de lui. Après sa douche, il se planta devant la glace pour se coiffer. Elle lui renvoya l'image d'un adolescent maigre mais musclé, aux cheveux trop longs, comme l'avait souligné M. Hill à plusieurs reprises. Noël n'en avait tenu aucun compte. Cela le vieillissait et c'était important s'il voulait trouver du travail – un vrai boulot, pas un truc inepte comme de vendre de l'essence le samedi.

Il prit sa coupe et franchit la porte. Dans le couloir, il croisa d'autres participants au tournoi.

« Salut, Noël! Dis donc, bravo! T'as été formidable, ce soir! Qu'est-ce que tu lui as mis!

– Merci », se contenta-t-il de répondre sans même s'arrêter.

Ils se regardèrent, ébahis. « Celui-là, c'est vraiment un cas, murmura l'un d'eux. Rien ne le déride.

– Il a toujours été solitaire. C'est pas de boxer qui va changer sa personnalité », répondit son compagnon.

Afin de ne pas éveiller les soupçons, Noël avait décidé de n'emporter que le peu de nourriture qu'il était parvenu à mettre de côté pendant la semaine. Il portait la nouvelle paire de baskets que lui avait donnée M. Hill et qui lui donnait un agréable sentiment de possession pour la première fois de sa vie. Il fourra la coupe dans la poche de son coupe-vent et prit le sac de papier marron qui contenait son viatique.

Il sortit cinq dollars de la chaussure qui lui servait de cachette et les glissa dans son jean.

Il était 9 heures du soir. Les garçons bavardaient et riaient dans le réfectoire, devant un verre de lait et des biscuits. Tous les enfants – sauf les filles qui n'étaient pas censées s'intéresser à un sport aussi masculin – avaient reçu la permission de veiller pour assister au tournoi. Noël se glissa dehors. Il faisait très sombre. De gros nuages noirs, poussés par le vent, dissimulaient la pleine lune.

Il referma doucement la porte derrière lui et dévala l'escalier. Marchant sur l'herbe qui bordait l'allée, il se dirigea rapidement vers la grille. Il ne parvint pas à l'ouvrir et comprit qu'elle était fermée à clé. Il n'hésita qu'un instant. Fourrant le sac de nourriture dans la poche de son coupe-vent, il escalada le portail et prit le chemin de la liberté.

28

Prune poussa le fauteuil roulant de Laïs à travers les patios du Palacio d'Aureville et l'installa face à la fontaine. « Laïs, dit-elle, tu te souviens qu'un jour, à trois ans, j'étais tombée dans le bassin ? Tu avais été obligée de me repêcher ? » Elle se mit à rire. « Je crois que tu as eu plus peur que moi! »

S'agenouillant près de sa sœur, Prune guetta une réaction. La rondeur de la jeunesse avait déserté le visage de Laïs. On ne voyait plus que son ossature et ses yeux qui paraissaient immenses dans sa figure amaigrie. Elle semblait contempler la fontaine mais Prune n'en était pas sûre. Il n'y avait aucune lueur d'intelligence dans son regard. En soupirant, elle reprit sa place derrière le fauteuil et promena sa sœur le long des sentiers ombragés. L'océan miroitait sous le soleil et une douzaine de voiliers se profilaient à l'horizon. Plus près, des gens bronzaient sur la plage ou se baignaient dans les vagues de l'Atlantique. Prune s'arrêta près de la piscine pour observer un garçon qui s'apprêtait à plonger. Bras tendus, genoux pliés, il effectua un plongeon parfait. Lorsqu'il réapparut, elle le félicita. « C'était superbe, cria-t-elle. Parfait! » Elle se dit que c'était dommage que sa sœur n'ait pas pu le voir, elle qui aimait tant l'eau. Elle remarqua avec stupeur qu'au lieu de regarder droit devant elle comme toujours, Laïs avait tourné légèrement la tête. *Elle regardait la piscine!*

Prune entra en trombe dans la chambre de Laïs et fouilla dans les tiroirs de sa commode, mais elle ne trouva pas de maillot. Elle s'approcha de sa sœur, étendue sur sa chaise longue devant la fenêtre ouverte sur la terrasse d'où on avait une vue magnifique sur la mer. « Laïs, dit-elle d'un air enjoué, il faut que je sorte. Je te laisse avec Miz. Je reviens dans une heure. » Miz, c'était Miss Z. (Zena) Foley, l'infirmière compagne de Laïs. Prune l'avait immédiatement baptisée Miz, trouvant que ce nom convenait parfaitement à cette petite femme vive dont le caractère bourru protégeait sa sœur de la curiosité du public et dissimulait une réelle bonté.

« Pensez-vous qu'elle comprenne ce que je dis, Miz? demanda Prune, accablée par le visage inexpressif de Laïs.

– Je ne sais pas, répondit cette dernière, regonflant les oreillers de Laïs. Moi, ce que je crois, c'est que vous n'avez pas encore trouvé ce qu'elle a envie d'entendre. Ce jour-là, elle se réveillera.

– Comme la princesse dans les contes de fées, quand son prince l'embrasse. » Cependant, Ferdi n'avait rien d'un prince charmant quand il avait tiré sur Kruger. Ses yeux étaient comme morts. Et il n'était jamais revenu pour emmener sa princesse. Ferdi avait disparu à jamais.

Prune sortit de la maison et traversa les jardins en direction de l'hôtel. On vendait, à la boutique du Palacio, les derniers maillots à la mode. Se rappelant la maigreur de sa sœur, elle prit une petite taille. Il était vert pâle, la couleur préférée de Laïs, fin et fait pour la natation.

Elle rentra en courant, claqua les portes dans la maison et sourit en entendant son père protester de son bureau.

« Regarde, Laïs, dit-elle en lui montrant le maillot. Nous allons nous baigner. »

Miz la regarda avec stupeur. « Voyons, Prune, vous savez bien que la pauvre dame ne peut pas nager.

– Laïs était la meilleure nageuse de la famille... à part grand-mère. Miz, écoutez... tout à l'heure, à la piscine, je me suis arrêtée pour regarder un garçon plonger. *Laïs a tourné la tête pour regarder, elle aussi!* Je l'ai vue, j'en suis sûre. »

Miz lui prit tranquillement le maillot des mains. « Elle devait avoir le soleil dans les yeux. Elle déteste ça. »

Prune regarda tristement Miz ranger le costume de bain dans la commode, puis sortit de la pièce. Soudain, une idée germa dans sa tête. Elle allait faire une surprise à Laïs.

Gérard insistait pour que toute la famille prît le petit déjeuner ensemble. C'était le seul moment de la journée où il avait tout son monde autour de lui. Extraordinaire, songea Amélie en versant le café, de voir comme Gérard s'était vite remis de ses années d'internement – tout au moins physiquement. Moralement, elle savait qu'il resterait à jamais marqué. Gérard n'avait toujours pas repris son travail d'architecte, mais Amélie l'avait surpris à plusieurs reprises penché sur sa table à dessin, absorbé par de nouveaux plans ou esquissant quelque projet. Gérard guérissait. Si seulement l'état de Laïs pouvait s'améliorer! C'était si dur de se résigner à la voir, elle si vive, si extravertie, étrangère au monde, à la joie comme à la souffrance.

« Bonjour, maman. » Prune lui mit les bras autour du cou et l'embrassa. Amélie sentit l'odeur du sel marin sur sa peau.

« Ne me dis pas que tu es déjà allée te baigner! » s'exclama-t-elle.

L'adolescente prit du melon sur le buffet. « J'avais un rendez-vous à 7 heures, dit-elle.

– Un rendez-vous? Tu veux dire avec un garçon? s'enquit Amélie en riant.

– Mais oui! Qu'est-ce que ça a d'extraordinaire? J'ai fait sa connaissance hier, à l'hôtel. C'est un formidable plongeur. Il m'a promis de m'aider. »

Avec un pincement au cœur, Amélie se rendit compte que Prune grandissait. Elle faisait tellement plus que ses douze ans! Le souvenir de leurs années de séparation la faisait encore souffrir. Prune, elle, ne pensait qu'à retourner en Europe. Gérard ne voulait pas céder. « Quand tu auras quatorze ans, nous en reparlerons, dit-il. Jusque-là, nous aimerions bien profiter un peu de ta présence. » Amélie savait que Prune rêvait d'aller à l'école en Suisse.

Prune tendit sa joue à son père qui entrait, son journal sous le bras.

« Où est Laïs? » demanda-t-il, surpris. Miz et elle étaient toujours en bas avant tout le monde.

« Elle est en retard, répondit Prune. Sans doute à cause de ma surprise. » Il lui vint soudain à l'idée que Laïs ne l'avait peut-être pas appréciée. Cependant, ne pas aimer, c'était mieux que rien, mieux que l'indifférence.

« Nous voilà! dit Miz roulant le fauteuil de Laïs dans la salle à manger.

– Prune! s'exclama Amélie, quelle merveilleuse idée! »

La petite fille avait entouré toutes les barres chromées du fauteuil de rubans multicolores, dont les bouts, noués, flottaient au vent. Un morceau de satin vert, découpé dans une vieille robe de sa mère, recouvrait le dossier et Laïs était adossée à un coussin de dentelle jaune. Du coffret à bijoux de sa mère, elle avait sorti des diamants et des émeraudes qu'elle avait accrochés aux angles du fauteuil. Sous ses pieds, elle avait glissé un coussinet de velours vert vif.

« C'est un trône, Laïs, expliqua Prune, tout excitée. Tu es une princesse, tu comprends? C'est ton trône. »

Émue, Amélie regardait les yeux brillants d'amour de Prune. Puis ses yeux se posèrent sur Laïs et, à sa stupeur, elle vit des larmes sur ses joues.

« Prune », dit Laïs d'une voix rauque, étrange, comme si elle avait oublié jusqu'au son des mots. « Prune », répéta-t-elle.

29

« Motor City », c'est comme ça qu'ils l'appelaient. Une ville en pleine expansion. Les usines de Detroit tournaient jour et nuit. Depuis la fin de la guerre, la nation entière était fascinée par les voitures. Les grands constructeurs automobiles, Ford, Chrysler, General Motors, U.S. Auto et la Great Lakes Motor Corporation bourdonnaient comme la reine des abeilles au centre de cette ruche industrielle.

Noël avait mis quinze jours pour arriver. Deux semaines d'auto-stop, de trains où il retrouvait d'autres passagers clandestins, des vagabonds, des clochards. C'était en novembre. La nuit il faisait très froid et il avait constamment faim. La veille, il était parvenu à destination dans un camion qui, après avoir livré des voitures, rentrait à vide. Le chauffeur, un jeune, était encore obsédé par la guerre. Sa division avait été l'une des premières à libérer Paris et il avait raconté à Noël, qui bâillait à se décrocher la mâchoire, à quoi ressemblaient les filles et tout le champagne qu'ils avaient bu. Noël était mort de fatigue et la bonne chaleur qui régnait dans le camion redonnait vie à ses doigts de pied engourdis par le froid. Ce camionneur, bien qu'un peu bavard, était un type bien. Au bout d'une heure, il s'était arrêté devant une cafétéria au bord de la route et lui avait offert à dîner : œufs au bacon, pancakes au sirop d'érable et du café bien chaud. Noël, qui n'avait rien dans l'estomac depuis deux jours, mangea avidement. Il ne lui restait en poche que vingt-cinq *cents* qu'il gardait pour les urgences. Il somnola deux heures et se réveilla au moment où le chauffeur, ralentissant, entrait en ville.

« Tu cherches du boulot? lui demanda ce dernier.

– Vous en avez un à me proposer?

– Les usines marchent très fort, seulement t'as un tas de gars qu'ont priorité. Notamment les vétérans qui sont de retour. Vaudrait mieux que t'essaies une petite boîte de pièces détachées. Elles travaillent pour les constructeurs automobiles. Je peux te filer une adresse, si tu veux.

– Non, je veux me faire embaucher chez un constructeur », répondit Noël avec fermeté.

Le chauffeur lui lança un coup d'œil surpris. « Écoute, petit, un boulot, c'est un boulot. Ce qui compte, c'est d'avoir quelques dollars en poche à la fin de la semaine. Là, tu te sens un homme, que tu les aies gagnés en fabriquant une pièce ou en la posant. Mais après tout, ajouta-t-il devant l'air fermé de Noël, ça te regarde. Fais ce que tu veux. »

Il déposa Noël devant la General Motors et lui indiqua le bureau d'embauche en lui souhaitant bonne chance.

Noël ne fut pas pris. « Viens plus tôt demain matin », lui conseilla l'assistant du chef du personnel.

Noël passa la nuit recroquevillé sous un porche, près de l'usine. Il était gelé mais ne voulait pas s'éloigner de peur d'être en retard le lendemain. L'incessant bruit de la rue lui tapait sur les nerfs. Ce n'était que grincements, coups de freins violents, avertisseurs, cris. Ce tintamarre devint pour lui le symbole de la solitude, comme l'avait été si longtemps la plaine balayée par le vent.

On ne l'embaucha pas davantage le lendemain. On lui conseilla d'essayer Chrysler. Noël était si fatigué que l'idée de recommencer l'interminable attente le tuait littéralement. Il dépensa ses derniers vingt-cinq *cents* pour acheter un *doughnut* à un marchand ambulant et un gobelet de café qu'il agrémenta de trois pleines cuillerées de sucre. Il mangea et but sous le porche pour essayer de se protéger du vent glacial, puis, ragaillardi par son petit déjeuner, il se mit en route.

Il avait l'impression de marcher depuis des heures. Le crépuscule commençait à estomper le contour des choses et les trottoirs étaient durs sous ses semelles. Enfonçant les mains dans les poches de son coupe-vent, il regarda autour de lui et comprit qu'il s'était perdu. De hauts immeubles bordaient les rues tranquilles et la lumière continuait d'éclairer des bureaux vides dont les occupants avaient regagné depuis longtemps leur confortable maison de banlieue. Noël contempla la rue déserte avec désespoir. Une voiture s'arrêta au feu rouge. Un coup de klaxon fit sursauter Noël et il leva la tête.

« Hé! Petit, tu es perdu?

– Ouais, je crois, répondit Noël en hochant la tête.

– Où vas-tu? Je peux peut-être te déposer quelque part. »

C'était une superbe Chrysler blanche avec des sièges noirs.

« J'essaie d'aller à l'usine Chrysler », dit-il en s'avançant vers la voiture.

L'homme siffla. « Ah! Ça, pour être perdu, tu es perdu! »

Il observa Noël, penché vers lui. La lumière orangée creusait des ombres sous ses pommettes. Ses yeux gris reflétaient diverses émotions – la peur, l'incertitude et surtout une extrême lassitude. « Allez, monte... »

Le feu passa au vert et l'homme démarra. Noël le regardait à la dérobée. Il avait des cheveux gris et un air de tranquille assurance. Il était distingué comme les types qu'on voyait sur certaines réclames destinées aux gens aisés.

« Comment tu t'appelles? » Les yeux clairs du conducteur enregistrèrent le jean taché, le coupe-vent inefficace, l'écharpe de laine bon marché, nouée autour du cou.

« Noël.

– Noël quoi? »

Il hésita et l'homme sourit. « C'est sans importance, dit-il. Je m'appelle Scott Harrison. Content de te connaître, Noël. Ça fait longtemps que tu es sur la route?

– Quinze jours. »

La voiture s'arrêta au feu suivant. Le moteur ronronnait. Scott mit la radio. « Je voudrais prendre les nouvelles de 7 heures », dit-il. L'auto sentait bon l'after-shave et le cuir. Noël se rendit soudain compte qu'il était sale et devait sentir mauvais.

Scott baissa le son et démarra. « Rien de bien intéressant, commenta-t-il. Les voitures sont toujours construites à Detroit – ici, c'est tout ce qui compte. » Le journal fut remplacé par un quatuor de Mozart et Scott se détendit. « Je préfère ça », dit-il. Il tourna et se retrouva sur le *freeway.* Une immense pancarte indiquait le nombre de voitures produites tous les ans. Le chiffre changeait de minute en minute, à mesure que les véhicules sortaient des chaînes de production.

Noël regardait, stupéfait. « C'est vrai, y en a autant que ça ? »

Scott se mit à rire. « Bien sûr. C'est Motor City, ici, Noël, et nous sommes en plein boom économique. » Il regarda son jeune compagnon du coin de l'œil. « Tu veux te faire embaucher chez Chrysler ?

– Ouais, si je peux. J'ai essayé pendant deux jours à la General Motors, mais ils m'ont pas pris. Je ne pouvais pas continuer à traîner là-bas... Faut vraiment que je trouve du boulot. »

Scott tourna la tête vers lui. « Tu as faim ?

– Ouais... un peu », répondit Noël, gêné.

Scott sortit du *freeway* et entra dans un *drive-in,* dont la pancarte au néon brillait dans le ciel noir. Il baissa sa vitre : « Un double *cheeseburger* avec des frites et un *milk shake* », commanda-t-il.

Noël sentit sa bouche s'emplir de salive. Il dévora son sandwich. Scott en demanda un second. Le garçon avait un visage étrange, hâve et un air un peu hagard. Chose curieuse, en dépit de sa maigreur, il se déplaçait comme un athlète. Scott se demanda d'où il s'était enfui mais il n'avait pas envie de lui poser ce genre de question. « Quel âge as-tu, Noël ? s'enquit-il en allumant une cigarette.

– Seize ans », répondit-il d'un ton assuré.

Scott rejeta la fumée par le nez et s'adossa à son siège. « Si tu veux, je peux passer un coup de fil demain chez Chrysler. Je connais un type qui y travaille. »

Noël s'arrêta brusquement de manger. « *Vous* pouvez faire ça ? demanda-t-il, incrédule.

– Bien sûr. » Scott le regarda, songeur. « Il faut te laver avant d'y aller. »

Noël sentit les battements de son cœur s'accélérer. Il enfouit le reste de son hamburger dans la poche en papier et regarda par la vitre. Ils longèrent un parking de voitures d'occasion. Elles semblaient toutes neuves. Leurs prix, affichés en lettres sur le pare-brise, lui semblèrent faramineux.

« Écoute, je comprends la situation, dit Scott. Voilà ce que je te propose. J'ai un appartement ici, en ville. J'y couche quand j'ai des dîners d'affaires. Ma femme et mes enfants habitent la campagne et je n'ai pas toujours le courage d'y rentrer. Je t'y emmène. Tu pourras prendre une douche, dormir un peu et, demain, je te déposerai chez Chrysler. »

Il remarqua que Noël le regardait avec méfiance. « Finis ton hamburger, dit-il en mettant le contact. Rentrons à la maison. On prendra un verre et on parlera de ton boulot. »

L'appartement était situé tout en haut d'un immeuble luxueux. Une épaisse moquette grise recouvrait le sol du hall et feutrait les pas. Noël suivit Scott le long d'un couloir. « Entre », dit-il, ouvrant une lourde porte de bois. Il jeta son manteau sur un fauteuil et posa son attaché-case par terre. « Tu préfères te doucher avant de prendre un verre, peut-être... »

Noël, qui n'avait jamais bu une goutte d'alcool, hocha la tête.

La salle de bains était petite mais très raffinée. Noël ferma la porte à clé, se déshabilla et entra sous la douche. Dieu, que c'était bon! Il se savonna avec vigueur, se lava les cheveux et se brossa les ongles, puis se sécha avec une immense serviette blanche.

« Noël, cria Scott à travers la porte, prends le peignoir suspendu à la patère. Nous verrons ce que nous pouvons faire de tes vêtements. »

Noël s'enveloppa dans le peignoir à rayures grises et noires. Il était tiède et doux. Il regarda l'étiquette et lut : « 100 pour cent cachemire. » Il se demanda ce que ça voulait dire.

Scott l'évalua d'un coup d'œil. « Qu'est-ce que tu veux boire? » Il montra le plateau couvert de bouteilles. « Whisky? Bourbon? Ou bien Martini, comme moi? »

Le verre qu'il tenait à la main contenait trois doigts d'alcool incolore. Noël opta pour le Martini. Au moins, il n'y en aurait pas trop.

Il s'assit sur le canapé blanc et regarda, par la fenêtre, les lumières de Detroit, une ville différente de celle qu'il avait entrevue la veille, recroquevillé sous son porche. Il avala une gorgée de Martini et faillit s'étrangler tant c'était fort.

Scott arpentait la pièce en fumant, son verre à la main. « Tu as une carrure d'athlète, Noël. Que pratiques-tu comme sport? Base-ball? Basket?

– Je fais de la boxe, annonça Noël non sans fierté. J'ai déjà gagné une coupe.

– Vraiment? Où ça? A l'école? » Le ton, la précision de la question exigeaient une réponse.

« Oui... juste avant mon départ. Y a un an », mentit Noël. Il reprit une gorgée de Martini. Il commençait à s'y habituer.

Scott s'assit à côté de lui sur le canapé et l'observa tout en bavardant. Il avait vraiment un visage intéressant, brutal, avec une méfiance tapie au fond des yeux. Curieux chez un être aussi jeune... Quel âge avait-il, au fait? Seize ans, comme il le prétendait? Scott chassa la question.

Noël commençait à avoir mal à la tête et ses yeux le brûlaient.

« Ça ne va pas? demanda Scott, remarquant soudain sa pâleur.

– Non, pas très bien. Je crois que je suis tout simplement fatigué. Ça fait deux nuits que je ne ferme pas l'œil.

– Eh bien, va te coucher, soupira Scott. La chambre est là-bas. Tu vas y arriver? » Il lut l'hésitation dans le regard de Noël. « Je vais dormir ici, ajouta-t-il rapidement. Ça m'arrive souvent quand j'ai des amis. Allez, file au lit et dors bien. »

Noël chancela en se levant et Scott l'aida à gagner la chambre. Quand le garçon fut couché, il éteignit la lumière et alla se préparer un second Martini.

Noël s'éveilla dans une chambre baignée de lumière. Il huma l'odeur du café et entendit la radio, mise très bas. Toujours vêtu du peignoir en cachemire, il entra dans la kitchenette. Scott buvait du jus de fruits en surveillant le percolateur.

« Salut, dit Noël.

– Salut. Ça va mieux? » Il lui tendit un verre de jus d'orange. « Tu sais ce qu'on va faire? » Il jeta un coup d'œil à sa montre. « Il faut que je file. Pourquoi ne prends-tu pas un jour de repos? Je verrai si je peux t'acheter des vêtements cet après-midi, comme ça tu pourras aller te présenter chez Chrysler demain. Prends du café et tout ce que tu veux dans le réfrigérateur. » Il lui sourit. « Je rentrerai vers 5 heures et je rapporterai des steaks pour le dîner. Ça te va? »

Le téléphone sonna pendant que Noël réfléchissait à sa proposition. Il l'entendit répondre à voix basse : « Bon... entendu, je serai là dans un quart d'heure. »

Il raccrocha et revint dans la cuisine. « Il faut que j'y aille. » Il posa négligemment sa main sur l'épaule de Noël. Leurs regards se rencontrèrent. Scott lui sourit et dit : « Tu devrais garder ce peignoir. Il te va beaucoup mieux qu'à moi. Allez, à ce soir. » Il exerça une légère pression sur l'épaule du jeune garçon, puis quitta l'appartement.

Noël regarda autour de lui. La vue sur Detroit était dégagée. Le soleil brillait dans un ciel sans nuage. Il arpenta l'appartement et ouvrit les portes des placards. Ils contenaient toute une rangée de costumes. Sur la commode, il avisa une enveloppe adressée à M. Scott Harrison, vice-président, agence de publicité A.R.A. et une adresse à Detroit. Un peu d'argent traînait sur un guéridon. Noël compta près de six dollars. Il entra dans la salle de bains, trouva ses vêtements là où il les avait laissés la veille. Après s'être rhabillé, il revint dans la cuisine pour boire une tasse de café. Il ouvrit ensuite le réfrigérateur et remarqua un fromage qu'il ne connaissait pas, coulant au milieu, avec une croûte blanche. Il voisinait avec un bol rempli d'olives et un carton de lait. Dans l'un des placards, il trouva des céréales. Il en mangea quatre bols, puis étala le fromage sur des crackers et les empila dans la boîte de céréales vide. Il rafla l'argent, trouva un stylo et écrivit au dos de l'enveloppe : « Scott, merci. Je vous rendrai l'argent. Ça fait cinq dollars quarante-trois. Noël. » Il savait ce que Scott attendait de lui. Le type était gentil. Généreux. Et son appartement intime et confortable. Ce serait facile de rester. Dangereusement facile.

La sonnerie indiquant la pause du déjeuner retentit. Noël posa sa clé à molette avec soulagement. S'essuyant les mains à un chiffon, il regarda les hommes descendre des squelettes brillants des automobiles et se précipiter vers la cantine. Il les suivit plus lentement. Il travaillait à la U.S. Auto depuis un mois. La chaîne commençait à le rendre à moitié fou. La nuit, dans la minable auberge de jeunesse où il avait trouvé refuge, il continuait à en rêver. C'était un travail répétitif, abêtissant. Il ne se plaignait pas. Il avait eu de la chance de trouver du boulot. Tous les vendredis, il touchait sa paie.

Noël fit la queue au self, empila son déjeuner sur un plateau, puis alla s'installer au fond de la salle. La nourriture était copieuse, meilleure qu'à Maddox, et il mangeait suffisamment pour pouvoir se passer de dîner.

La journée terminée, il regagnait l'auberge. L'air froid lui clarifiait l'esprit. Il oubliait l'odeur et le bruit de l'usine. En rentrant, il prenait une douche, mettait un jean propre et se rendait à la bibliothèque où il restait jusqu'à l'heure de la fermeture. Il se plongeait avec délectation dans des ouvrages traitant de l'automobile ou racontant les débuts de cette industrie. Puis il rentrait dans la nuit froide, se fourrait au lit et s'endormait, ignorant les autres résidents qui bavardaient et fumaient dans le dortoir éclairé.

Il mâchait d'un air morose sa platée de haricots lorsqu'un bruit de page tournée lui fit lever les yeux. Son voisin de table semblait jeune – dix-huit ans peut-être. Il mangeait tout en lisant. La plupart des ouvriers profitaient de cette demi-heure de répit pour bavarder, rire ou commenter les événements sportifs de la saison. Ce type ne levait pas le nez de son bouquin. Intrigué, Noël se pencha pour voir le titre. C'était un manuel de physique! Sentant le regard de Noël posé sur lui, le jeune homme tourna la tête.

« Pourquoi tu lis ça? lui demanda Noël à brûle-pourpoint.

– Je potasse ma physique. J'ai un examen demain. »

Devant l'air interloqué de Noël, il ajouta : « Je prends des cours du soir. J'y vais directement après l'usine. » Il montra d'un geste les types qui faisaient la queue au self. « Je ne veux pas me retrouver chez les dingues à soixante ans, en train de serrer des boulons imaginaires. » Il se leva pour partir.

« Qu'est-ce que tu comptes faire, alors? » demanda Noël.

Le garçon mit le livre sous son bras et avala une dernière gorgée de café. « Je veux être ingénieur. »

Un mois plus tard, malgré les diverses promotions dont il avait bénéficié, Noël trouvait toujours ce travail aussi fastidieux. Il s'inscrivit au cours du soir. Il savait qu'ayant arrêté l'école à treize ans il en baverait, mais il aurait fait n'importe quoi pour sortir de là.

Il quitta l'auberge et loua une chambre en ville pour pouvoir étudier le soir. Il mangeait le moins possible afin d'économiser une partie de son salaire pour payer son loyer et ses livres. Il travaillait jusqu'à une heure avancée de la nuit et se levait tous les matins à 6 heures pour aller à l'usine. Il était épuisé, mal nourri et surchargé de travail. Il n'avait ni le temps ni l'envie de se faire des amis.

Au bout d'un an, il émergea de ce cauchemar avec un diplôme de la *high school.* Lorsque ses professeurs, après l'avoir chaudement félicité, l'interrogèrent sur ses projets, il leur demanda comment s'y prendre pour obtenir une bourse universitaire. Il n'avait pas encore seize ans.

30

Le brouillard semblait s'être dissipé dans l'esprit de Laïs. Les médecins, stupéfaits, la soumettaient à toutes sortes d'examens. Aidée par des spécialistes qui venaient tous les jours la faire travailler, elle réapprit les mots qu'elle semblait avoir oubliés. Prune lui lisait des histoires qu'elle sélectionnait dans ses vieux livres d'enfant. Elle répétait et expliquait les phrases comme une maîtresse d'école. Peu à peu, Laïs réapprit les signes qui, autrefois, lui étaient familiers.

Elle reprit rapidement goût à la vie et voulut faire le tour des boutiques pour commander de nouveaux vêtements. Elle fit recouper ses cheveux à hauteur des épaules de façon à pouvoir porter un bob et recommença à se maquiller.

Laïs accepta le fauteuil roulant comme s'il avait fait, de tout temps, partie de sa vie. Elle ne posait aucune question sur sa paralysie et Amélie, inquiète, finit par l'emmener chez un psychiatre. Au bout de quelques séances, ce dernier lui avoua qu'il était devant un mur. Laïs avait-elle oublié son passé ou bien refusait-elle de s'en souvenir ?

Un matin, au petit déjeuner, la jeune femme annonça de sa nouvelle voix, à la fois rauque et douce, qu'elle voulait rentrer en France. « Je suis parfaitement bien, maintenant, maman, insista-t-elle, surprenant le regard inquiet qu'échangeaient Gérard et sa mère. Je ne peux pas rester ici toute ma vie, comme une enfant. »

Gérard la comprenait. Avec eux, elle se sentait dans un cocon, trop protégée, au centre de toutes leurs préoccupations. Laïs désirait retrouver son indépendance. « Elle a raison, chérie, dit-il à Amélie, elle est assez bien pour voyager.

– Alors, je l'accompagnerai, déclara Amélie.

– Non, dit vivement Laïs. Je veux emmener Prune. »

Les yeux de la fillette s'écarquillèrent. « Tu veux que je parte avec toi ? Oh ! Laïs, moi qui en rêve depuis si longtemps !

– Je ne peux pas vous laisser partir toutes les deux seules, protesta Amélie. Vous aurez besoin de moi !

– Chérie, Laïs est parfaitement capable de se débrouiller si Prune et Miz sont du voyage », dit calmement Gérard. Il prit la main de sa femme. « En outre, j'ai besoin de toi ici. »

Le *Queen Mary* partit de New York par un frais matin de printemps. Laïs sourit à Prune, debout près de son fauteuil roulant. « Tu te souviens de notre dernier voyage ensemble ? demanda-t-elle. Tu avais cinq ans. Cette fois-ci, c'est toi qui vas danser toute la nuit et tu m'enverras au lit avec mon Teddy. »

Laïs salua Oliver, le majordome, avec tant de chaleur que Prune se demanda si elle ne le confondait pas avec Bennet. On avait installé sa nouvelle chambre dans l'ancien bureau de Gilles, au rez-de-chaussée. Dans sa salle de bains attenante, tout avait été calculé en fonction du fauteuil roulant.

Étendue sur son vieux lit, regardant les flammes pétiller dans la cheminée, Laïs eut un soupir d'aise. « C'est bon d'être chez soi », murmura-t-elle.

Alice et Jim arrivèrent le lendemain matin et, à la surprise de

Prune, Laïs sanglota dans leurs bras. « Mais... elle ne pleure jamais », dit Prune, elle-même au bord des larmes.

Ils prirent le Train bleu dès le lendemain soir. Lorsque Prune se réveilla, elle aperçut la mer au loin et se tourna, tout excitée, vers Laïs. « On arrive! » dit-elle joyeusement. Puis elle s'interrompit, interdite : la tête de sa sœur reposait sur son oreiller. Elle était toute pâle, les yeux fermés et ne lui répondit pas.

Léonore faisait les cent pas sur la terrasse. Elle les attendait, vêtue d'un tailleur gris et d'une blouse de soie boutonnée jusqu'au menton. Ses cheveux étaient tirés en arrière et elle portait de grosses lunettes d'écaille. Prenant la pochette bleue qui dépassait de sa veste, elle essuya ses paumes moites. Au fond, se dit-elle, je n'ai aucune raison d'être aussi nerveuse. Qui aurait pu soupçonner que cette jeune femme, si maîtresse d'elle-même, était capable de passion? Qu'elle se déchaînait au lit? *Et personne ne pouvait savoir pour Ferdi.*

Léonore ne voulait pas le revoir, mais Ferdi l'avait suppliée, lui disant qu'elle était la seule qui pouvait l'aider. Ils s'étaient donné rendez-vous dans un vieil hôtel de la Côte. Arrivée avant lui, elle avait hésité à monter. Et s'il avait changé d'avis? Mais ce ne fut pas le cas. Dans leur jolie chambre, ils fermaient les tentures fleuries et s'étreignaient dans le grand lit aux draps rêches. Elle laissait ses cheveux flous et les coiffait comme Laïs, avec une mèche retombant sur un œil. Elle avait même apporté une chemise de nuit de soie verte. Elle se glissait consciemment dans la peau de Laïs pour garder Ferdi. Elle le désirait. Elle voulait ses mains sur ses seins, son corps contre le sien.

Ferdi ne lui disait jamais qu'il l'aimait. Il ne l'appelait pas non plus Laïs. Il se montrait tendre, gentil et plein de considération pour elle. A dîner, il parlait sans fin de lui, de Laïs, du passé et de l'avenir. Il envisageait de reprendre la direction des aciéries Merker endommagées pendant la guerre. Pas tout de suite. Bientôt.

Ils se voyaient tous les week-ends dans la chambre fleurie du petit hôtel. Léonore, la femme d'affaires chevronnée, ne vivait plus que pour ces moments de pure sensualité. Ferdi était parti depuis un mois. Sa lettre crissait dans sa poche. Elle commençait par : « Ma bien chère Léonore » et se terminait par : « Bien à toi,

Ferdi. » Entre les deux formules, s'étalait sur deux pages un rapport circonstancié de ses activités professionnelles. Il n'y avait qu'une brève allusion à leur intimité : « nos conversations me manquent ». Qui aurait pu prendre cela pour une lettre d'amour ? songea-t-elle avec amertume. Mais ne le savait-elle pas depuis le début ? A présent elle était décidée à rompre. Elle allait le lui écrire.

Prune courut vers elle. Ses longs cheveux roux étaient attachés sur la nuque par un ruban. Elle lui parut immense. « Mon Dieu, que tu as grandi ! s'exclama-t-elle en l'embrassant.

– Bonjour, Léonore. » La voix de Laïs avait changé. Elle était plus rauque, très sexy.

« B... bonjour, c'est... c'est si bon de te revoir, Laïs », balbutia-t-elle en rougissant. Sa sœur la regardait bizarrement.

31

Prune monta la colline, Ziggie sur ses talons. Il faisait très chaud et toutes deux haletaient. S'affalant sous un arbre, elle se mit sur le ventre, observa une colonne de fourmis qui montait sur le tronc d'un olivier et disparaissait dans un trou. Exactement comme les résistants dans les caves de l'hôtel, se dit-elle. C'était étrange que la vie eût continué comme si de rien n'était tandis que, sous terre, se cachaient ces hommes traqués avec leurs dangereux secrets. Il fallait bien l'avouer, aider la Résistance l'avait beaucoup amusée. Jusqu'à ce jour atroce où le jeu s'était brutalement terminé.

Prune enfouit sa tête dans ses bras, décidé à chasser ce souvenir et le sentiment de culpabilité lancinant qui la taraudait. Elle n'en avait jamais parlé à personne. Seule, grand-mère devait s'en douter. C'était elle qui l'avait empêchée de consacrer tout son temps à Laïs, qui l'avait forcée à fréquenter des enfants de son âge.

Bientôt, l'école reprendrait en Floride, mais Prune ne voulait pas y retourner. Si seulement papa et maman la laissaient aller en classe en Suisse! Sur le dépliant, ça semblait formidable! Il y avait des adolescents de tous les pays. L'hiver, ils skiaient et, l'été, ils faisaient du bateau. Si seulement... si seulement... Elle se leva brusquement, plus déterminée que jamais. La seule qui avait une chance de persuader ses parents, c'était grand-mère.

Jim, parti inspecter les diverses usines Courmont, rentra abattu. La production avait considérablement chuté par rapport à l'avant-guerre et les nouveaux projets manquaient d'imagination comparés à ceux de leurs concurrents américains et italiens. L'outillage et les machines dataient et il n'y avait pas d'argent, à l'heure actuelle, pour investir. Cependant, aux États-Unis, Ford venait de sortir le fameux moteur V 8, révolutionnaire, et la ligne des derniers modèles de Chrysler, d'U.S. Auto et de Great Lakes Motors, très moderne, suscitait l'admiration.

Fiat et Citroën avaient envahi le marché européen avec les petites voitures et Aston Martin, Bristol, Jaguar et Mercedes venaient d'y faire une percée remarquable. L'avenir de Courmont ne s'annonçait pas très brillant.

Il avait expliqué tout cela à Gérard par téléphone. Ce dernier lui avait répondu : « Faites ce que vous jugerez utile, Jim. Changez la direction si vous voulez. Pourquoi ne pas coter la société en Bourse ? » Il s'en désintéressait. Il n'avait jamais oublié la façon dont les affaires, la puissance et l'argent avaient peu à peu phagocyté son père et il avait pris l'empire industriel des Courmont en horreur. « J'ai résisté pendant des années aux prières de mon père, dit-il à Jim. Rien de ce que vous pourrez dire ne me fera changer d'avis. Jamais je ne m'occuperai de cette affaire. Faites ce que vous voulez. Je m'en contrefous.

– C'est tout de même l'héritage de Prune, avait protesté Jim. Vous prenez tout ça bien à la légère. »

Gérard s'était mis à rire. « Je n'imagine pas Prune à la tête de cet empire déclinant. Elle aura assez d'argent pour être à l'abri du besoin jusqu'à la fin de ses jours. Que souhaiter de plus ? »

Jim raconta cette conversation à Alice le soir même, en se couchant. « Je le comprends », dit-elle, se rappelant l'obsession de Gilles de Courmont pour ses affaires et pour l'automobile en particulier. Elle lui expliqua que, de surcroît, Gérard avait toujours rendu son père responsable du défaut de construction de la voiture dans laquelle son frère avait trouvé la mort à vingt et un ans.

« Il faudra vendre les aciéries à perte pour récupérer de l'argent et renflouer l'usine automobile. C'est mieux que d'en perdre le contrôle, dit-il. Il faut faire le nécessaire pour que Prune ne soit pas privée de son héritage.

– Il est temps que quelqu'un se préoccupe de cette enfant », répliqua Alice en vaporisant un peu de parfum sur son cou.

Jim la regarda d'un air interrogateur.

« Tu sais que Prune rêve d'entrer dans cette pension suisse, L'Aiglon ? Je crois que nous devrions persuader Amélie et Gérard de la laisser y aller.

– Ce ne sera pas facile, objecta-t-il. D'abord, Laïs et maintenant Prune... Mais tu peux toujours essayer. » Il regardait sa femme brosser ses cheveux, fasciné par ce halo doré et vigoureux autour de son visage.

« Tu as vraiment une chevelure magnifique.

– J'avais... Maintenant, il y en a autant de blanc que de blond.

– Quelle importance... Elle est toujours aussi belle. » Il enfouit son visage dans les vagues parfumées. « Savez-vous que je vous aime toujours autant, Alice Bahri Jamieson ? »

Elle se retourna et il l'attira contre lui.

Prune s'adapta parfaitement à la pension suisse. Les chalets de L'Aiglon étaient situés au bord du lac et, par beau temps, on voyait Genève sur la rive opposée. En un trimestre, elle noua des amitiés solides avec quelques-unes de ses compagnes et notamment avec Melinda Seymour, une jeune Anglaise. Elles partageaient une chambre, jouaient en double au tennis et s'aidaient mutuellement en classe. Prune était très excitée d'avoir enfin une amie de son âge qui la « comprenait ». Elles descendaient au village pour s'acheter des tablettes de chocolat noir qu'elles dévoraient la nuit en parlant des garçons. Leur type d'homme, c'était un grand brun à l'écorce rude et aux yeux brûlants, héros du roman photo *Baisers dangereux* qu'elles se refilaient en cachette.

« Tu crois que ça existe vraiment, des types comme ça? demanda Prune, sa tête rousse à côté de celle de son vieil ours en peluche sur l'oreiller.

– Évidemment, dit Melinda en éteignant la lumière. D'ailleurs, j'en connais un.

– Ah bon? Qui ça? Melinda... ne t'endors pas... dis-moi qui c'est.

– Il s'appelle Harry », murmura Melinda d'une voix ensommeillée.

Les pensionnaires de L'Aiglon parlaient d'amour à longueur de journée. Le samedi, elles prenaient le vapeur pour Genève ou Montreux. Elles faisaient des courses, traînaient dans les cafés et mangeaient d'énormes glaces recouvertes de montagnes de chantilly. Elles observaient les hommes autour d'elles, commentaient et gloussaient. Si elles recevaient, en retour, un regard amusé, elles rougissaient jusqu'à la racine des cheveux.

Dès les premières neiges, elles s'entassèrent, surexcitées, dans le car de l'école et partirent pour une semaine de ski.

Un après-midi, elles étaient en train de goûter dans un café lorsque Melinda écarquilla les yeux. « Tom! Qu'est-ce que tu fais ici? » Elle se leva et l'embrassa. « Prune, je te présente Tom Launceton, un voisin de campagne. Nous habitons à une vingtaine de kilomètres l'un de l'autre, dans le Wilshire. Nous nous sommes retrouvés pendant des années aux mêmes goûters d'enfants. En fait, c'est plutôt Archie qui a mon âge. Et puis il y a aussi Harry, le frère aîné de Tom.

– Harry? » Prune la regarda d'un air interrogateur et Melinda hocha discrètement la tête.

« Qu'est-ce que vous fabriquez toutes les deux, à vous bourrer de pâtisseries à 3 heures de l'après-midi? Vous devriez être sur les pistes! Allez, Prune, venez! » Il la prit par la main et elle se laissa entraîner de bonne grâce. Ils reprirent leurs skis et se dirigèrent vers le remonte-pente.

Le soir, en rentrant, Tom lui demanda négligemment : « Tu dînes avec moi? »

Elle secoua la tête. « Impossible. Je suis avec l'école. On nous boucle le soir. Le chalet est une véritable forteresse.

– On va voir ce qu'on peut faire », dit Tom avec un clin d'œil.

Il la raccompagna et le concierge promit, en refermant la main sur les francs suisses de Tom, de laisser la porte ouverte. Elle se sentait coupable et, pourtant, elle savait qu'un certain nombre de filles faisaient régulièrement le mur. Il la ramena à minuit.

En rentrant, il l'embrassa et lui dit : « C'est pour que tes skis ne se changent pas en citrouille. » Le baiser avait duré longtemps. Elle avait compté les secondes pour pouvoir le raconter à Melinda.

« Bonsoir, créature de rêve, dit-il joyeusement. Je t'enverrai un mot de Cambridge. »

Le mot n'arriva jamais. Pendant des semaines, Prune guetta le facteur. « Tu y comprends quelque chose, toi ? » demanda-t-elle à Melinda.

Celle-ci poussa un soupir. « Il a dû en trouver une autre, dit-elle.

– Incroyable... et après un baiser qui a duré trente-deux secondes ! s'exclama Prune, indignée. Plus jamais, tu m'entends, je ne tomberai amoureuse ! »

Prune flânait dans le vieux Genève un samedi après-midi à la recherche d'un cadeau pour Léonore dont c'était l'anniversaire, quand soudain elle s'arrêta net, le cœur battant. Elle venait de reconnaître Ferdi sous les traits d'un homme au visage aristocratique et à la chevelure presque blanche, qui feuilletait un catalogue dans une boutique. Elle entra et dit d'une voix que l'émotion rendait chevrotante : « Ferdi ? »

Il se retourna, surpris. « Prune ! Mon Dieu, c'est vraiment toi ? »

Elle hocha la tête, incapable de proférer un son. Il s'était beaucoup marqué en quelques années, mais il restait séduisant... dans le genre *vieux*, se dit-elle.

Il l'emmena prendre un chocolat sur le lac. Prune, tout en buvant à petites gorgées, le considérait sans aménité. Pourquoi n'était-il jamais revenu voir Laïs ? A cause de sa paralysie ? Oh ! Comment pouvait-on être aussi cruel !

Il l'interrogea sur sa vie et sur l'école et elle répondit du bout des lèvres.

« Tu vis toujours dans un château ? lui demanda-t-elle, agressive.

– J'y vais souvent mais j'habite Cologne à cause de mon travail.

Et toi, que faisais-tu dans cette galerie, tout à l'heure? demanda-t-il en allumant une cigarette.

– Je cherchais un cadeau pour Léonore. C'est son anniversaire. *Leur* anniversaire! »

Il détourna son regard et contempla le lac.

« *Tu devrais aller la voir, Ferdi!* » Voilà, les mots avaient finalement jailli de ses lèvres. Elle s'adossa à son fauteuil, soulagée. Jamais Laïs ne parlait de Ferdi mais Prune savait qu'elle avait attendu son retour pendant des années. Elle en était sûre. « Tu devrais aller à l'hostellerie, lui parler, lui expliquer...

– Expliquer quoi? demanda Ferdi, stupéfait, se demandant ce que Prune savait de ses relations avec Léonore.

– Pourquoi tu n'es jamais revenu. Tu ne crois pas qu'elle a droit à quelques explications?

– C'est si loin, tout ça... Tu ne comprends pas. Tu ne peux pas comprendre ce qui s'est passé. »

Elle se leva brusquement, les yeux remplis de larmes. « Je te prenais pour un prince charmant. Je pensais que tu allais la réveiller d'un baiser, dit-elle, mais tu n'es qu'un... traître. » Elle se précipita hors du café et il courut derrière elle. « Prune! Prune! » Mais elle dévalait déjà la rue, heurtant les passants, se faufilant dans la circulation. Il la perdit rapidement de vue et revint, songeur, vers le café. *Il revoyait Prune, accroupie près de Laïs, les yeux écarquillés par la terreur.* Qu'avait-elle voulu dire par : « Elle a droit à quelques explications? » Il paya, puis descendit vers le lac. Immobile, il contempla un long moment les oiseaux qui tournoyaient au-dessus de l'eau grise et le vapeur, au loin, qui longeait la rive.

32

Noël parvint, non sans mal, à entrer à l'université du Michigan. Il mentit sur ses origines. Il voulait cacher à tout le monde qu'il venait d'un orphelinat. Il travaillait des journées entières et, malgré tout, il était le type le plus minable du campus. Cependant, il s'était assuré un travail à la cafétéria de façon à manger à sa faim.

Personne ne voulait partager la chambre de Noël Maddox. Son compagnon de chambre, un New-Yorkais, semblait le fuir. Il passait tout son temps libre avec ses amis et évitait le regard de Noël quand, par hasard, il le croisait dans un couloir. Ce dernier ne s'en formalisait pas. Il savait qu'il avait une drôle de dégaine avec sa maigreur, son air farouche et ses cheveux trop longs – réaction contre l'époque où on les lui tondait à Maddox –, il ne possédait que trois chemises et deux jeans et portait des baskets en toutes saisons. L'hiver, il se protégeait du froid avec une parka qui provenait des surplus de l'armée.

L'exercice physique lui manquait. Il en aurait eu besoin pour contrebalancer la tension due à ses études et au travail supplémentaire qu'il était obligé de fournir pour les payer. En outre, Noël avait découvert en lui une sexualité dont l'exigence le déconcertait. Il décida donc de se remettre au sport. Il courut et tapa dans le punching-ball pour essayer d'endiguer ses pulsions sexuelles qui le tourmentaient sans cesse. Il se muscla et acquit rapidement une carrure imposante.

« Il est drôlement bien foutu, Noël Maddox. » Quatre paires d'yeux suivaient Noël qui évoluait avec souplesse entre les tables de la cafétéria, une pile impressionnante de plateaux sur les bras.

« On peut te faire confiance pour remarquer ce genre de chose! railla sa voisine. C'est vrai qu'il a de sacrées épaules sous sa chemise.

– Sous sa chemise dégoûtante, marmonna la troisième, aux prises avec un sandwich à la salade dégoulinant de mayonnaise.

– Non, pas dégoûtante, dit Jeannie, regardant Noël d'un air rêveur. Simplement bon marché.

– Tout en lui est *bon marché!*

– Comment le sais-tu? Tu lui as adressé la parole?

– Non. » La fille haussa les épaules. « On n'en meurt pas d'envie, à vrai dire. Personne ne le connaît. C'est un type mystérieux, l'ingénieur énigmatique de l'université du Michigan.

– Je le croise souvent quand je vais à la bibliothèque, dit Jeannie, les yeux fixés sur Noël qui enfila sa veste et se dirigea vers la porte, une pile de livres sous le bras. Il y passe des heures.

– Ouais. Il travaille à longueur de journée... dedans et dehors. Il n'appartient à aucune collectivité et ne joue pas au football. » A l'université, le football et ses joueurs jouissaient d'un extraordinaire prestige. Les jours de match, la petite ville d'Ann Arbor était désertée par les étudiants. « Voilà que notre Jeannie en pince pour le pauvre ingénieur! Tu perds ton temps, ma puce. Il ne *regarde* aucune fille et ne *sort* jamais. Ce type ne remarquerait même pas Rita Hayworth. C'est vraiment un cas. »

Jeannie revoyait le regard sombre de Noël posé sur elle. « J'ai assez envie de le vérifier par moi-même », dit-elle en allumant une cigarette.

Jeannie Burton était blonde avec des cheveux longs et raides et de grands yeux bleus. Elle portait des chandails en cachemire rose et un rang de perles rehaussait l'éclat de son teint clair. Ses courtes jupes plissées découvraient des jambes superbes que Noël avait remarquées depuis des mois. Chaque fois qu'elle entrait à la cafétéria, il sentait les battements de son cœur s'accélérer. Il s'arrangeait pour tourner autour d'elle et son image s'imprimait dans sa tête. La nuit, le film se déroulait devant ses yeux et nourrissait ses fantasmes. Lorsqu'elle s'adressa à lui, il en eut un tel choc qu'il se mit à trembler.

« Salut, dit-elle. Ça fait des mois qu'on se croise dans les couloirs sans se parler. Je m'appelle Jeannie Burton.

– Salut, répondit-il.

– Je sais qui tu es... Noël Maddox. » Elle lui sourit. « On va du même côté. Tu pourrais peut-être m'aider à porter mes livres? »

Il hocha la tête. « Bien sûr. » Il prit la pile qu'elle lui tendait.

« Que fais-tu de tes journées, Noël? Tu es un mystère pour nous toutes. »

Elle sentait le parfum, une odeur fraîche et florale. « J'étudie. Et puis j'ai des boulots à côté. Parfois je ne sais plus à quoi donner la priorité.

– Aux œufs ou à la poule, dit-elle en riant. Il paraît que tu es un athlète complet, ajouta-t-elle, promenant un regard caressant sur ses pectoraux visibles sous la chemise. Tu dois beaucoup t'entraîner pour être en si bonne forme, non ? »

Noël rougit. « J'aime boxer, dit-il, mais je n'ai pas le temps de participer aux tournois. Je m'entraîne quand je peux... avec les autres. »

Jeannie s'arrêta devant la bibliothèque. « Bon, merci de m'avoir porté mes bouquins. »

Noël les lui tendit et leurs mains se touchèrent.

« Tu veux qu'on aille prendre une pizza un de ces soirs ?

– Euh... eh bien, je... balbutia-t-il.

– Demain ? 7 heures ? Retrouvons-nous ici, d'accord ? » Elle lui fit un signe d'adieu et, de sa démarche gracieuse, monta l'escalier.

Ce jour-là, Noël fut incapable de travailler et ne ferma pas l'œil de la nuit. Il revoyait son teint de rose, ses yeux bleus, ses longues jambes. Il avait peur de ne pas savoir quoi dire à leur premier rendez-vous ni comment se conduire. Et, surtout, il se demandait avec inquiétude combien lui coûterait le dîner.

Le lendemain, il prit deux douches en une heure, enfila un jean et une chemise propres, et enfouit un billet de dix dollars dans sa poche. Il n'était que 7 heures moins le quart. Il se dirigea vers la bibliothèque.

« Tu es ponctuel, fit remarquer Jeannie, arrivant vingt minutes plus tard. Viens, allons-y... je meurs de faim. »

Jeannie buvait du vin rouge mais chipotait dans son assiette. « Je croyais que tu avais faim, dit Noël, regardant avec regret la pizza à peine entamée.

– J'avais faim, répondit-elle en allumant une cigarette mais je parle trop pour manger. Tu sais que tu as un visage très intéressant, Noël ? » Elle effleura du doigt le creux de sa pommette. « Et j'aime beaucoup tes yeux. Parfois, tu as une sorte de regard intense et lointain – quand tu ne veux pas que les gens sachent ce que tu penses. A d'autres moments, ils sont tout clairs et joyeux. Comme maintenant. »

Noël l'écoutait, fasciné. Jamais ses yeux n'avaient fait l'objet du moindre commentaire.

« Et ta bouche est très belle, continua-t-elle, dessinant d'un doigt léger le contour de ses lèvres. C'est la bouche d'un être passionné. » Elle tira une bouffée de sa cigarette, puis la lui tendit. Noël, qui ne fumait pas, la prit parce qu'elle avait touché les lèvres de Jeannie.

Jeannie buvait son vin à petites gorgées. Lui termina sa bière d'un trait.

Elle se mit à rire. « Parlons de toi, maintenant. Moi, je t'ai tout raconté, mais je ne sais que ton nom et ton âge – vingt ans. »

Un vent de panique souffla sur lui. Que dirait-elle si elle apprenait qu'il avait dix-huit ans? Et qu'allait-il lui dire? Que voulait-elle savoir? Elle lui avait parlé de leur maison à Grosse Pointe, de son père, président d'un célèbre cabinet international d'agents de change, de sa mère qui possédait une écurie de courses et de sa sœur qui s'était mariée l'an dernier avec un type formidable, un futur grand neurochirurgien. Ils avaient une propriété à Martha's Vineyard et en été toute la famille faisait du bateau, nageait et bronzait sur la plage.

« Il n'y a rien à raconter, dit-il en baissant les yeux. Mes parents sont morts. J'ai toujours été seul. »

Le sourire de Jeannie se figea. « Oh! Noël, je suis désolée... »

Il haussa les épaules. Elle lui prit la main à travers la table.

« Je comprends pourquoi tu es toujours si solitaire... Tu souffres encore de... c'était un accident? »

Il hocha la tête en silence.

« C'est pour ça que tu dois travailler si dur? Tu paies tes études? Pauvre Noël, quand tu as l'air triste, secret, c'est à eux que tu penses, n'est-ce pas? »

Il ne répondit pas. « Sortons d'ici, dit-elle en se levant. J'ai envie de marcher. »

Dehors, elle posa un baiser léger sur sa bouche, puis lui prit la main. Ils marchèrent dans les rues d'Ann Arbor. « Embrasse-moi », lui dit-elle en l'attirant vers un coin sombre.

Ce ne fut pas aussi difficile qu'il se l'était imaginé. Elle lui tendit ses lèvres et sa langue trouva tout naturellement la sienne. Ils échangèrent un long baiser passionné.

Elle sentait son membre durci. Et en principe elle ne laissait jamais un garçon aller aussi loin à leur première rencontre, mais Noël Maddox avait quelque chose de spécial. On sentait chez lui quelque chose d'avide, une sorte de faim dévorante.

Elle le trouvait dangereusement séduisant.

Elle finit par se dégager et toucha ses lèvres gonflées. Noël recula d'un pas. « Je suis désolé... je t'ai fait mal. »

Elle sourit et chercha nerveusement ses cigarettes. « Ça ne fait rien, j'ai aimé ça. »

Noël, immobile, l'observait. S'il bougeait, peut-être ne parviendrait-il plus à se contrôler. Il sentait encore ses seins menus contre lui et la façon dont elle ouvrait légèrement les cuisses pour mieux sentir son pénis se frotter contre elle. Dieu, il ne pouvait plus supporter ça! Enfonçant ses mains dans ses poches, il regarda fixement le sol.

« Il vaut mieux que je rentre, lui dit-elle. Tu m'appelles demain? » Elle l'embrassa sur la joue et s'éloigna.

Il la regarda entrer dans la maison, puis se remit en route. Au bout d'un moment, il allongea le pas et se mit à courir à travers le campus, puis sur la cendrée. Il fit des tours et des tours avant de regagner sa chambre, épuisé. Au moins, cette nuit, il dormirait.

Noël ne comprenait pas ce que Jeannie pouvait bien lui trouver. Il ne l'avait pas rappelée parce que ses finances ne lui permettaient pas de l'emmener de nouveau dîner. Alors c'est elle qui lui avait téléphoné. « Salut... Qu'est-ce qui se passe? demanda-t-elle d'un ton léger. Tu en as déjà assez de moi? »

Ils se donnèrent rendez-vous dans un bistrot et bavardèrent en buvant une bière. En fait, ce fut surtout Jeannie qui parla. Elle avait brodé toute une histoire autour des maigres informations qu'il lui avait lâchées. Les parents aimants, trop tôt disparus, etc., c'était un vrai mélodrame mais il ne la détrompa pas.

Après cela, ils se virent régulièrement, mais elle insistait toujours pour partager l'addition. Noël avait déjà bien du mal à payer ses propres consommations. Cet argent lui servait, en principe, à acheter des livres de classe, mais il se disait qu'il n'aurait qu'à travailler deux fois plus cet été. On trouvait toutes sortes de jobs sur le campus. Autre chose le tracassait. Il se rendait compte qu'il n'étudiait plus avec le même sérieux. Jeannie lui trottait constamment dans la tête et l'empêchait de se concentrer.

Ils s'embrassaient et se pelotaient. Un jour, au cinéma, elle lui prit la main et la posa sur son sein. Il sentait les battements rapides de son cœur. Fou de désir, il se pencha pour sucer les mamelons durcis. Elle gémit doucement et le repoussa.

Ils commencèrent à se voir tous les soirs. Quand il travaillait à la bibliothèque, elle arrivait avec ses livres. Elle s'asseyait près de lui et ils échangeaient des regards langoureux. Ses amies n'en revenaient pas : ce simple pari était en passe de devenir une affaire sérieuse. « Vous ne le connaissez pas, disait-elle, frissonnant au souvenir du contact de ses lèvres. Vous ne savez pas *qui* il est. »

Elles la regardaient, dubitatives. Noël Maddox n'était pas de leur milieu, personne ne savait rien sur lui. Elle se laissait entraîner dans une drôle d'histoire. Son père serait fou s'il apprenait ça!

Six semaines après avoir fait la connaissance de Noël, Jeannie lui proposa de venir la rejoindre dans un appartement qu'on lui prêtait pour le week-end, tout près du campus. Les propriétaires étaient partis à Harvard pour assister à une rencontre de football. « On pourrait y dîner, lui dit-elle avec naturel. J'achèterai du vin et du fromage. »

Elle portait un chemisier de soie sans rien en dessous et une jupe à fleurs. Noël regardait fixement le bout de ses seins visibles sous le tissu léger. Ils burent pas mal de vin et bavardèrent nerveusement. Elle lui offrit du fromage sur une planche de bois. C'était le même que celui qu'il avait trouvé dans le réfrigérateur de Scott avant de s'enfuir. Cette fois, il ne songeait pas à fuir bien qu'en un sens Jeannie lui apparût aussi dangereuse que Scott, mais pour la raison contraire, parce qu'il la voulait.

Le crépuscule tombait. Elle alluma une bougie, tira les rideaux, puis, s'agenouillant devant lui, déboutonna sa propre chemise. Les perles luisaient sur sa peau dorée. Elle ferma les yeux et sentit les mains de Noël sur ses seins, puis ses lèvres...

Jeannie le repoussa et ils se regardèrent. Sans le lâcher du regard, elle se leva et ôta lentement sa jupe. Elle resta quelques secondes debout, immobile, vêtue de sa seule culotte blanche, puis elle se mit à déshabiller Noël. Ses mains, ses lèvres coururent sur sa poitrine. Une onde électrique se propagea le long de son échine. Les mains de Jeannie déboutonnait sa braguette, ôtaient fébrilement son pantalon. Puis elle fut dans ses bras, sur le tapis. Le visage enfoui dans ses longs cheveux, Noël explora son corps. Elle était tiède et mouillée entre les cuisses. Elle eut un sursaut sous sa langue et se mit à trembler. C'était trop, trop... il fallait qu'il la prenne. Il se pressa contre elle et écarta son sexe.

« Non, Noël, non, haleta-t-elle, je t'en prie... »

Il leva la tête, surpris.

« Pas comme ça. » Elle prit son pénis dans sa main. « C'est trop dangereux, tu comprends? » Elle commença à le masturber. Il jouit, ses yeux brûlants fixés sur les siens.

Jeannie était follement amoureuse. Elle ne quittait plus Noël. En dépit des mises en garde répétées de ses camarades, elle passait son temps à chercher des appartement libres pour une nuit ou un week-end. Elle achetait de quoi manger chez un traiteur, allumait les bougies et l'attendait des heures parce qu'il travaillait tard.

Cependant, ces attouchements, pour efficaces qu'ils fussent, ne pouvaient plus satisfaire Noël. Il voulait la posséder. Elle finit par céder et crut mourir de plaisir quand, enfin, il la pénétra.

Peu de gens étaient au courant de leur liaison. Ses amies, inquiètes pour sa réputation, faisaient preuve de la plus grande discrétion. On ne la voyait plus nulle part, elle qui, quelques mois auparavant, ne manquait jamais une fête.

A la fin du premier semestre, Noël reçut son bulletin scolaire et en fut atterré. Ses notes étaient mauvaises. Il n'avait que des B et des C. Plus un A. Il savait qu'il avait négligé ses études à cause de Jeannie. En outre, comme il avait besoin d'argent, il cumulait les petits boulots sur le campus, de sorte qu'il lui restait très peu de temps pour étudier. Pour la première fois, depuis quatre ans, il avait oublié son objectif réel. Jeannie partit pour les vacances de Noël et, malgré ses supplications, il refusa d'aller la voir. Il fallait absolument qu'il travaille.

A la rentrée, elle l'appela au téléphone. « Salut, Noël... on se voit? » Ils parcoururent en silence les chemins maculés de boue et de glace du campus. Il évitait son regard. « Tu ne m'as pas appelée, finit-elle par dire d'un air de reproche, en lui prenant la main. Tu m'as manqué.

– Toi aussi, répondit-il sans la regarder.

– Noël... qu'est-ce qui t'arrive? » Elle leva vers lui de grands yeux inquiets.

Il haussa les épaules. « Rien... rien. En fait je ne peux pas mener de front une liaison et des études. »

Elle s'arrêta et dit d'une voix blanche : « Tu n'as plus envie de moi, c'est ça? »

Le vent jouait avec ses longs cheveux et elle était toute pâle. « Il faut que je travaille, insista-t-il, l'air buté.

– Je croyais te connaître, dit-elle, les yeux pleins de larmes.

– Non, tu ne me connais pas, tu ne sais pas *qui* je suis.

– Oh! Merde! Merde! » cria-t-elle. Elle le quitta brusquement et se mit à courir en glissant sur les plaques de verglas.

Il la regarda s'éloigner, le visage fermé, puis regagna sa chambre et se remit au travail. Jeannie ne sut jamais à quel point elle lui manquait. Il était désespérément solitaire, plus qu'il ne l'avait été jusqu'à présent.

33

Le soleil filtrant à travers les marronniers qui bordaient la pelouse de Launceton Hall formait une mosaïque de couleurs changeantes sur le visage et les longues jambes de Prune. Cette pelouse, lisse comme du velours, s'étendait jusqu'à la roseraie, les terrasses et, au-delà, la maison.

Launceton Hall avait été bâti sous le règne de la reine Anne par le baron Edward Launceton. Sertie dans les collines du verdoyant Wiltshire, entourée d'un parc qui avait été dessiné par Capility Brown, la maison en brique rose avait grande allure.

En cet après-midi chaud et ensoleillé, toutes les fenêtres étaient ouvertes et les pelouses envahies de joueurs de cricket qui convergeaient paresseusement vers la tente où on servait le thé. Les enfants criaient et se poursuivaient, renversant leur verre de citronnade sur l'herbe tandis que les chiens, la truffe au ras du gazon, cherchaient des morceaux de gâteau oubliés. A l'ombre des vieux marronniers, les musiciens du Launceton Magna Silver Band, le visage rougi par la chaleur sous leur élégante casquette, perchés sur de petites chaises de fer, jouaient des mélodies de Gilbert et Sullivan.

Allongée sur une chaise longue rayée, Prune, les yeux mi-clos, caressait l'herbe fraîche de son pied nu. C'était une scène typique et parfaitement ennuyeuse de la vie anglaise. Elle était venue aujourd'hui avec Melinda et Mme Seymour dans l'espoir de voir Tom, mais celui-ci était resté à Cambridge. Melinda, en invitant Prune, lui avait brossé un tableau idyllique de la vie à la campagne. Celle-ci imaginait de grandes promenades matinales sous les frondaisons avec des chiens parfaitement dressés, aux pieds de leur maître, des thés exquis l'après-midi et des soirées passées devant le feu en compagnie d'un ou deux gentilshommes anglais beaux et romantiques. Mais la réalité était très différente. A moins d'éprouver une passion dévorante pour l'équitation, les chiens braillards et insupportables, l'humidité des maisons inconfortables où rien n'avait été changé depuis des siècles, la vie dans la campagne anglaise n'était pas pour vous.

Prune se redressa et souleva ses cheveux pour aérer sa nuque. Parfois les Anglais la stupéfiaient. Prenez une fille comme Melinda, par exemple. Seize ans, le même âge qu'elle, se bourrant de ces infects gâteaux gélatineux qui lui faisaient prendre trois kilos en deux jours! Et cette robe de coton qui devait dater de l'année dernière à en juger par les coutures tendues à craquer. Pourtant Melinda était sympathique, pas inhibée, pleine de charme. N'empêche, elle se marierait probablement à dix-huit ans et, dans dix ans, gonflée par le pudding, elle aurait cinq mioches accrochés à ses jupes.

L'avenir de Prune serait différent. Elle l'avait décidé. Dieu merci, elle en avait terminé avec sa période romantique. En quelques mois, elle était devenue une femme. Ses seins et ses hanches s'étaient arrondis, ses jambes avaient perdu leur maigreur d'adolescente et à L'Aiglon, dès qu'il y avait une *party*, les garçons se précipitaient pour l'inviter à danser. Toutes ses amies, sauf Melinda, en étaient jalouses.

Cependant, il n'y aurait pas de place pour les garçons avant longtemps dans la vie de Prune. Elle allait entrer à Radcliffe parce que c'était une bonne université et que son oncle, Sebastiao do Santos, habitait Boston. Maman disait qu'il veillerait sur elle. Ensuite, elle ferait une école de commerce pour apprendre à gérer une entreprise afin d'aider Jim à sauver les usines Courmont, qui battaient de l'aile en ce moment. Peut-être achèterait-elle une paire de grosses lunettes d'écaille comme Léonore, pour faire sérieux.

Une vague d'applaudissements salua les joueurs de cricket, vêtus de flanelle blanche. Après s'être restaurés, ils regagnèrent leur place. Prune, fatiguée par la chaleur, finit par s'assoupir.

Le labrador lui léchait les orteils mais elle était trop engourdie pour le chasser.

« Prune! Prune! Réveille-toi, murmura Melinda. *Ouvre les yeux!*

– Pourquoi? Il y a quelque chose à voir?

– Oui. Dépêche-toi... *Regarde-le!* »

Melinda devait encore être tombée amoureuse! Elle n'arrêtait pas. Prune entrouvrit les yeux.

Le match battait son plein et le lanceur courait vers le guichet. Il était grand, mince, avec des cheveux épais qu'il rejettait en arrière avec impatience.

« Avoue qu'il est superbe », chuchota Melinda.

Une lueur d'excitation passa dans les yeux de Prune. C'était l'homme le plus beau qu'elle eût jamais vu.

« Qui est-ce? demanda-t-elle.

– Le frère de Tom... Harry. Tu te souviens, je t'en avais parlé.

– Harry?

– Harry, confirma Melinda. C'est le fils aîné du châtelain de Launceton. Il est très brillant. A vingt-cinq ans, il a déjà publié trois livres, et pas le genre qu'on lit, toi et moi, à L'Aiglon. Des trucs ésotériques. Les critiques le portent aux nues. Il est publié dans le monde entier. Il paraît qu'il va être l'un des plus grands auteurs de sa génération. Son père, sir Piers Launceton, dit qu'il ne comprend rien à ses livres. Il s'agit de mythes médiévaux, de croyances... tout ça sous forme de romans. » Elle poussa un soupir.

« J'ai bien peur que le chemin qui mène au cœur de Harry soit un peu trop intellectuel pour moi. »

Cédant la place à un autre lanceur, Harry Launceton se dirigeait vers elles.

« Oh! Merde, il vient vers nous. Regarde mes cheveux, gémit Melinda. Et cette affreuse robe de coton dans laquelle je pète de partout! »

Prune garda sa pose détendue, les yeux mi-clos. N'importe quel observateur n'aurait vu qu'une jeune fille assoupie au soleil, jetant de temps à autre un coup d'œil paresseux à la partie de cricket.

Harry fit un signe amical à Melinda et se retourna pour sourire à Prune. Ses yeux, incroyablement verts, brillèrent un instant au soleil. Un grand trouble s'empara de Prune. Ce doit être ça l'amour, se dit-elle. Elle avait envie de le toucher, de caresser son cou bruni, de capter son regard vert. Elle voulait qu'il la serre contre elle sur une île déserte, qu'il l'étreigne avec passion. *Elle était amoureuse de Harry Launceton.*

Elle se livra à un rapide calcul. Elle avait seize ans, il en avait vingt-cinq. Il rencontrerait peut-être quelqu'un avant qu'elle soit en âge de se marier. Aucune importance. Elle attendrait son tour. Oublié ses projets et ses ambitions! Au cours des prochains mois, elle allait prier exclusivement pour que Harry Launceton tombe amoureux d'elle.

34

Laïs poudra son nez, mit du rouge à lèvres et se parfuma, comme toujours, à l'Heure bleue. Elle se regarda dans le miroir triple de sa coiffeuse de cristal. C'est Alice qui lui avait fait cadeau de cette coiffeuse ancienne lorsque Laïs avait emménagé dans son propre appartement à l'hostellerie.

Avec sa robe de soie pastel, son corsage à fines bretelles et sa jupe volumineuse de Dior, on aurait presque pu la prendre pour quelqu'un de normal, songea-t-elle avec amertume. Elle jeta un coup d'œil à Prune, assise sur le tapis, comme toujours lorsque Laïs se maquillait. Quand sa sœur était petite, elle essayait de s'en débarrasser, mais Prune ne se laissait pas faire. Et elle était encore là, tendant à Laïs ses boucles d'oreilles et ses bracelets.

Prune escortait tous les soirs Laïs au bar. Elle roulait le fauteuil de cuir blanc dans son ascenseur privé qui les emmenait, sans s'arrêter, jusqu'au sous-sol. C'était Prune qui avait eu l'idée de l'appartement. Gérard l'avait dessiné. La vue sur la mer et les presqu'îles était merveilleuse. C'était son territoire, le seul endroit où elle était vraiment elle-même. Seule Prune voyait la vraie Laïs. *Et pourtant, c'était en voulant sauver Prune qu'elle s'était retrouvée dans ce fauteuil roulant!* Laïs s'empressa, comme toujours, de chasser cette pensée. Malgré tout, c'était vrai. Si Prune n'avait pas été là... *Arrête!* Ce qui est arrivé n'a rien à voir avec Prune. C'était sur elle, Laïs, que Kruger voulait tirer. En outre, qui, sinon elle, avait impliqué Prune dans cette histoire? Ce qui était arrivé était simplement un coup du destin.

Et Ferdi? Laïs se mordit les lèvres pour ne pas crier son nom. Personne – pas même Prune – ne savait qu'elle rêvait de lui toutes les nuits et que ces rêves étaient devenus à présent sa réalité. Elle marchait sur le chemin de ronde, belle, intacte, sa main dans celle de Ferdi. Ou bien elle se cambrait pour qu'il la prenne et elle l'enserrait ensuite de ses longues jambes pour mieux le sentir. Elle était encore femme, elle pouvait réagir et les souvenirs sensuels qui traversaient son cerveau assoupi exacerbaient son désir de lui.

Ferdi, Dieu merci, ne l'avait jamais vue dans cette espèce de transe éveillée dont elle avait été, pendant longtemps, incapable d'émerger. Par la suite, elle avait demandé à Alice de lui expliquer ce qui s'était passé. Selon sa grand-mère, Ferdi avait tué Kruger avant de disparaître. Il n'avait jamais essayé de la revoir et personne ne savait ce qu'il était devenu. « Si tu y tiens, je peux demander à Jim de faire des recherches, lui avait-elle proposé. Cela ne doit pas être bien difficile. S'il est vivant, il doit habiter Cologne, près de sa famille. » Cette idée terrifiait Laïs. Si Ferdi ne s'était jamais manifesté, c'est qu'il ne voulait plus d'elle. Ou qu'il *savait.* Elle ne pouvait lui en vouloir. Comment envisager de passer sa vie avec une infirme ? Sous la ravissante jupe de soie, il y avait deux jambes qui s'atrophiaient peu à peu. Chassant ces souvenirs douloureux, Laïs se tourna vers le miroir. Ferdi était sans doute marié à présent et peut-être même avait-il une ribambelle d'enfants. Il fallait qu'elle se contente de sa vie car, malgré tout, elle avait une vie. Elle était la reine du bar américain le plus coté de la Riviera.

Elle se tourna vers Prune. « Tu viens ? Nous allons finir par être en retard. » Prune sursauta, comme tirée d'un songe, et se leva. « Il ne faut pas que je me recoiffe ? » demanda-t-elle, passant sa main dans ses cheveux.

Laïs regarda sa petite sœur, se demandant avec étonnement comment elle avait pu la détester à ce point à sa naissance. Prune avait beaucoup mûri mais, parfois, elle se conduisait encore comme une gamine.

« Que ferais-je sans toi ? » dit-elle simplement.

Prune sourit, rejeta ses cheveux en arrière et les maintint en place avec deux énormes barrettes. Le soir, Laïs jouait parfaitement son rôle d'hôtesse. Perchée sur un tabouret au bar de la Terrasse, elle semblait dans son élément. Personne ne pouvait imaginer que ses coûteux vêtements, son sourire et son esprit caustique dissimulaient une telle solitude. Elle avait contribué au succès du bar de l'hostellerie par sa présence, mais aussi en engageant un barman et un pianiste new-yorkais. A l'heure des cocktails, le grand chic consistait à s'agglutiner autour de Laïs. Ceux qui ne la connaissaient pas jetaient des regards envieux aux heureux élus.

35

Alice avait fermé les volets pour se protéger du soleil. Elle était étendue, la tête appuyée sur deux oreillers. Jim n'allait pas tarder à rentrer de Valenciennes. Il s'y rendait plusieurs fois par mois afin d'assister aux réunions de la direction et au conseil d'administration. Son travail n'avait pas été facile depuis la guerre. Les aciéries bombardées par les Américains puis saccagées par l'armée allemande battant en retraite, avaient été gravement endommagées. Seule l'usine automobile avait survécu à peu près intacte et Jim s'employait, avec son énergie coutumière, à la moderniser. L'usine Courmont produisait non seulement des voitures mais aussi des cars, des autobus et des camions. En outre, on reconstruisait peu à peu les fonderies. Jim travaillait beaucoup trop, mais il adorait cela. Il avait toujours un grand projet dans lequel il s'investissait tout entier. A vingt-sept ans, lorsque Alice avait fait sa connaissance, il en était déjà à sa troisième carrière. Tout d'abord chercheur d'or, il s'était reconverti dans le pétrole, puis, devenu milliardaire, il avait placé son argent dans diverses affaires. Pendant des années, il s'était partagé entre les deux continents, traversant l'océan Atlantique comme d'autres traversent Paris pour se rendre à leur bureau. Finalement, il avait tout laissé tomber pour rester auprès d'Alice.

Elle détestait qu'il s'absente. Il lui manquait autant qu'au début de leurs amours. Elle se redressa et contempla, en face d'elle, la statue de la déesse Sekhmet, datant de la dix-huitième dynastie, et celle de Bastet, le chat sacré. C'était tout ce que lui avait légué son père, un Égyptien qui avait disparu à sa naissance. C'était un forain et le bruit avait couru qu'il était revenu à ses premières amours, le cirque. Ces deux statuettes avaient été ses « poupées », les seuls jouets qu'elle eût jamais possédés. Lorsqu'elle s'était enfuie de son village de Normandie pour tenter sa chance à Paris, elle n'avait rien emporté d'autre. Elle demeurait persuadée, en dépit des plaisanteries de Jim sur sa crédulité, que Sekhmet avait pris sa destinée en main. Dès son départ, sa vie avait été comme l'écho de celle de la déesse – tout au moins telle que la rapportait la légende.

Elle poussa un soupir et se leva. Ce n'était pas uniquement l'absence de Jim qui la déprimait mais aussi l'attitude de ses petites-filles. Derrière sa drôlerie, Laïs dissimulait une terrible amertume dont elle ne parlait à personne, pas même à sa grand-mère. Quant à Léonore, elle ne la voyait presque plus, sauf en passant. Elle avait toujours quelque tâche urgente à accomplir. Son travail semblait l'absorber du matin au soir. Cet activisme ressemblait à une fuite en avant. Que fuyait-elle au juste? Qu'est-ce qui la tourmentait? Pendant des années, ses petites-filles, très proches d'elle, lui avaient confié tous leurs soucis. A présent, seule Prune lui racontait encore ses ennuis.

« Grand-mère, lui avait-elle annoncé le matin, je suis amoureuse. »

Avec sa grosse natte dans le dos et ses jambes égratignées par le maquis, elle avait l'air d'une gamine. Se mordant les lèvres pour ne pas rire, Alice écouta attentivement l'histoire du coup de foudre de Prune pour Harry Launceton. « Il est tellement beau! Il a des cheveux très bruns qui retombent sur son front et ses yeux sont verts, *vraiment* verts. C'est un écrivain célèbre et il n'a que vingt-cinq ans. Dès que je l'ai vu, j'ai compris que je l'épouserai. *Je le savais.* »

Alice se mit à rire. « Chérie, observa-t-elle, tu ne le connais pas. Tu sais, la célébrité combinée avec la beauté peuvent vous monter à la tête. Cela arrive même aux gens plus âgés que toi. Après tout, tu n'as que seize ans! »

Prune poussa un soupir. « Oh non! Tu ne vas pas me sortir ça! Pas toi! Tu sais bien qu'à seize ans on n'est plus une enfant. Je n'en ai même pas parlé à maman. Elle ne comprendrait pas, bien qu'elle se soit mariée pour la première fois à dix-sept ans! Je sais que je suis encore trop jeune pour Harry. J'attends mon heure. Chaque année me rapproche de lui. Quand j'aurai dix-huit ou dix-neuf ans, je l'épouserai. »

S'il s'était agi de quelqu'un d'autre que de la petite-fille de Gilles de Courmont, Alice en aurait ri. Cependant, les paroles de Prune sonnaient d'une toute autre façon à son oreille. Elle y croyait vraiment, à son histoire! Se souvenant encore des obsessions de Gilles, elle ne pouvait s'empêcher d'être vaguement inquiète.

« Écoute, Prune, dit Alice d'une voix lasse, tu as encore beaucoup à apprendre avant d'être une adulte. En attendant, profite de la vie et oublie Harry Launceton. »

Caro Montalva aimait descendre sur la Côte par le Train bleu et dîner au wagon-restaurant, si intime avec ses abat-jour roses et ses vases de fleurs fraîches disposés sur les nappes blanches. En outre, détail qui avait son importance, on y mangeait fort bien.

Cette fois, elle voyageait avec un compagnon, Maroc, le plus vieil ami d'Alice – il avait quitté son palais situé aux environs de Tanger pour faire un tour à Paris et, comme tous les ans, rendre visite à Alice. Maroc dormait encore. Son visage n'était pas marqué par l'âge et il avait toujours sa crinière noire et frisée. Le souvenir de leur première rencontre lui traversa l'esprit. A l'époque, il travaillait avec Alice dans une boutique de lingerie fine, rue Montalvet. Cinquante ans s'étaient-ils vraiment écoulés depuis? Elle ne parvenait pas à y croire. Caro soupira. Ils vieillissaient tous et elle était la plus âgée de la bande. Ses vieux os protestaient lorsqu'elle se levait le matin et ses cheveux, autrefois noirs et brillants, étaient à présent poivre et sel – une couleur qu'elle n'avait jamais aimée. Que pouvait-on espérer à soixante-quatorze ans? Ce qui l'effarait le plus, c'était le temps qu'il lui fallait pour mettre un projet à exécution. Par exemple, se décider à aller chez Alice lui avait demandé un mois de réflexion. Elle qui, autrefois, avait voyagé dans le monde entier considérait comme une véritable expédition cette visite chez son amie. Quoi qu'il en fût, elle se réjouissait de voir les jumeaux d'Édouard d'Aureville qu'elle avait perdus de vue depuis des années. Les cousins de Laïs et de Léonore habitaient Rio de Janeiro et la distance ne facilitait pas les contacts.

Le train ralentit. On entrait dans les faubourgs de Nice. Elle secoua Maroc. « Réveillez-vous, nous arrivons. »

Jean-Paul d'Aureville était le portrait de son père et Alice ne pouvait s'empêcher de l'observer à la dérobée. C'était à Édouard qu'elle avait confié sa fille, Amélie, pour la soustraire à la vengeance de Gilles. Édouard avait élevé et aimé Amélie comme sa propre fille. Par la suite, il avait épousé une ravissante veuve cubaine, Xara, qui lui avait donné des jumeaux et ils étaient partis s'installer en Floride où Édouard avait construit l'un des hôtels les plus vastes et les plus luxueux de Miami qui, à l'époque, n'était encore qu'un village. Amélie avait épousé en premières noces un cousin éloigné, Roberto do Santos. Il était mort très jeune et elle était restée veuve avec deux petites filles, Laïs et Léonore. Elle avait fini par reprendre la direction de l'hôtel à la place de son mari.

Vincente d'Aureville était très brun comme sa mère, avec de

grands yeux bruns et un teint olivâtre. Il était pédiatre. Son frère dirigeait le célèbre hôtel des Aureville, situé à Copacabana.

« Mon père travaille avec le tien, annonça Jean-Paul à Léonore. Ça faisait des années que cette idée lui trottait dans la tête. Ils dressent les plans d'un nouvel hôtel en Suisse. Il a toujours été fasciné par l'architecture de l'hostellerie. Je crois qu'elle va influencer son nouveau projet.

– En Suisse? » Léonore parut intéressée. « A Genève?

– Non, pas du tout. Dans une petite ville située sur le sommet d'une montagne. Ils veulent en faire une station de sports d'hiver avec un parcours de golf et une piste de jogging pour éviter la morte saison.

– C'est bien une idée d'Édouard, dit Léonore en souriant.

– Et de Gérard, ajouta Laïs.

– Ils bâtissent des rêves, commenta Prune, songeuse. Ce qu'ils veulent réellement, c'est rendre les gens heureux. »

Jean-Paul la regarda, étonné. « C'est tout à fait ça, dit-il. Gagner sa vie en faisant rêver les gens. »

Léonore rit et Alice se rendit compte qu'elle ne l'avait pas entendue rire depuis des mois. Elle était particulièrement jolie ce soir et, si elle ne se trompait pas, Jean-Paul l'avait remarqué également. Son regard croisa celui de Caro.

« De nouveaux projets? demanda Caro, haussant les sourcils.

– Alice est toujours pleine de projets, intervint Maroc. Elle récrit constamment le scénario de nos vies.

– En tout cas, elle a récrit le mien, dit joyeusement Jim. Elle m'a demandé de laisser tout en plan à Valenciennes pour venir vous rejoindre.

– Avoue que ça en valait la peine! » Alice sourit et il se pencha pour l'embrasser.

36

Il pleuvait à torrents et, de son appartement situé au cinquième étage du Ritz, Ferdi voyait les parapluies se déplacer le long des immeubles de la place Vendôme. Les avertisseurs marchaient bon train mais Ferdi, obsédé par le souvenir de l'étrange conduite de Prune, ne les entendait même pas.

Léonore ne lui avait certainement pas parlé de leur liaison et pourtant Prune avait l'air d'être au courant. Comment aurait-il pu lui expliquer qu'il ne s'agissait nullement d'une histoire d'amour? Il n'y avait eu aucune sentimentalité dans leurs rapports. Léonore l'avait *réconforté* avec la générosité qui la caractérisait. Elle était la seule qui pouvait comprendre sa souffrance et ils avaient tous deux terriblement besoin de faire l'amour. Quand il avait reçu son mot, il avait compris que c'était une histoire terminée. Mais pourquoi Prune avait-elle dit de ce ton farouche: « Tu devrais aller à l'hostellerie, lui parler, lui expliquer »?

Ferdi arpentait son salon d'un air soucieux. Il avait passé la nuit à essayer de comprendre cette phase sibylline, à analyser ses sentiments à l'égard de Léonore. C'était si différent de ce qu'il ressentait pour Laïs – son amour, sa joie de vivre, son rayon de soleil!

Jusqu'à ce qu'il rencontre Laïs, la vie de Ferdi avait été assez triste. Il n'avait guère eu l'occasion de rire. Son père était mort peu avant sa naissance et il avait été élevé au milieu d'une ribambelle de filles. Très tôt, Ferdi prit conscience de son rôle de futur héritier du puissant empire industriel Merker situé dans la vallée de la Ruhr Ses jeunes années avaient passé vite, sous la férule de précepteurs censés féconder son esprit et lui inculquer l'amour du travail et le sens du devoir. En même temps, il apprit la natation et l'escrime. La première faille de cette parfaite éducation à l'allemande apparut avec la guerre. Ferdi refusa de prendre la direction des usines Merker. Cette attitude indigna la famille. Pour eux, rien, pas même Hitler qu'au fond de leur cœur d'aristocrates ils méprisaient, ne justifiait cette désertion. La fortune des Merker et leur position sociale devaient passer avant tout. Lorsque Ferdi partit rejoindre l'armée avec le grade de simple officier – comme il le souhaitait –, sa mère considéra qu'il avait trahi la famille et refusa de lui parler.

La première fois qu'il vit Laïs, il comprit qu'en dépit de sa gaieté et de ses plaisanteries elle était terriblement vulnérable. Ferdi avait été immédiatement attiré par elle. Quand ils s'étaient revus à l'hostellerie, cette simple attirance s'était muée en amour.

Il aurait bien laissé tomber tout l'empire des Merker pour rire de nouveau avec elle.

Alors, que faire au sujet de Léonore? S'il l'avait blessée, c'était bien involontaire. Léonore lui plaisait devantage que toutes les femmes qui, depuis, avaient traversé sa vie. Peut-être l'aimait-il. Cependant, ses sentiments pour elle étaient si différents de ceux qu'il avait éprouvés pour Laïs qu'il n'y reconnaissait pas l'amour.

Il prit du papier et un stylo « ma chère Léonore, Pardonne-moi de ne pas t'avoir écrit plus tôt. Si je t'ai fait souffrir, j'en suis vraiment désolé. J'avais besoin de temps pour réfléchir à tout cela – à nous. Je n'ai jamais eu le courage de retourner à l'hostellerie après ce drame. Cependant, je projette de t'y rendre visite dès que possible afin de discuter avec toi de notre avenir. Je t'en prie, crois-moi, chère Léonore, je ne voulais vraiment pas te blesser. Ferdi. »

37

Jean-Paul d'Aureville savait ce qu'il voulait dans la vie. Il avait trente-neuf ans et, jusque-là, n'avait pas éprouvé le désir d'épouser l'une ou l'autre de ces belles Brésiliennes avec lesquelles il sortait. A Rio, Jean-Paul passait pour un playboy. Il donnait de nombreuses réceptions sur son bateau et dînait souvent en compagnie de fort jolies filles dans les restaurants élégants et feutrés de Rio. Ces jolies brunes et leurs *mamas* considéraient Jean-Paul comme l'un des meilleurs partis de la ville, mais le poisson s'arrangeait toujours pour glisser hors de la nasse. Et voilà qu'il s'éprenait, comme un collégien, de sa belle et blonde cousine! Et sans même savoir si ce sentiment était réciproque.

Il buvait un Martini au bar de la Terrasse en attendant Léonore. Elle avait promis de dîner avec lui tout en l'avertissant qu'elle serait sans doute en retard. Lui qui n'attendait jamais personne prenait plaisir à attendre Léonore. « Tu m'intrigues », lui avait-il dit le premier soir. Ils étaient seuls sur la terrasse de la villa. « Tu es si calme, si efficace! Pourtant, on sent autre chose en toi, un aspect de ta personnalité que tu dissimules soigneusement.

– Tu as trop d'imagination, avait-elle répliqué en évitant son regard. Ou tu me confonds avec ma sœur. C'est Laïs qui est à multiples facettes.

– Laïs? On lit en elle comme en un livre ouvert, rétorqua-t-il. Il n'y a aucune confusion dans mon esprit. Et dans le tien, Léonore. »

Dieu sait quel nerf sensible il avait dû toucher car elle l'avait regardé avec une sorte de désespoir, puis elle s'était levée brusquement pour rejoindre Alice qui bavardait avec ses hôtes dans le salon.

Le lendemain, il s'était excusé. L'air embarrassé, elle avait prétexté mille tâches urgentes pour filer mais il avait balayé ses objections d'un geste de la main. « Ne me raconte pas d'histoires. Tu oublies que nous faisons le même métier. Laisse tout cela et viens déjeuner avec moi. » Léonore avait accepté. Ils avaient déjeuné dans un petit restaurant, en haut des collines.

Elle lui avait parlé de Laïs, expliquant que, depuis leur enfance, c'était toujours à sa sœur qu'on avait prêté le plus d'attention. Elle-même l'avait toujours protégée et aimée et ça la rendait malade de la voir tous les soirs jouer ce rôle d'évaporée destiné à faire croire que tout était comme avant. « Je ferais n'importe quoi pour remettre la pendule en arrière, dit-elle farouchement.

– Hélas, c'est impossible, avait-il répondu en lui prenant la main. On ne peut qu'aller de l'avant et s'adapter aux circonstances. La vie est faite de changements, de coups du destin...

– Tu ne comprends pas, l'interrompit-elle en retirant sa main. *Laïs était amoureuse!* Vraiment amoureuse, cette fois-ci. Le problème, c'est qu'après l'accident Ferdi n'est jamais revenu. Il pensait qu'elle était morte... »

Sa voix se brisa et elle demeura là, silencieuse, les yeux fixés sur les figues intactes dans son assiette. Elle avait l'air très malheureuse.

« Léonore, pourquoi ne t'es-tu jamais mariée?

– Mais parce que c'était Laïs qu'il voulait épouser. » Elle se rendit compte de l'aveu implicite que contenait sa phrase et devint écarlate. Elle détourna la tête mais pas assez vite pour que Jean-Paul ne remarquât pas les larmes qui tremblaient au bord de ses cils.

Ainsi, c'était cela! Il attendit un instant puis dit : « C'est une vieille histoire, Léonore. La vie continue et l'amour change de visage. Et parfois bien plus vite qu'on ne se l'imagine. Pourquoi n'essaies-tu pas de vivre dans le présent? Tu ne trouves pas que c'est merveilleux de déjeuner tous les deux seuls dans ces collines? Et toi, tu es contente d'être avec moi? »

Elle lui sourit. « Oui, Jean-Paul, très contente. »

Il passait à présent beaucoup de temps avec elle. Pour la première fois depuis qu'elle avait pris la direction de l'hostellerie, elle déléguait ses pouvoirs et, à sa surprise, tout continuait de fonctionner. Ils prirent l'habitude de « sécher la classe », comme elle disait. Ils faisaient de longues promenades le long de la côte, passaient parfois la frontière pour aller dîner en Italie, rentraient par de petits villages de pêcheurs ou par les hameaux dans les collines. Il l'embrassait de temps en temps sur la joue ou au coin des lèvres. Des baisers qui étaient tout, sauf fraternels.

Jean-Paul sirotait son Martini. Il jeta un coup d'œil à sa montre. Sa cousine avait déjà une demi-heure de retard. Aucune importance. Il l'attendrait.

Alice, pétrifiée, écoutait Léonore. De toutes les choses qu'elle aurait pu lui confier, celle-ci était certainement la plus saisissante. Elle avait été heureuse de voir sa petite-fille s'épanouir au contact de son cousin et, lorsque Léonore lui avait dit qu'elle souhaitait lui confier quelque chose, elle avait pensé qu'elle allait lui annoncer son mariage, mais l'aveu de cette passion malheureuse pour Ferdi la glaçait.

« Je ne t'en aurais jamais parlé, confessa Léonore, si la lettre de Ferdi n'était pas arrivée ce matin... » Elle la lui tendit. Alice la lut rapidement. Pauvre Laïs! Et pauvre Léonore! Elle leva la tête. « Que comptes-tu répondre? demanda-t-elle.

– Il y a quelques semaines, j'aurais voulu le revoir, encore que c'eût été une erreur, reconnut-elle. Tu n'imagines pas dans quel état d'esprit s'est déroulée notre aventure. C'était comme de vivre un rêve...

– Un rêve qui appartenait à ta sœur, répliqua sèchement Alice.

– Ne me condamne pas, je t'en supplie. Je sais que j'ai eu tort. Je donnerais n'importe quoi pour que rien de tout ça ne soit arrivé.

– A cause de Jean-Paul?

– En partie... A cause de Laïs aussi. Elle est si courageuse et si... vulnérable. Je ne pourrais pas supporter de la faire souffrir. C'est pour cela que Ferdi ne doit pas venir ici. Grand-mère... il la croit morte. Elle serait horrifiée qu'il la voie dans cet état... infirme.

– Ne traite jamais ta sœur d'infirme », répliqua Alice avec violence. C'était la première fois que Léonore l'entendait élever la voix et elle sursauta. « La seule excuse que tu aies, continua-t-elle, c'est que tu t'es embarquée dans une aventure qui était finie pour ta sœur. Laïs n'a jamais mentionné le nom de Ferdi pendant toutes ces années. Il vaut mieux laisser les choses telles qu'elles sont. *Vis ta propre vie et non celle de Laïs.* Le monde est vaste et il t'attend, à condition que tu prennes le risque d'être toi-même et non la doublure de ta sœur. »

Il fallait simplement qu'elle réponde à cette lettre avant de voir Jean-Paul. Alors elle serait délivrée de ce lourd passé, de ses remords. Son stylo courait sur l'épais papier bleu. « Il n'est pas dans notre intérêt, Ferdi, de nous revoir. S'il te plaît, n'essaie plus d'entrer en contact avec moi. Tout est ma faute. Je me suis conduite comme une imbécile. Je t'en prie, n'éprouve aucun sentiment de culpabilité à mon égard. Je t'embrasse. Léonore. »

Elle posta sa lettre avant d'aller retrouver Jean-Paul. Elle savait qu'elle était très en retard, mais il avait promis de l'attendre. A l'idée d'avoir enfin réglé ce problème, un vif soulagement s'empara d'elle et elle allongea le pas.

38

Ferdi conduisait lentement sur la basse corniche en direction de Monte-Carlo. Le disque orange du soleil baissait sur l'horizon.

La mer s'assombrissait. Dans quelques minutes, le crépuscule allait tomber.

Il s'était tourmenté pendant un mois en réfléchissant à la lettre de Léonore avant de prendre une décision. Puis, sans se donner le temps de changer d'avis, il avait sauté dans sa voiture et pris la direction de la Côte.

L'idée de retourner à l'hostellerie lui nouait l'estomac. Il allait entrer dans le hall de marbre rose et reverrait Laïs, gisant dans une mare de sang, Prune, agenouillée près d'elle, criant : « Elle est morte, Ferdi, Kruger l'a tuée! »

Un groom, vêtu de la chemise rose de l'hostellerie La Rose du Cap, s'avança pour lui ouvrir la portière et garer sa voiture. Ferdi monta lentement les marches du perron. Tout avait changé. Une grande porte en bois sculpté ouverte sur la nuit tiède remplaçait les portes-tambours. Le comptoir de la réception, lui aussi, avait disparu. A sa place, il y avait un joli bureau ancien et des chaises. Une jeune fille aux cheveux cuivrés lui tournait le dos. Elle parlait au réceptionniste. Il n'y avait personne d'autre dans le hall. Ferdi regarda le grand tapis portugais qui recouvrait maintenant le sol à l'endroit où Laïs était tombée.

On avait l'impression que rien n'était arrivé. La vie continue pour les autres, se dit-il avec amertume.

Attendant Laïs comme d'habitude, Prune se retourna en entendant un bruit de pas. Oh non! Ce n'était pas possible, elle devait rêver! Mais, si, c'était bien Ferdi. Il se dirigeait vers le bar – *pour voir Laïs!* Oh! Mon Dieu! *Après toutes ces années!* Elle se leva d'un bond et se précipita vers la porte pour annoncer la nouvelle à sa grand-mère.

Traversant le bar, si animé à cette heure, Ferdi eut l'étrange sensation que le temps s'était arrêté. Il la vit, assise sur un tabouret, vêtue d'une robe de soie verte. Ses cheveux blonds étaient rejetés en arrière. Elle riait d'une remarque que venait de lui faire son voisin. Quelqu'un jouait du piano en sourdine et chantait la chanson préférée de Laïs : « I get no kick for champagne. »

Ferdi avait l'impression d'évoluer dans un rêve. Les voix autour de lui semblaient sortir d'un long tunnel vide. « Léonore, dit-il, stupéfait... Léonore ? »

Il s'approcha d'elle. Le regard de Laïs croisa celui de Ferdi et elle sentit le sang refluer de son visage. Elle était suspendue entre le rêve et la réalité, noyée dans les souvenirs. Il était enfin revenu... pour elle. En tremblant, elle accepta son baiser. « Léonore, je suis tellement désolé », murmura-t-il. Laïs le regarda avec stupeur, les yeux embrumés par l'incompréhension.

Ferdi faisait les cent pas sur la terrasse en écoutant Alice d'un air sombre. « Léonore a des circonstances atténuantes, dit calmement Alice. Vous n'êtes jamais revenu. Vous n'avez écrit ni à Laïs ni à sa famille.

– Je croyais qu'elle était morte, puis j'ai entendu dire qu'elle vivait et se trouvait à l'hôpital. Je suis venu immédiatement. En me disant qu'elle était morte, Léonore n'a fait que me confirmer ce que je soupçonnais déjà. Par ailleurs, je savais que vous n'étiez pas emballée par ce mariage parce que je suis allemand. Je pensais que vous m'en vouliez... Vous en auriez eu le droit. »

Alice poussa un soupir. Toute cette histoire reposait sur une série de malentendus. « L'accident n'était pas votre faute, dit-elle, radoucie. Quand Laïs m'a dit qu'elle vous aimait, je lui ai donné ma bénédiction. »

Ferdi contemplait la mer, l'air accablé, les mains dans ses poches.

« Vous aimez Léonore, Ferdi, c'est cela?

– Elle a été très bonne pour moi. Je lui dois de l'épouser.

– Léonore et vous avez eu chacun ce que vous vouliez. Ou plus exactement ce dont vous aviez besoin. » Ses longues mains caressaient le petit chat marron qui ronronnait sur ses genoux. « Vous l'avez constaté vous-même, la vie de Laïs est différente à présent. Je ne pense pas qu'elle veuille de votre pitié. »

Ferdi la regardait d'un air morose. Alice semblait lire dans ses pensées, le démasquant, le laissant sans défense.

« Je prendrai soin de Laïs, dit-elle doucement, comme je l'ai toujours fait. Vous êtes libre, Ferdi, si c'est cela que vous souhaitez. »

Il détourna son regard. « Pardonnez-moi », dit-il avant de s'éloigner. Une fois sur le sentier, il se retourna. Alice n'avait pas bougé. Il y avait quelque chose d'indomptable dans cette silhouette droite et mince, une force que lui enviait Ferdi. Il poursuivit son chemin.

39

Personne ne lui disait rien! Prune, en colère, suivait le sentier de ronde, avec le chat d'Alice et Ziggie sur ses talons.

Léonore était partie pour la Suisse avec Jean-Paul le lendemain, avant que Prune ait eu le temps de lui poser la moindre question. Il voulait montrer à sa cousine le village où le nouvel hôtel allait être construit. Laïs, elle, s'était enfermée chez elle. Miz constituait son seul lien avec le monde extérieur. Lorsque Prune avait demandé à sa grand-mère où était passé Ferdi, ce qu'il avait dit et ce qui était arrivé, elle n'avait reçu aucune réponse, à part : « Ferdi a fait une erreur.

– Mais, enfin, comment a réagi Laïs? avait crié Prune, exaspérée. Ferdi est quand même revenu pour elle!

– Je ne sais pas pourquoi il est revenu, avait répondu évasivement Alice.

– Moi, je le sais, avait répliqué Prune d'un ton péremptoire. Je l'ai vu à Genève. Je lui ai dit qu'il aurait dû revenir au moins une fois pour la voir... pour expliquer son silence. »

Alice l'avait regardée avec stupéfaction. « Tu as dit à Ferdi de revenir ici? Oh! Prune, quelle idée! Tu n'aurais jamais dû faire ça! »

Prune grimpait sur les rochers, les yeux remplis de larmes, donnant des coups de pied rageurs aux cailloux qui se trouvaient sur son chemin. Que s'était-il passé? Naturellement, Laïs avait dû avoir un sacré choc! Cependant, *Ferdi était revenu.* Pourquoi les histoires ne se terminaient-elles jamais comme dans les romans qu'elle lisait? Une pensée affreuse lui traversa l'esprit. *Ferdi ne voulait plus de sa sœur parce qu'elle ne pouvait plus marcher.*

Elle ne pouvait plus supporter ce flou. Il fallait qu'elle sût. Puisque Alice ne voulait rien lui dire, elle demanderait à Laïs.

Miz refusa de la laisser entrer. « Laïs ne veut voir personne, lui dit-elle. Elle va rester au lit aujourd'hui. Le médecin dit qu'il faut qu'elle se repose.

– Je veux la voir, s'obstina Prune. Je vous en prie, Miz, je suis sûre qu'elle a envie de me voir.

– Pas aujourd'hui, Prune. » Elle lui referma la porte au nez.

Elle essaya le lendemain, puis le jour suivant. Enfin, Laïs fit appeler sa grand-mère. Prune traîna anxieusement près de la porte d'entrée en attendant Alice. « Alors? lui demanda-t-elle dès que celle-ci émergea de l'appartement.

– Tu peux entrer, dit-elle. Je lui ai dit que tu avais vu Ferdi à Genève. Elle comprend maintenant pourquoi il est venu. » Toutefois, Prune sentit qu'Alice ne lui disait pas tout.

Assise dans son lit, Laïs était vêtue d'une chemise de nuit blanche toute simple. Ses longs cheveux tressés formaient une natte épaisse. Elle n'était pas maquillée et ses lèvres, sans leur rouge habituel, semblaient décolorées.

« Ne t'inquiète pas, Prune, dit-elle, ce n'était pas ta faute.

– Laïs... pourquoi n'est-il pas venu avant? Il te l'a dit?

– Il me croyait morte. Toutes ces années, il a cru que j'étais morte. »

Prune, interloquée, regarda sa sœur et la vision de Laïs couverte de sang la heurta de plein fouet. Elle entendait encore ses propres paroles : « *Elle est morte, Ferdi... Kruger l'a tuée. Laïs est morte!* »

« Il ne faut pas que tu te sentes coupable, chérie, dit calmement sa sœur. A présent, il peut poursuivre son chemin et moi le mien. Les fantômes ont disparu. »

Étendue sur sa chaise longue, Laïs faisait semblant de lire le livre ouvert sur ses genoux. Prune, de temps à autre, la surprenait à regarder dans le vague avec une expression si solitaire, si meurtrie qu'elle en avait le cœur serré. Elle semblait à mille lieues d'ici. Elle évitait l'hôtel et le bar de la Terrasse. Elle prenait ses repas chez elle avec Miz ou Prune pour toute compagnie.

Prune savait qu'Alice et Jim s'inquiétaient pour elle. « Je crois que nous devrions demander à Amélie de venir», proposa Alice.

Jim haussa les épaules.

« Ce n'est pas de sa mère qu'elle se languit, répliqua-t-il, mais de Ferdi. »

Prune comprit que c'était à elle de les tirer de là, puisqu'elle avait stupidement créé cette situation, elle devait tout faire pour les en sortir. Si seulement elle avait pu en discuter avec Léonore! Comment avait-elle pu partir à un moment aussi crucial?

Elle mit deux jours à rédiger sa lettre et quand, enfin, elle la glissa dans la boîte, elle regretta aussitôt de l'avoir envoyée. Elle avait dit la vérité à Ferdi, à savoir que Laïs n'était plus la même depuis son départ. Maintenant que tous ces fantômes avaient disparu, ne pouvaient-ils au moins correspondre? Elle lui demandait enfin de ne parler de cette lettre à personne.

Elle guettait le facteur qui apportait le courrier tous les matins vers 7 heures et demie à l'hôtel. Une semaine plus tard, la lettre de Ferdi arriva enfin. Le cachet du Ritz figurait sur l'enveloppe. Prune la lui monta avec son petit déjeuner.

« Il y a une lettre pour toi », annonça-t-elle négligemment. Puis incapable de se contrôler : « Elle est de Ferdi!

– De Ferdi? » Laïs l'ouvrit d'une main tremblante. Elle contenait apparemment des choses importantes car, bien qu'il n'y eût qu'une page, Laïs mit longtemps à la lire. Ensuite, elle la plia et la posa sur sa table de chevet. « Alors? » demanda Prune impatiemment.

Sa sœur lui sourit – un demi-sourire, mais c'était mieux que rien.

« Il dit qu'il est navré de m'avoir bouleversée mais que lui-même a éprouvé un choc terrible en découvrant que j'étais vivante. Il aimerait que je lui écrive. Peut-être pourrions-nous ainsi réapprendre à nous connaître et, quand nous serons à nouveau habitués l'un à l'autre, nous revoir. »

Prune poussa un long soupir. « Tu vas répondre?

– Je ne sais pas. Il faut que j'y réfléchisse. »

En franchissant le seuil, Prune se retourna et vit qu'elle avait repris la lettre.

A partir de ce moment, Ferdi lui écrivit régulièrement. Prune lui montait ses lettres avec son petit déjeuner. Elles venaient de

Cologne ou d'Essen. Elle présuma que Ferdi avait repris la direction de Merker. Laïs ne lui disait rien sur le contenu de ces longues missives, malgré la curiosité manifeste de Prune. Et Laïs continuait d'éviter le bar de la Terrasse et la compagnie de ses amis. Cependant, elle s'était ressaisie. Elle remettait ses jolis pantalons de soie et ses jupes amples. Il y avait aussi une lumière un peu différente dans son regard et une trace de rouge à lèvres éclairait son teint pâle.

Une semaine avant le départ de Prune pour la Floride (elle devait passer ses dernières semaines de vacances d'été chez ses parents), une lettre arriva de Paris. « Ferdi voudrait que je vienne le voir, annonça Laïs, très troublée. Il est à Paris. Qu'est-ce que je fais, Prune ? »

Il faisait très chaud en ce mois d'août et Paris était désert. Laïs avait refusé de voir Ferdi seule et, poussant le fauteuil de sa sœur dans le hall du Ritz, Prune se sentait malade de nervosité. Laïs et Ferdi s'étaient donné rendez-vous pour le thé. Laïs était très belle avec ses cheveux tirés en arrière, noués sur la nuque par un gros ruban de velours bleu marine. Elle portait une veste de tailleur blanche de Chanel, un pantalon bleu marine et des chaussures de daim assorties.

Ferdi l'attendait. Il se leva en les voyant arriver, prit la main de Laïs dans la sienne et l'embrassa. « Merci d'être venue, dit-il doucement.

– C'est bon de te voir, Ferdi », dit-elle d'une voix qui tremblait légèrement.

Ils s'observèrent un moment, mesurant les effets du temps. Prune passait nerveusement d'un pied sur l'autre. « J'y vais, Laïs, dit-elle enfin. Je serai là dans une demi-heure. » Elle ne pouvait voir le visage de sa sœur qui lui tournait le dos, mais Ferdi souriait.

Elle revint une demi-heure plus tard et s'avança vers eux d'un air anxieux.

« Prune, tu ne m'as même pas laissé le temps de te dire bonjour », lui reprocha Ferdi. Il avait vieilli, bien sûr, mais il restait très séduisant.

« Au revoir, Ferdi », dit Laïs en lui offrant sa main.

Il la prit dans les siennes et la baisa, puis se pencha vers elle et posa un baiser sur ses lèvres. « Nous nous reverrons, n'est-ce pas ? » demanda-t-il. Prune trouva qu'il avait l'air d'en avoir très envie. Le visage de sa sœur, en revanche, ne traduisait rien.

« Tu n'as pas envie de le revoir ? finit-elle par lui demander dans la voiture qui les ramenait à l'île Saint-Louis.

– Ce n'est pas si simple, soupira Laïs. Ferdi et moi, nous ne pouvons pas effacer toutes ces années. Nous sommes différents à présent. Nous avons tous deux besoin de temps pour découvrir si ce que nous cherchions mutuellement, lorsque nous nous sommes connus, existe réellement. »

Au moins, c'est un début, se dit Prune. Peut-être Laïs et Ferdi finiraient-ils par se retrouver et elle serait enfin délivrée de son sentiment de culpabilité.

Troisième Partie

40

Prune aimait la vie à Radcliffe et pas seulement grâce à la proximité des garçons de Harvard – bien que cela comptât, naturellement.

Au début, elle s'était sentie comme une étrangère, parce que sa vie avait été différente de celle de ses compagnes, mais elle ne parlait jamais de la guerre ni de la Résistance pour ne pas avoir l'air de se vanter. Elle acheta des jupes plissées et des chandails en cachemire pastel, mais, malgré tout, elle avait encore l'air française.

Après le second semestre, cet uniforme commença à lui peser et elle se mit à rechercher un style qui lui fût propre. Elle porta des pull-overs noirs étroits et des fuseaux assortis. Ou bien de larges jupes sur des jupons empesés et des chemisiers de soie blanche. Parfois elle remontait ses cheveux roux en un chignon sophistiqué qui, trouvait-elle, faisait très « femme du monde ». A d'autres moments, elle les laissait tomber sur ses épaules où ils formaient une cape souple et brillante.

La vie à l'université était très différente de celle qu'elle avait menée à L'Aiglon, en Suisse. Ici les filles partagaient leurs secrets et parlaient sans fin de leurs *boyfriends.* A L'Aiglon, elles exprimaient surtout leurs sentiments. Sur le campus les discussions portaient plutôt sur la sexualité. Cependant, elles ne faisaient qu'en discuter. Personne ne sautait le pas.

C'est à Cambridge, petite ville ancienne située de l'autre côté de Charles River, que les filles de Radcliffe rencontraient les garçons de Harvard, dans les librairies ou dans les *coffee-houses.*

Prune fut invitée à des matches de football et à des soirées, mais elle s'y rendait toujours avec d'autres filles. Elle dansait, flirtait à l'avant de vieilles voitures de sport mais jamais à l'arrière, considéré comme un territoire dangereux. Toutes sortes de choses pouvaient vous arriver sur le siège arrière et elle n'était pas prête à les vivre. Par ailleurs, elle se gardait pour Harry.

A son grand dam, elle n'était pas encore parvenue à le rencontrer. Elle allait souvent passer quelques jours à Launceton Magna, invitée par Melinda, mais Harry n'y était jamais. Il voyageait dans le monde entier ou faisait des tournées de conférences à travers les États-Unis.

Grâce aux trois prix littéraires qu'il avait gagnés en deux ans, Harry Launceton était maintenant connu du grand public. Son nom figurait à présent dans les colonnes de potins des journaux, toujours lié à celui de filles ravissantes. Prune découpait tout ce qui le concernait. Il était toujours beau et élégant, il avait toujours sa mèche sur l'œil. D'un coup de ciseau vengeur, elle supprimait la fille, ne gardant que la photo de Harry qu'elle collait soigneusement dans un cahier.

Le jour où elle lut l'annonce du mariage de Harry avec Augusta Herriot, Prune, en larmes, jeta son cahier dans les flammes de la chaufferie. Elle le haïssait pour sa trahison.

« Tu es folle, s'esclaffèrent ses amies qui connaissaient l'histoire. Tu es obsédée par un mec qui ne sait même pas que tu existes! Sors donc avec Jack Mallory! Il t'appelle tous les soirs, veinarde. »

Le père de Jack Mallory était un self-made man qui avait gravi rapidement les échelons de la politique locale de Philadelphie pour se retrouver au sein du gouvernement fédéral. Il passait pour un homme que les scrupules n'étouffaient pas et avait bâti sa fortune en important des liqueurs. Sa carrière avait atteint son point culminant lorsqu'il avait été nommé ambassadeur en France – bien qu'il eût préféré Londres – et le jeune Jack avait vécu sept ans à Paris, après quoi son père avait eu une attaque et toute la famille était rentrée aux États-Unis.

Jack était séduisant dans le genre mâchoire carrée, œil clair, et, comme son père, il savait ce qu'il voulait. Prune figurait en bonne place sur sa liste. Il faisait son siège depuis des semaines, s'efforçant d'être là quand elle sortait de classe, la raccompagnant chez elle tout en mentionnant négligemment quelques détails de sa vie parisienne et la bombardant d'appels téléphoniques auxquels elle ne répondait jamais.

« Quel honneur! Tu daignes venir toi-même au téléphone, cette fois-ci? plaisanta-t-il.

– Que veux-tu dire?

– Ça fait un mois que je t'appelle à peu près tous les soirs et tu t'arranges toujours pour me faire répondre par une de tes copines. Ou bien tu te laves les cheveux ou...

– Eh bien, ce soir, tu as de la chance, j'ai les cheveux propres. Tu veux en profiter pour m'emmener dîner?

– Je ne demande que ça. »

Prune se rendit soudain compte qu'elle mourait de faim. Elle avait été si malheureuse qu'elle n'avait pas mangé depuis plusieurs jours et la vision d'un bon dîner chaud la fit saliver.

« Allons chez Lock-Obers, proposa-t-elle, sachant qu'il en avait les moyens. J'ai envie d'un homard du Maine. Tu passes me prendre vers 7 heures et demie? »

Prune intriguait Jack. A dîner, il la regarda, étonné, manger en silence d'énormes quantités de nourriture. « Tu en veux encore? » lui demanda-t-il poliment, voyant qu'elle engloutissait sa dernière cuillerée de pudding indien.

Elle se sentait mieux. Tout en faisant semblant d'écouter Jack qui se démenait pour entretenir la conversation, Prune ne cessait de penser à Harry, mais, à présent, tout cela se mettait peu à peu en place dans sa tête. Le fait qu'il eût épousé Augusta Herriot n'avait pas d'importance. Après tout, Harry et elle ne s'étaient même pas encore vraiment rencontrés et elle devait finir ses études. Radcliffe était important pour elle, et notamment ses cours de littérature, car elle voulait être en mesure de discuter intelligemment avec Harry. Quand le temps viendrait, ils se rencontreraient et tout s'arrangerait, elle en était sûre. Pas une seconde elle ne se préoccupait d'Augusta.

« C'était délicieux, dit-elle, souriant enfin à Jack, mais je n'ai vraiment plus faim. Merci. » Encouragé par ce sourire, il se demanda s'il allait oser lui prendre la main. Elle portait un anneau d'or au petit doigt et une rosace de minuscules diamants à l'index. Ses ongles laqués étaient d'un rose fuchsia surprenant.

« Je crois qu'il vaut mieux que je rentre, déclara Prune dès qu'il lui toucha la main. J'ai un cours de bonne heure demain matin. »

Dehors, il neigeait. Ils regagnèrent en glissant la Jaguar blanche garée le long du trottoir. Jack lui prit le bras pour l'empêcher de tomber.

« Ça ne vaut pas les Courmont, dit-il en lui ouvrant la portière.

– C'est sûrement beaucoup mieux que les Courmont actuelles », répliqua-t-elle, allongeant ses longues jambes devant elle.

Jack se concentra sur la conduite tandis que Prune fredonnait la *Symphonie pastorale* retransmise à la radio.

Il s'arrêta devant la maison et passa son bras autour de ses épaules.

« On se revoit quand? » demanda-t-il.

Elle sentait son souffle tiède contre son visage. A la lueur du tableau de bord, ses yeux bleus paraissaient plus sombres. La plupart des filles de Radcliffe le trouvaient sublime. Avec ses larges épaules et sa haute taille, il était le type même de l'Américain viril. Riche, de surcroît. Roulant en Jaguar. Jack était une bonne prise et le savait.

« Peut-être jeudi, si j'arrive à me libérer, répondit-elle. Téléphone-moi.

– Jeudi, c'est loin, ça. Pourquoi pas demain! Ou lundi? » Il l'attira contre lui. Sa veste de tweed était rêche sous sa joue. « Je t'en prie, Prune... »

Leurs bouches se mêlèrent. Prune sentit battre son cœur. A quoi pensait-il en ce moment? se demanda-t-elle, sa langue prisonnière de la sienne. A quoi *pensaient* les hommes quand ils vous embrassaient comme ça? Jack lui caressait le cou et les seins. Elle se dégagea. « Ne t'en va pas... Prune! »

Elle avait déjà claqué la portière derrière elle. « Je t'appelle demain », cria-t-il par la vitre ouverte. Elle se retourna. Il était séduisant. Que demander de mieux pour s'entraîner à séduire Harry?

A leur cinquième rendez-vous, Jack l'emmena voir le match retour Harvard-Yale. C'était au tour de Boston de les accueillir et la foule se pressait pour assister à la rencontre. Emmitouflée dans sa veste de fourrure, elle buvait du whisky à même la fiasque, essayant d'emmagasiner assez de chaleur pour encourager Harvard et rire des facéties du bouledogue mascotte de Yale.

Cependant, en dépit du froid, elle était ravie des regards envieux que lui lançaient les autres filles. Sortir avec Jack Mallory devait être le désir secret de beaucoup d'entre elles, mais, quand il passait sa main dans son soutien-gorge comme il l'avait fait la nuit dernière, elle se rendait compte qu'il était dangereux.

Elle savait qu'elle aurait dû cesser de le voir, mais elle y pensait constamment, même en classe. Ou, plutôt, elle rêvait de ses lèvres sur les siennes. Harry était toujours là, bien sûr, à l'ombre de ses rêves, mais Jack avait l'avantage d'être immédiatement disponible. Lorsqu'elle songeait à Harry, elle avait envie de lui tenir la main. Être autorisée à admirer sa beauté et à ramasser les miettes de son génie lui suffisait. Jack Mallory la dérangeait parce qu'elle en avait envie et qu'elle ne comprenait pas encore grand-chose au désir.

Harvard gagna dans les dernières secondes du match. Les spectateurs applaudirent à tout rompre et poussèrent des cris de joie. Jack l'embrassa avec exubérance. « C'était un match superbe, dit-il, absolument superbe. » Il remarqua qu'elle avait l'air gelée. « Viens, dit-il, on va se réchauffer à l'intérieur.

– Où allons-nous? demanda-t-elle en le suivant docilement.

– Où? A la réception, bien sûr! »

Le bar de Lock-Obers n'ouvrait ses portes aux femmes que le soir de la rencontre Yale-Harvard. Ce sanctuaire masculin, tout cuir et acajou, était déjà bondé lorsqu'ils entrèrent. Jack semblait connaître tout le monde. Prune regarda d'un air mauvais une jolie brunette qui se suspendait à son cou. « Ça fait un bout de temps, dit-elle. – Oui, un bon bout de temps », répondit Jack en l'embrassant tendrement. Le baiser dura un peu trop longtemps au goût de Prune. Furieuse, elle se détourna et se mit à contempler l'immense toile représentant une femme nue, accrochée au-dessus du bar. Jack lui avait raconté que, lorsque Harvard perdait, le nu était drapé d'un grand châle noir. Ce soir, le deuil ne s'imposait pas et la dame semblait même s'offrir lascivement, comme la brune qui se frottait contre Jack.

Elle se retourna. « Je voudrais un autre Ward Eight, demanda-t-elle à Jack, interrompant les chuchotements de la fille.

– Un autre ? Fais attention, c'est fort ce truc-là », répondit-il.

Le Ward Eight – un mélange savamment dosé de whisky et de grenadine – était la spécialité du lieu.

« Tu oublies que je suis française, répliqua Prune, hautaine. Je buvais déjà du vin quand tu étais encore au biberon. »

Jack s'esclaffa et lâcha la fille. Se frayant un passage jusqu'au bar, il commanda deux autres cocktails.

Noël Maddox les prépara avec sa rapidité coutumière. Il avait bien dû en faire une centaine ce soir. On l'avait appelé à la dernière minute pour aider l'habituel barman débordé par cette soudaine affluence. Et, pour Noël, tout dollar était le bienvenu.

Grâce à son diplôme de l'université du Michigan, il avait pu entrer au Massachusetts Institute of Technology. Le célèbre M.I.T., la plus prestigieuse université des sciences.

Chaque semaine de travail dans l'amphithéâtre du M.I.T. le rapprochait de son rêve – tout comme les dollars gagnés à la sueur de son front. Dans deux ans, il obtiendrait son diplôme d'ingénieur. Dès le lendemain, il prendrait contact avec le directeur du personnel d'une grande firme automobile. Il se vendrait au plus offrant. Seulement, cette fois, le salaire demandé n'aurait rien à voir avec celui du pauvre gamin qui travaillait à la chaîne.

Noël posa les deux verres sur le comptoir. « Merci », dit Jack Mallory.

En essuyant le bar en acajou, Noël croisa le regard d'une femme assise sur un tabouret. « Un beau match », dit-elle, sortant une cigarette de son paquet et la glissant entre ses lèvres.

Noël lui donna du feu. Elle n'était plus toute jeune, mais très jolie, blonde aux yeux bleus, comme Jeannie, bronzée avec cet air de bonne santé que donnent les vacances à la montagne.

« Vous ne travaillez pas ici à plein temps. »

C'était plus une constatation qu'une question et Noël garda le silence. Il avait travaillé comme barman pendant six mois à l'élégant Copley Plaza Hotel de Boston et, lui qui avait servi de la bière et du whisky au Nick Saloon, un bar miteux du centre de Detroit, avait été épaté par le luxe de l'endroit et l'élégance de la clientèle. Il avait commencé à observer une autre classe sociale que la sienne – un monde où les gens avaient de l'aisance, de l'assurance. Il s'était promis de faire un jour partie de cet univers douillet.

« Vous êtes trop bien pour ce boulot », observa Hallie Harrison.

Noël, surpris, la regarda. Son commentaire faisait écho à ses propres pensées. « Je suis ingénieur, dit-il. Je fais le M.I.T.

– Ah... Un autre fou de l'automobile, soupira-t-elle.

– Un autre ?

– Je suis de Detroit, expliqua-t-elle. Mon mari travaille dans la publicité. Il est en liaison étroite avec les grandes firmes automobiles. Elles régissent nos vies, comme elles régiront la vôtre un jour ou l'autre, monsieur l'ingénieur.

– Noël.

– Noël. Je m'appelle Hallie. Je suis venue voir le match avec mon mari. C'est un ancien de Yale. Il a, une fois de plus, disparu. Cela lui arrive... Je termine souvent mes soirées seule. »

Les yeux bleu-vert, très écartés, le regardaient avec insistance. Ses seins semblaient ronds et pleins sous son chandail en cachemire. Elle portait un discret rang de perles et ses dents, petites et très blanches, luisaient lorsqu'elle souriait. « Peut-être pourrions-nous nous retrouver plus tard, proposa-t-elle. Je suis descendue au Copley Plaza, mais j'ai peur qu'il y ait trop de monde là-bas. Vous avez peut-être un appartement ? »

Elle le draguait! Noël sentit son sexe durcir dans son pantalon. Il se versa un whisky qu'il avala d'un trait sous le regard réprobateur du chef barman. Il ne pouvait pas l'emmener dans cette chambre minable. « Nous pourrions nous retrouver dans un motel. Je suis libre à partir de minuit. »

Elle gloussa. « Comme Cendrillon. Dites-moi où et je vous y attendrai.

– Je vais téléphoner. » Il se glissa derrière le bar, priant pour qu'elle ait une voiture. Il ne pouvait s'offrir deux taxis plus un motel.

Lorsqu'il revint, il vit que Hallie n'était plus seule. Elle bavardait avec un homme assis à côté d'elle. Ils se reconnurent immédiatement. « Tiens, le jeune fugitif! Nos routes se croisent de nouveau, le monde est petit! Noël... c'est ça ?

– Oui, monsieur. » Il prépara un dry Martini qu'il posa devant Scott. « C'est ma tournée, dit-il, et avec tous mes remerciements. » Il se souvenait que Scott buvait du Martini. Et aussi que lui, Noël, avait dormi tout seul dans son lit. Il aurait parié que Harrison se remémorait la soirée, car un léger sourire flotta sur ses lèvres et il lui adressa un regard complice.

« Vous avez réussi à trouver du travail chez un constructeur? demanda-t-il.

– Oui. Actuellement je suis au M.I.T., mais en ce moment je suis en vacances. »

Scott siffla. « J'étais certain que vous aviez ce qu'il faut pour réussir dans la vie », dit-il, levant son verre en signe d'hommage.

Hallie Harrison les regardait tour à tour. « Ça a marché, ce coup de fil? demanda-t-elle négligemment pendant que Scott regardait ailleurs.

– Non, désolé », dit Noël en détournant son regard.

Hallie prit son sac et sa veste de vison. « Je vois, dit-elle avec amertume. Sur le moment, je n'avais pas compris.

– Hé! Hallie, attends-moi », appela Scott. Il posa son verre et fila rejoindre sa femme.

Noël ôta les verres et essuya le comptoir. Scott Harrison l'avait aidé à un moment où il en avait cruellement besoin. Il n'allait pas le remercier en couchant avec sa femme!

41

Quelqu'un avait éteint presque toutes les lampes et la pièce était sombre. Les couples dansaient, étroitement enlacés. Prune, le cerveau embrumé par l'alcool, avait le vague souvenir d'avoir été présentée à la maîtresse de maison.

Jack et elle dansaient joue contre joue. Prune aurait voulu que cette nuit ne finisse jamais. De temps à autre, il la serrait contre lui et prenait ses lèvres. Prune avait oublié Harry et Radcliffe lui semblait à des années-lumière. Jack la prit par la main et la guida hors de la pièce. Il ouvrit la porte d'une chambre et scruta l'obscurité. Ils entendirent des gloussements et elle recula en l'entraînant. « Attends, on va en essayer une autre », chuchota-t-il en l'embrassant. Prune s'appuya contre le mur tandis qu'il ouvrait une deuxième porte et la refermait aussitôt.

« Tu sais ce qu'on va faire ? On va aller chez moi », murmura-t-il.

Cette idée lui causa un choc, mais déjà les lèvres de Jack écrasaient les siennes. Elle se laissa aller contre lui et il glissa une main dans son corsage. « Viens », murmura-t-il. Dehors, le froid la saisit. Elle avait oublié sa veste de fourrure. « Attends-moi, je vais la chercher », dit Jack, plongeant à nouveau dans le hall obscur. Restée seule, Prune frissonna dans la nuit glaciale. Elle avait froid et elle avait peur. Sa propre sensualité l'effrayait. De la musique et des voix, venant du côté opposé de la rue, lui parvinrent. Un couple la dépassa en courant. Ils sautaient par-dessus les plaques de neige en riant aux éclats. Ils étaient jeunes et insouciants. Comme elle-même avant son histoire avec Jack. Si elle allait chez lui ce soir, il n'y aurait pas de retour en arrière possible. Fini la jeunesse et la légèreté. Elle se mit soudain à courir. Des larmes coulaient sur ses joues. Elle avait dix-huit ans, c'était bien trop jeune pour appartenir à un autre.

« Ça va, mademoiselle ? demanda le chauffeur de taxi d'un air inquiet en voyant cette jeune fille en larmes lui faire frénétiquement signe de s'arrêter.

– Oui, maintenant, ça va », répondit-elle en s'affalant sur la banquette en plastique.

Il se retourna. « Où voulez-vous aller, ma p'tite dame ? »

Elle réfléchit un instant. Elle ne pouvait rentrer à Radcliffe à cette heure. Elle se souvint brusquement d'oncle Sebastiao. « A Beacon Hill », dit-elle fermement.

La maison de Sebastiao do Santos, petite et étroite, était située dans une rue en pente de Beacon Hill. Du salon, au rez-de-chaussée, on avait une jolie vue sur Charles River.

Pelotonnée sur le canapé de velours gris, Prune buvait du café en face de son oncle. Sebastiao se dit qu'elle avait l'air d'une gamine de douze ans abandonnée par ses parents. Ses ennuis ne devaient pas être bien graves. Il avait déjà joué le rôle du bon oncle toujours prêt à vous aider auprès d'Amélie.

Sebastiao do Santos avait toujours été amoureux de la mère de Prune mais Amélie avait épousé son frère cadet, Roberto. Après la mort tragique de ce dernier, il avait espéré qu'Amélie se tournerait vers lui, mais, comme un idiot, il l'avait présentée à son meilleur ami, Gérard de Courmont. Les deux jeunes gens étaient tombés éperdument amoureux l'un de l'autre et, pour la seconde fois, Sebastiao avait dû assister au mariage d'un garçon pour lequel il éprouvait une grande affection avec la femme qu'il aimait en secret depuis des années.

S'il n'était pas parti perdant au jeu de l'amour, la jeune personne en larmes, assise en face de lui, aurait pu être sa fille. Par chance, ce manque de courage n'avait pas affecté sa carrière. Il était devenu l'un des plus brillants architectes des États-Unis et professeur honoraire à Harvard. Sans doute réservait-il ce trait de caractère à sa vie sentimentale.

« Tu as envie de me parler de tes problèmes?

– Qu'est-ce qui va se passer pour l'école? s'inquiéta Prune.

– C'est arrangé. Je les ai prévenus par téléphone que tu passerais la nuit ici.

– Merci. Tu sais, Radcliffe, c'est très important pour moi. Je ne veux pas me faire flanquer dehors à cause d'une histoire idiote.

– C'était ça, alors? Une histoire idiote? »

Elle se remit à pleurer. « J'ai failli commettre la pire erreur de ma vie.

– Si tu n'as que failli, ce n'est pas bien grave », répliqua-t-il, agacé par ce déluge de larmes.

Elle se leva, vint s'asseoir à ses pieds et lui raconta tout. Sebastiao lui caressait pensivement les cheveux.

« Tu es trop jeune pour ce genre de chose, Prune, dit-il. Amuse-toi comme une fille de ton âge. Sors, va à des fêtes. Quand tu rencontreras l'homme de ta vie, tu le reconnaîtras tout de suite. Tu n'auras pas besoin de t'enfuir. »

Elle se releva en bâillant. « Je l'ai déjà rencontré », déclara-t-elle.

42

La chambre de Noël était située à l'entresol d'une maison grise de quatre étages, dans une impasse jonchée de détritus. Ce local présentait le double avantage d'être gratuit, car Noël tenait lieu de concierge, et bien chauffé parce qu'il jouxtait la chaufferie. C'était, de surcroît, à un kilomètre du M.I.T., si bien qu'il économisait l'argent des transports.

La chambre était sombre et exiguë, mais Noël n'y attachait pas d'importance. Il disposait d'un réchaud à une plaque et d'une panoplie de cuisine composée d'une casserole, d'une cafetière et de quelques couverts. Il passait beaucoup de temps au M.I.T., travaillant à la bibliothèque quand il n'assistait pas à un cours ou ne se livrait pas à quelque tâche rémunérée. Noël entretenait des rapports courtois mais distants avec ses camarades. Il était toujours aussi solitaire.

Il en allait tout autrement pour ses relations avec les filles. A sa surprise, les jeunes filles de la bonne société le trouvaient attirant. Elles prenaient son silence pour une sensualité brûlante alors qu'en fait il se taisait parce qu'il ne savait pas comment se comporter avec elles et qu'il avait du mal à parler pour ne rien dire. Elles le prenaient comme il était – un type taciturne et viril.

Elles le draguaient au bar du Copley Plaza ou à la librairie universitaire. C'est grâce à elles que Noël pris conscience de son manque de culture et de la nécessité d'y remédier. Il se mit à lire de bons romans et des biographies. De même, il commença à fréquenter les galeries d'art et les salles de concert.

Il fit la connaissance de Cassie Plumpton au Symphony Hall. Noël l'avait remarquée à plusieurs reprises. Elle avait vingt-neuf ans et sa famille se désolait de la voir encore célibataire à son âge. Elle n'était pas vraiment jolie mais tirait si bien parti d'elle-même qu'elle passait pour l'être. Elle avait des cheveux courts et bruns, frisés comme des poils de caniche, de grands yeux bruns et un penchant pour le rose fuchsia.

« Qui êtes-vous? lui demanda-t-elle pendant l'entracte. On vous voit partout! Vous travaillez au bar du Copley Plaza, non? »

En buvant un verre, Noël lui raconta la vieille histoire de ses parents tués dans un accident d'auto et la façon dont il avait lutté pour payer ses études à l'université puis au M.I.T. Elle l'écouta distraitement. Cassie aimait sa rudesse, sa virilité. Son histoire, pour émouvante qu'elle fût, ne l'intéressait pas vraiment. « Tu ressembles à quelqu'un qui aurait été privé de civilisation depuis sa naissance, lui dit-elle la première fois qu'ils firent l'amour. Une sorte de paysan citadin. »

Noël rougit. Il se méprisait d'être si gauche. Où apprenait-on le genre de comportement que ces filles attendaient d'un garçon?

« Surtout ne change pas, se hâta-t-elle d'ajouter. Ça fait partie de ton charme. »

Ils se voyaient déjà depuis plusieurs mois lorsque Cassie lui proposa de l'emmener chez Brooks Brothers pour s'acheter une ou deux chemises, et peut-être une veste. Il le prit très mal. « Je suis comme je suis, répondit-il, glacial. J'ai toujours payé en travaillant ce que j'ai sur le dos et je ne peux rien m'offrir de mieux pour le moment.

– Bon, bon, moi ça m'est égal, tu sais. Je voulais simplement te faire un cadeau. »

Puis soudain, sans y avoir fait allusion avant, elle lui proposa de l'accompagner à une *party* le soir même. « Le tout-Boston reçoit Harry Launceton, dit-elle. Tu sais qui c'est? »

Il haussa les épaules. Il n'en avait jamais entendu parler.

« C'est le plus jeune écrivain de Harvard – jusqu'à présent. La coqueluche de la Nouvelle-Angleterre. Génial, séduisant et baron, ce qui, aux yeux de la bonne société bostonienne, ne gâte rien. C'est une soirée habillée, mon ange, voilà pourquoi je te suggérais de faire un tour chez Brooks. »

Il se rasa soigneusement, enfila son smoking loué et se regarda dans la glace. Il avait l'air un peu emprunté là-dedans, on sentait qu'il n'était pas né pour ce genre de tenue, mais il se trouva quand même acceptable. Un jour, il ferait partie de la haute société. Ce soir, il n'aurait qu'à faire semblant.

Sebastiao attendait Prune au bar du Copley Plaza. Comme toujours, elle qui avait tant insisté pour l'accompagner à cette soirée était en retard.

Il y aurait à cette réception, outre le gratin de Boston, des académiciens, des éditeurs et des professeurs de Harvard. Sebastiao, qui était tout sauf mondain, aurait volontiers décliné l'invitation, mais il n'avait pas voulu décevoir Prune.

Il la vit entrer et écarquilla les yeux. Seigneur, où avait-elle pêché cette robe?

« Me voilà, dit-elle en l'embrassant affectueusement.

– Je vois ça. »

Elle perçut son ironie et le regarda, inquiète. « Comment me trouves-tu? » Elle avait longuement hésité à mettre cette robe rouge vif, moulante et très décolletée (pour Boston, en tout cas) mais elle voulait que Harry la remarque. Sebastiao, mal à l'aise, se rendait compte que tous les regards convergeaient vers elle.

« Je ne suis pas certain d'aimer ta robe », dit-il.

Prune leva les yeux au ciel. « Dieu, que vous êtes provinciaux! A Paris, personne n'hésiterait à porter cette robe.

– Je suis sûr que toi, tu as hésité, répondit-il en souriant. Tu n'as pas l'air très à ton aise là-dedans. Écoute, je vais te raconter une anecdote. Quand ta grand-mère est montée sur scène pour la première fois, elle portait un costume de scène très... léger. Elle traînait dans les coulisses, honteuse à l'idée de se montrer au public vêtue ainsi, mais il fallait bien qu'elle y aille. Elle n'avait pas le sou, c'était une question de survie. Alors l'une des chorus girls lui a dit : " Redresse-toi, lève le menton, sois fière de toi et marche comme une reine. " Eh bien, je crois que, ce soir, tu devrais en faire autant. »

Elle le regarda étonnée. « Tu as raison, dit-elle avec un grand sourire. Bien sûr... c'est exactement ce qu'il faut faire. Viens vite, nous allons finir par être en retard. » Et, la tête haute, sans se soucier des regards braqués sur elle, Prune se dirigea vers la porte.

Pas plus que Sebastiao, Harry Launceton n'aimait les soirées mondaines. Il préférait de beaucoup dîner tranquillement avec quelques amis, mais Augusta, sa femme, adorait les réceptions. C'était pour lui faire plaisir qu'il avait accepté de s'y rendre.

« Comme ça, nous connaîtrons tout le monde en une soirée,

chéri, lui avait-elle fait observer. Après tout, nous allons vivre ici un an. Toi, tu as ton travail, mais moi, je vais me retrouver coincée toute seule dans cette grande baraque louée. »

Harry souriait poliment, serrait des mains et s'ennuyait ferme.

Augusta Launceton observait son mari à la dérobée, tout en bavardant avec une vieille dame très digne. Harry et elle se connaissaient depuis l'enfance. Leurs pères avaient été en classe ensemble et son frère avait fait Harvard avec Harry. Ils avaient toujours évolué dans les mêmes cercles. Cependant, tout le monde avait été surpris par ce mariage avec la tranquille petite Augusta, si compétente, si charmante. « C'est exactement pour ça que je t'épouse, avait dit Harry en riant. Les femmes me paraissent de dangereuses créatures. Au moins, avec toi, je sais où je vais. » L'ennui, c'est que Harry avait un goût prononcé pour les jolies femmes.

Noël était assis à côté de Cassie. Il contemplait la pièce aux murs tendus de soie champagne et les meubles anciens à la patine irréprochable. Il refusa de prendre de l'alcool, effrayé à l'idée de perdre son contrôle et de se mettre à bégayer. Cassie essayait de le faire sortir de son mutisme mais Noël flairait toujours les questions pièges et s'arrangeait pour les éviter. Il savait comment fonctionnaient tous ces gens. Il fallait montrer patte blanche pour être accepté dans le cercle magique. « Il paraît que vous venez de l'Ohio ? Connaissez-vous les Untel ? » Si vous pouviez citer un nom, un seul nom, vous étiez sauvé.

Attendez, pensait Noël, attendez encore quelques années. Un jour, il montrerait à tous ces vieux crabes qu'il n'avait pas besoin de ce genre de passeport pour faire partie de leur petit monde.

Il remarqua immédiatement la jeune fille et la reconnut. Prune de Courmont. Elle regardait autour d'elle comme si elle cherchait quelqu'un. Elle n'avait pas changé, simplement grandi. Elle était un peu plus grande que lui à présent mais elle avait toujours cette somptueuse chevelure cuivrée et la même expression de gamine ardente, pleine de vie. En dépit de sa robe de vamp, elle ne semblait guère avoir plus de seize ans. L'homme qui l'accompagnait était distingué et beaucoup plus vieux qu'elle. Ils semblaient si bien dans leur peau que Noël ne put s'empêcher de les regarder avec envie. Et, le pire, c'est que Prune de Courmont ne le regarderait même pas. Quant à le reconnaître, c'était, Dieu merci, exclu. Il avait beaucoup changé et leur rencontre à l'orphelinat remontait à sept ans.

Lorsqu'elle vit Harry Launceton, le cœur de Prune se mit à battre avec une telle violence qu'elle eut peur de s'évanouir, puis une vague de bonheur intense la submergea. Elle se fraya un chemin à travers la foule et s'avança vers lui.

Harry regarda cette fille ravissante s'approcher de lui, tout en répondant distraitement à son interlocuteur, un professeur de littérature à Harvard.

« Monsieur Launceton, dit-elle d'une voix vibrante d'excitation, bonjour... Nous nous sommes déjà rencontrés à Launceton Magna... »

Elle était exquise. Une nymphe enrobée de soie écarlate. Féline, féminine et dangereusement jeune.

« Je sais, dit-il en lui tendant les mains. A un match de cricket. »

Prune le regarda, éperdue. Son sang dansait dans ses veines. « J'étais venue avec Melinda Seymour. Je ne pensais pas que vous vous en souviendriez. »

Sans plus se soucier du professeur, Harry entraîna Prune près d'une fenêtre. « Comment aurais-je pu oublier? Vous ressembliez à une créature exotique perdue sur les sages pelouses de la campagne anglaise. Vous aviez l'air de sortir d'une forêt tropicale dont vous auriez foulé le sol pieds nus, les reins ceints d'une peau de bête...

– Est-ce que tous les écrivains parlent comme ça? demanda-t-elle, ahurie.

– Moi, je le fais, répliqua-t-il en souriant. Et c'est fichetrement mieux que de répondre à des questions sur ce que je gagne. Qui êtes-vous exactement? »

Il la prit par les épaules et tourna son visage vers lui. Le contact de ses mains la firent frissonner.

« Je suis Prune de Courmont », répondit-elle d'une voix qui lui parut frêle dans le brouhaha des conversations.

Leurs yeux ne se lâchaient plus. « Et où vous trouve-t-on, jolie Prune, si vous ne vivez pas sous les tropiques?

– A Radcliffe. J'étudie la littérature anglaise. »

Il se mit à rire. « Encore une, dit-il. Elles m'aiment pour mes mots, jamais pour moi.

– Ce n'est pas mon cas, répliqua-t-elle. Je ne peux pas lire vos livres. C'est vous que j'aime. »

Augusta Launceton vida sa coupe de champagne et se dirigea d'un pas décidé vers son mari. Harry avait l'air de s'amuser prodigieusement et cette fille était bien trop jolie pour le laisser faire. « Harry! l'appela-t-elle. Harry, il faut y aller maintenant. Nous dînons chez les Wesmacott.

– Radcliffe... c'est ça? chuchota-t-il à Prune.

– Oui, souffla-t-elle.

– Je vous appellerai. »

En rougissant, Prune évita le regard inquisiteur d'Augusta. Extrêmement troublée, elle s'approcha du buffet pour boire un verre de vin. Son regard croisa celui d'un garçon brun, debout au milieu d'un groupe de gens, et elle eut soudain le sentiment de l'avoir déjà vu.

Elle prit quelques canapés. Elle mourait de faim. Il faut dire qu'elle n'avait rien avalé de la journée tant elle était nerveuse. Oh! Harry, Harry, chantonnait-elle *in petto*, comme tu es beau et intelligent! Elle essaya de se rappeler ce qu'il avait dit à son propos... La fleur tropicale sur la sage pelouse... Et sa femme? Plutôt terrifiante, celle-là! Le genre rose anglaise entortillée sur une tige de fer. « Je vous appellerai », avait-il dit. Elle n'allait pas quitter le téléphone! Mais qui *était* ce garçon? Il continuait à la regarder avec une insistance gênante. Elle était certaine de l'avoir déjà rencontré. Il *fallait* qu'elle sache.

Elle s'avança vers lui. « Bonjour... je suis Prune de Courmont. Je suis sûre que nous nous connaissons, mais je suis incapable de me souvenir...

– Non, je ne crois pas, vous devez faire erreur », bredouilla Noël, affolé.

Cassie et ses amis s'étaient tus et suivaient cet échange avec intérêt.

Ces yeux gris... cette ossature... Soudain, elle le reconnut. « Ça y est, j'y suis, s'écria-t-elle, ravie. L'orphelinat Maddox. *Vous êtes Noël Maddox!* »

Noël aurait voulu rentrer sous terre. Il eut l'impression que tout le monde, dans le salon, avait entendu, que chacun connaissait à présent son secret si jalousement gardé. Il la foudroya d'un regard étincelant de rage. Il avait envie de la tuer!

43

Prune, pelotonnée dans un fauteuil, essayait de lire *Past Configurations*, de Harry Launceton, mais elle était incapable de se concentrer car elle guettait la sonnerie du téléphone. Cependant, le simple fait de tenir son livre entre ses mains, de lire les mots qu'il avait écrits, la rapprochait encore de lui.

Pour la dixième fois, elle regarda la photo de Harry sur la jaquette. Il souriait, les yeux plissés par la lumière du soleil. Il était terriblement séduisant. Si seulement Augusta n'avait pas été là l'autre jour... il l'aurait sûrement emmenée et alors... Le téléphone sonna et elle se précipita pour répondre, mais l'appel ne lui était pas destiné. Les jambes en coton, elle regagna son fauteuil.

Elle osait à peine se rendre à ses cours en ce moment, de peur que Harry n'appelle pendant son absence. Elle laissait des messages partout, de façon à être jointe à toute heure. Cependant, Harry ne se manifesta pas.

Trois jours plus tard, n'y tenant plus, elle lui téléphona. Ce fut Augusta qui décrocha. « Bonjour, dit Prune, le cœur battant. Ici la société littéraire de Radcliffe. Pourrais-je parler à M. Launceton, s'il vous plaît?

– Allô? » La voix de Harry était belle et grave à l'autre bout du fil.

« Bonjour... c'est Prune de Courmont, dit-elle.

– Vraiment? » Il semblait heureux de l'entendre. « C'est vraiment vous? Je croyais que c'était la société littéraire de Radcliffe. »

Il ne s'excusait pas de ne pas l'avoir rappelée et Prune se mordit nerveusement la lèvre inférieure. « La société se demandait si vous pourriez trouver le temps de faire une conférence chez nous? Sur votre nouveau livre, *Past Configurations.*

– Vous l'avez lu? demanda-t-il d'une voix amusée.

– Oui, mais je n'ai rien compris. C'est pour ça que je voudrais que vous veniez. »

Harry se mit à rire. « Dans ces conditions... si vous avez *besoin* de moi. Écoutez, j'ai un trou dans mon emploi du temps mardi soir. Ça irait pour vous?

– Formidable, répondit-elle. A mardi. Envoyez-moi un mot pour me dire où on se retrouve et à quelle heure. »

Assis confortablement sur un canapé, Harry avait bu un très mauvais sherry, entouré de charmantes filles. Il avait parlé pendant une heure environ de sa vie, de son travail et de son dernier livre. Elles l'avaient écouté avidement et posé des questions pertinentes. Ç'avait été un moment très agréable. Et la jeune Prune était saisissante dans son pantalon noir collant et son chandail à col roulé assorti. Elle avait natté ses cheveux et son visage était vierge de tout maquillage. Adorable. Vraiment adorable. Harry regarda sa montre.

« Je vais vous raccompagner, monsieur Launceton », proposa Prune. Elle savait que Harry ne conduisait pas aux États-Unis parce qu'il n'était pas habitué à rouler à droite. Il avait déjà failli avoir un accident.

« C'est très gentil à vous », répondit-il en se levant.

Tassé dans la petite Courmont sport bleu marine, Harry eut soudain une illumination. « Ne me dites pas que vous êtes de la famille du constructeur automobile!

– J'ai bien peur que si. »

Harry siffla. « Mon père a rencontré un jour le vieux Gilles de Courmont à l'hôtel de Paris, à Monte-Carlo. C'était peu de temps après son accident de voiture. Il paraît qu'il avait l'air plus costaud qu'un cheval. Comment a-t-il bâti son empire? En régnant par la terreur?

– Peut-être, mais j'ai entendu dire qu'il était très bon avec ses domestiques. Ils sont restés à son service pendant des années. »

Harry se mit à rire. « C'était un numéro. Ce procès qu'il a intenté à sa ravissante maîtresse... »

Prune mit le contact et se tourna vers lui. Il avait passé son bras derrière elle et elle le sentait, frôlant son épaule.

« Sa ravissante maîtresse, comme vous dites, était ma grand-mère, répondit-elle avec froideur.

– Je suis désolé, s'excusa Harry. Je ne voulais pas être indiscret. C'est le côté fouille-merde des écrivains, vous savez. La vie des gens nous intéresse particulièrement.

– De toute façon, je serais bien incapable de divulguer des secrets de famille pour la bonne raison que je ne connais pas la véritable histoire. Gilles de Courmont est mort avant ma naissance et grand-mère n'en parle jamais. Cependant, j'ai entendu, pendant des années, des rumeurs, surpris des bribes de conversations qui suggéraient des amours tumultueuses entre eux. »

Harry poussa un soupir. « Il est dit que je ne connaîtrai jamais cette passionnante histoire, conclut-il.

– Où habitez-vous? s'enquit Prune. Je suis censée vous raccompagner... à moins que vous ne me proposiez de m'emmener manger une pizza. Je meurs de faim. J'essaierai de vous raconter des choses sur ma scandaleuse famille, ajouta-t-elle en riant.

– Ah! Si vous me prenez par mon point faible! »

Elle se dirigea vers la pizza Pansy, dans Back Bay, un endroit peu fréquenté par les étudiants et les relations de Harry. Le restaurant était sombre avec des nappes à carreaux et des bouteilles de chianti en guise de bougeoirs. Il commanda une pizza pour elle et une bouteille de barolo. Elle toucha à peine à sa pizza. « Je croyais que vous aviez faim », lui dit-il d'un air de reproche. Il se pencha en avant pour toucher la lourde tresse. « C'est exactement la couleur des marrons qui tombent sur la pelouse de Launceton en automne. »

Il continua de la dévisager tout en buvant son vin. « Vous êtes une beauté, Prune de Courmont, et je dois vous mettre en garde : je suis très sensible à la beauté.

– Je sais. Vous parlez beaucoup de femmes dans vos livres. Et aussi de l'amour physique. »

Ils se regardèrent longuement à la lueur de la bougie. Il était fasciné par ses yeux. « Il ne faut pas croire tout ce que vous lisez, dit-il d'un ton léger. Les auteurs n'écrivent pas souvent des choses qui les concernent. » Elle se contenta de sourire. « Il faut que je rentre, dit-il, faisant signe à la serveuse.

– Merci pour la pizza et le vin », dit-elle.

Elle est exquise, songea-t-il en traversant Charles Bridge, et terriblement tentante. Son sourire, lorsqu'elle lui dit au revoir, était plein d'un vague regret. Il eut envie de l'embrasser mais se retint. Prune de Courmont lui semblait une jeune femme très dangereuse.

Soudain, il se mit à la voir partout. Il la repéra à une conférence, assise au fond du hall, vêtue d'un chandail pourpre. Il l'aperçut de loin en traversant le campus en compagnie d'un professeur. Emmitouflée dans une veste de tweed, une grosse écharpe autour du cou, elle avait l'air gelée. Il lui fit signe de la main. Il la rencontra au concert. Elle était vêtue d'un tailleur bleu marine et ses cheveux étaient remontés en chignon. Il trouva qu'elle avait l'air très française. Elle était accompagnée d'un beau jeune homme et d'un couple. Enfin, ce fut la première personne qu'il vit en se rendant à l'invitation de Sebastiao de Santos.

« Je suis l'hôtesse, dit-elle en se précipitant vers lui. Sebastiao est mon oncle. » Elle était moulée dans une robe de soie noire à manches longues, à la fois sévère et terriblement sexy. Il sentait la nervosité de sa femme. Pauvre Augusta. Le noir ne lui allait pas. Elle n'était mignonne que lorsqu'elle partait se promener avec les chiens à Launceton, vêtue d'une jupe en tweed et d'un pull-over.

A dîner, Harry se retrouva à la gauche de Prune. Augusta, à l'opposé, bavardait avec Sebastiao. « Je vous vois constamment, lui dit Harry. Chaque fois que je tourne la tête, je vous aperçois.

– C'est parce que je vous pourchasse », répondit-elle tranquillement.

Prune avait décidé qu'avec un homme comme Harry mieux valait être franche, puisque la subtilité ne la menait nulle part. Elle avait mis un temps fou à persuader oncle Sebastiao de donner ce dîner et elle était bien décidée à saisir l'occasion pour ferrer Harry une bonne fois pour toutes.

Il la regarda, intrigué, se demandant s'il devait prendre ses propos au sérieux. Elle avait les plus beaux yeux bleus qu'il eût jamais vus.

« Vous m'avez peut-être capturé », dit-il d'un ton badin.

Jetant un regard rapide aux autres convives pour s'assurer qu'ils étaient absorbés par leur propre conversation, Prune murmura : « Je peux vous voir tout à l'heure, en fin de soirée? Je voudrais vous parler. »

Harry but un peu de haut-brion et le trouva délicieux. Il se demanda quel âge pouvait bien avoir Prune. Dix-sept... dix-huit ans, peut-être.

« S'il vous plaît, insista-t-elle, posant une main légère sur sa cuisse.

– Où? demanda-t-il, incapable de résister.

– Je vais noter l'adresse sur un bout de papier que je glisserai dans votre poche après le dîner. »

Il fut distrait pendant le reste de la soirée. Ce n'était pas la première fille qui lui courait après, bien sûr, mais il était terriblement attiré par elle. Prune avait quelque chose de lumineux dans le visage – une sorte d'innocence rayonnante, même lorsqu'elle jouait le jeu dangereux des adultes.

En rentrant à la maison, Harry, prétextant un travail urgent à finir, demanda à Augusta de le déposer à son bureau. Il appela un taxi et rejoignit Prune dix minutes plus tard.

« C'est l'appartement d'une amie », expliqua-t-elle en prenant son manteau. Un bon feu brûlait dans la cheminée et elle avait mis un concerto pour mandoline de Vivaldi. Une seule lampe était allumée, près du canapé. Elle choisit de s'asseoir dessous. A la lumière, ses cheveux formaient une cape rousse sur ses épaules.

Elle lui tendit un verre du haut-brion qu'elle avait chipé à son oncle avant de partir, puis s'assit à ses pieds et lui entoura les genoux de ses bras. « J'ai quelque chose à vous dire. » Elle prit sa respiration, leva ses grands yeux vers lui et dit : « Je vous aime, Harry. Je vous ai aimé dès que je vous ai vu à Launceton Magna. Je sais que ça peut paraître absurde, une histoire de collégienne, mais c'est ainsi. Je vous suis constamment. C'est pour ça que vous me voyez partout. »

Harry, effaré, se taisait. Prune regardait fixement le tapis. « Je veux que vous m'épousiez, dit-elle.

– Viens ici, dit doucement Harry. Viens t'asseoir près de moi. »

La façon dont elle se déplia était extraordinairement gracieuse.

« Je suis un homme marié, Prune. Et je suis également marié à mon travail.

– Je sais », dit-elle en le regardant sans ciller. Elle ferma les yeux et lui tendit ses lèvres. Sa bouche était pulpeuse, douce comme de la soie.

Elle s'accrocha à lui, ses bras autour de son cou. La main de Harry glissa sur ses seins.

Il se dégagea doucement et commença à se déshabiller, puis il prit son verre de vin et le lui tendit. « Non, dit-elle, je veux me souvenir minute par minute de cette soirée. » Elle était assise sur le canapé et, lorsqu'il fut nu, elle ne fit aucun geste vers lui. « Laisse-moi t'aider, proposa-t-il en déboutonnant la robe de soie noire. Dessous, elle portait une culotte et un soutien-gorge de coton blanc. Elle lui parut soudain enfantine et vulnérable, mais, comme il faisait glisser les bretelles de son soutien-gorge, elle se pressa contre lui et l'embrassa. Lorsqu'elle fut nue à son tour, ils s'étendirent sur le tapis devant le feu. Les bûches s'étaient en partie consumées, ne laissant que des braises incandescentes dont le rougoiement dorait sa peau. Elle resta immobile, ses grands yeux lumineux fixés sur lui. Il la caressa doucement, tremblant de désir, toucha sa chair humide. « Tu es sûre, Prune ? chuchota-t-il, ses lèvres sur ses seins. Tu es sûre ? C'est ça que tu veux ? »

Elle hocha la tête. « Oui, Harry, c'est *vraiment* ce que je veux. »

44

Prune se réveilla. La tête de Harry reposait sur son épaule. Avec précaution, pour ne pas l'éveiller, elle dégagea son bras ankylosé. Au souvenir de sa nuit, une vague de bonheur la submergea. Elle observa les mains de Harry, sa poitrine musclée. Comme c'était étrange que l'amour pût transformer le corps d'un homme en instrument de plaisir ! Elle mourait d'envie de le toucher mais, en un sens, regarder Harry dormir lui semblait un acte encore plus intime que de faire l'amour avec lui. Il avait les lèvres entrouvertes, le souffle régulier comme celui d'un enfant. Il paraissait beaucoup plus vulnérable que dans la journée.

La nuit d'avant, son visage avait une expression étrange, surtout vers la fin, au moment où il avait joui. Elle avait gardé les yeux grands ouverts parce qu'elle voulait se rappeler leur première fois dans les moindres détails. Et, si sa passion avait semblé moins intense que la sienne, c'était parce qu'elle n'avait jamais couché avec un homme.

Harry l'avait regardée avec stupeur. « Pourquoi ne me l'as-tu pas dit avant?

– Je croyais que tu le comprendrais, répondit-elle. Je ne fais pas ça avec tout le monde, tu sais.

– Je m'en doute. Je ne voulais pas dire cela. Simplement, si je l'avais su, j'aurais pris davantage soin de toi.

– Tu veux dire que je vais avoir un enfant? »

Harry se mit à rire. « Non, mais non, voyons, tu es folle! »

Prune l'embrassa dans le cou. « Je ne veux pas d'enfant, dit-elle. Seulement toi.

– Eh bien, tu m'as.

– Pas complètement. Je veux t'épouser.

– Ce que nous vivons est bien mieux que le mariage, dit-il d'un ton léger. Au moins on ne risque pas de se lasser l'un de l'autre.

– Comme toi et Augusta?

– Ne parlons pas d'Augusta. Parlons de nous. » Puis il la couvrit de baisers. Cette fois, Prune fut plus active et le caressa. « Tu n'es pas du tout ce qu'il me fallait, murmura-t-il en la prenant. Tu es bien trop belle, trop jeune et trop amusante. »

A présent, Prune le regardait dormir. Elle se dit qu'elle se souviendrait toujours de lui comme cela, paisiblement endormi.

Harry ouvrit un œil. « Tu me regardes », dit-il d'un air accusateur.

En riant, Prune embrassa ses lèvres closes. « Je suis si contente que tu sois réveillé, répondit-elle en se coulant vers son bas-ventre. Ses lèvres effleurèrent son pénis, puis elle le lécha doucement et elle le prit dans sa bouche.

« Prune... haleta-t-il. Dieu, que c'est bon... Qui t'a appris ça? »

« Il faut que je me dépêche », dit-il en sortant de sa douche. Il jeta un coup d'œil à sa montre. « 7 heures et demie. Je vais aller directement à mon bureau. Je dirai à Augusta que j'ai travaillé toute la nuit. Ça m'arrive souvent. »

Prune sentit la jalousie lui étreindre le cœur. « Je te vois ce soir? demanda-t-elle d'un air dégagé.

– Pas ce soir, mon chou, il y a un dîner ou je ne sais quoi. » Il nouait sa cravate devant la glace. « Écoute, ajouta-t-il, je t'appellerai. Je ne sais pas trop à quelle heure, mais je te promets que je t'appellerai. » Il s'approcha d'elle et, lui prenant le menton, l'obligea à le regarder. « Ça va, Prune? »

Elle hocha la tête. « Oui. » En se dirigeant vers la porte, Harry se retourna et lui fit un petit geste d'adieu. « Je t'aime », cria-t-elle, mais il ne l'entendit sans doute pas parce qu'il refermait la porte.

45

Laïs regarda les lettres de Ferdi empilées dans le tiroir de son bureau. Il lui écrivait deux fois par semaine. Même au début, lorsqu'elle ne lui répondait pas encore, il avait continué à écrire. Rien qui les concernât, juste des anecdotes, des détails sur sa vie quotidienne à Cologne ou au château familial. Il ne parlait jamais ni du passé ni de l'avenir.

Aujourd'hui, comme chaque mois, Laïs se faisait conduire à Paris pour leur rendez-vous. Ferdi descendait au Ritz et elle, île Saint-Louis. Peu de temps après leur première rencontre, elle l'avait invité à dîner chez elle. Un dîner aux chandelles avec cette vue merveilleuse sur la Seine. L'idée de ce tête-à-tête ne rendait pas Laïs trop nerveuse parce que leurs lettres avaient tissé un fin réseau de fils qui les reliait l'un à l'autre. Cependant, lorsque Ferdi s'avança vers elle dans le salon, son cœur se mit à battre. Elle aurait donné n'importe quoi pour pouvoir courir vers lui. Il avait pris ses mains dans les siennes puis l'avait embrassée comme il le faisait toujours. Pendant un court instant, le parfum de son eau de Cologne et le contact de ses lèvres contre sa joue avaient aboli le temps. Cependant, Ferdi ne parlait jamais d'amour. Il la traitait simplement comme une amie très chère.

Il la promenait partout dans Paris, indifférent aux regards curieux des passants qui remarquaient cette belle jeune femme dans son fauteuil roulant. Il l'emmenait souvent dans les galeries de peinture de la rive gauche et ils déjeunaient dans une brasserie, au hasard de leurs pérégrinations. Ils allaient aussi au théâtre et dînaient dans l'un ou l'autre de leurs restaurants préférés.

Le voyage jusqu'à Paris était long, mais Laïs ne se sentait jamais fatiguée lorsqu'elle arrivait. Ses rendez-vous avec Ferdi lui étaient devenus indispensables, une bouffée d'oxygène dans son existence. Elle avait le sentiment de bien mieux le connaître qu'autrefois, sans doute parce qu'ils avaient eu le temps de devenir amis.

« Laïs, lui demanda-t-il un soir pendant le dîner, qu'est-ce que tu voudrais le plus posséder au monde ? »

Elle le regarda, surprise. « Tu veux essayer de m'acheter? plaisanta-t-elle.

– Non, je voudrais t'offrir la chose dont tu as réellement envie. »

Laïs regarda l'homme qu'elle aimait. Elle ne remarqua pas les stigmates de la souffrance sur son visage, pas plus que les cheveux prématurément gris. Elle voyait toujours le bel officier blond et élégant, appuyé contre le piano, dans l'île Saint-Louis, le jeune homme qui se promenait avec elle sur le chemin de ronde à Saint-Jean, l'amant viril qui l'avait tenue dans ses bras tant de fois. Comment demander à Ferdi d'épouser une infirme? Quel boulet à traîner dans une existence! Elle devait se contenter d'être son amie.

« C'est impossible, Ferdi, répondit-elle calmement. Tu comprends, personne ne peut retarder les pendules. »

Oublieux de leur entourage, ils se regardèrent longuement. Il avait pensé un moment que tout pourrait recommencer, que Laïs lèverait les barrières dont elle se protégeait et le laisserait accéder de nouveau à son monde magique. Mais elle ne voulait pas ou, peut-être, ne pouvait pas. Et lui? Il l'aimait encore, il en était certain à présent. Il l'épouserait immédiatement si elle le désirait, mais elle venait de lui faire clairement comprendre que c'était exclu.

« Je suis désolé, Laïs, soupira-t-il, je suis tellement désolé! »

Ils quittèrent le restaurant. Ferdi la souleva et l'installa avec précaution dans la voiture. Le chauffeur plia le fauteuil et le rangea dans le coffre de la grosse Courmont démodée que Laïs avait achetée avant la guerre. Ils se turent pendant tout le trajet.

Laïs souffrait de son silence. Qu'avait-il voulu dire? Était-il désolé pour elle? Ou désolé parce qu'il ne l'aimait plus comme autrefois? Oh! Si elle avait pu courir! Elle aurait bondi hors de cette voiture, quitté cet affreux fauteuil roulant et ces chambres spécialement conçues pour des paralytiques. Dieu, la complication que représentaient pour elle des choses autrefois si simples, comme de faire sa toilette! Et elle aurait fui cet homme que, quelques minutes avant, elle se félicitait de si bien connaître.

Lorsqu'il l'embrassa pour lui dire bonsoir, elle détourna à moitié sa joue brûlante. « Je t'appellerai demain », promit-il en refermant la porte.

« Miz! cria Laïs en éclatant en sanglots, Miz! Où êtes-vous? *J'ai besoin de vous!* »

Miz arriva en trombe, ses bigoudis sur la tête, engoncée dans une robe de chambre rose. « Juste ciel, haleta-t-elle, que se passe-t-il? Je m'étais un peu assoupie en vous attendant...

– Il faut faire les bagages, hoqueta Laïs. Nous partons demain.

– Partir? Mais nous venons juste d'arriver! Vous voulez déjà rentrer à l'hostellerie? demanda-t-elle, pressentant un désastre.

– Pas à l'hostellerie, répliqua Laïs. Nous rentrons en Floride. Trouvez-nous une cabine sur n'importe quel bateau partant pour New York. Je veux être dessus. »

Ferdi essaya vainement d'obtenir quelques éclaircissements auprès d'Oliver, le majordome des Courmont. « Mademoiselle Laïs est partie très tôt ce matin avec ses bagages, Monsieur, dit-il. Elle n'a pas dit où elle allait. »

Ferdi arpentait son appartement, les mains dans les poches, essayant de comprendre cette brusque décision. Il se remémorait la soirée de veille, se demandant si quelque chose, dans son attitude ou ses propos, avait pu la motiver

Il appela l'hostellerie mais personne ne savait rien, sauf que Laïs n'était pas censée rentrer dans les jours prochains. *Mais alors, où était-elle?* Ferdi continua à marcher de long en large en guettant le téléphone, prêt à bondir pour décrocher.

Incapable de rester plus longtemps chez lui, il prit un taxi et se fit conduire au Bois où il traîna sans but en regardant les enfants jouer. Il ne sentit pas le vent aigre qui se levait.

Sans Laïs, sans ses lettres et leurs rencontres, la vie perdait tout sens pour lui. Il s'était contenté de son amitié, persuadé qu'elle ne voulait rien de plus. Quant à son infirmité, elle avait fini par faire tellement partie de sa vie qu'il n'y pensait même plus. *Sauf quand il avait envie de la prendre dans ses bras.* Il se demanda si eux, qui avaient été des amants passionnés, pourraient jamais être vraiment des amis.

Ferdi s'installa à une terrasse de café.

« Monsieur? » Un garçon apparut, un plateau sur le bras. Il ôta les verres et essuya la table.

« Un whisky », demanda Ferdi, prenant soudain conscience du vent froid. Il y avait deux autres personnes à la terrasse. Un homme vêtu d'un imperméable qui lisait le journal et un jeune homme, l'œil vague, perdu dans ses pensées. Des gens solitaires.

Ferdi repoussa brusquement sa chaise. Quel imbécile il avait été! Il avait essayé de reconstruire leur relation en occultant le passé. Ils avaient tous deux été victimes d'une catastrophe mais *ils avaient survécu.* Il avait la chance d'aimer Laïs. Il n'allait pas la perdre à nouveau!

Amélie et Gérard furent ahuris de voir Laïs rentrer à l'improviste. Elle eut beau affirmer à plusieurs reprises qu'elle était folle de joie de les revoir, elle avait l'air si misérable qu'ils se demandèrent avec inquiétude ce qui avait bien pu se passer.

« C'est à cause du jeune homme... Ferdi, expliqua Miz. Ils se sont écrit pendant longtemps et elle le voyait de temps à autre à Paris. Un soir, elle est rentrée à la maison dans tous ses états. Peut-être avaient-ils rompu... Elle n'a pas voulu m'en parler. »

Une semaine s'écoula. Laïs, silencieuse, continuait de broyer du noir. Elle essayait de sourire, de participer à la conversation mais on sentait qu'elle faisait un effort.

Aussi, lorsque Ferdi von Schönberg sonna à leur porte un beau matin, le firent-ils entrer avec soulagement. « Au moins, la situation va se dénouer d'une manière ou d'une autre, murmura Amélie en refermant la porte de l'appartement de sa fille. En mal ou en bien, mais ça vaut mieux que rien.

– En bien, j'espère, répondit Gérard. Il serait temps que quelque chose d'heureux arrive à Laïs. »

Cette dernière était assise dans son fauteuil près de la fenêtre. Elle avait l'air d'une enfant effrayée, attendant le coup de grâce.

« Je suis désolée, dit Ferdi. Je pensais bien te surprendre mais pas te faire peur.

– J'ai peur de ce que tu vas me dire, murmura-t-elle.

– Alors, tu sais pourquoi je suis venu?

– Oui... non... Je n'en sais rien. »

Il s'agenouilla près d'elle. « Laïs, je veux t'épouser. Je t'en prie, dis oui. » Il prit ses mains dans les siennes. Quand il la regardait ainsi, toute la magie des premiers temps de leur amour lui était restituée, intacte. « Ferdi... c'est impossible... regarde-moi. Je suis un boulet à traîner. Tu te rends compte de ce que cela représenterait pour toi?

– Je t'aime, je veux t'aider... prendre soin de toi.

– Tu vois, protesta-t-elle, blessée. C'est de la pitié, pas de l'amour. Je ne veux pas de ta pitié, pas après ce que nous avons vécu.

– Laisse-moi finir, interrompit-il d'un ton autoritaire. Si je souffre de te voir dans ce fauteuil, c'est parce que je t'aime, et non parce que j'ai *pitié* de toi. Tu es ici, je peux te prendre dans mes bras, c'est tout ce qui compte. Ma vie sans toi est complètement vide. Je t'en prie, Laïs, accepte. Épouse-moi, chérie. » Il l'embrassa avec une telle passion qu'elle comprit qu'il disait vrai. Il l'aimait toujours. Lorsque, enfin, il la lâcha, elle rougit comme une gamine et dit : « Si tu crois vraiment...

– Dis-le, ordonna-t-il en lui souriant.

– Oui, chuchota-t-elle, les yeux pleins de larmes. Je vais t'épouser. »

46

Harry Launceton posa rageusement son stylo et contempla la page blanche devant lui. Bon Dieu, il ne parvenait plus du tout à se concentrer! Il pensait constamment à Prune. Elle l'obsédait littéralement. Il se couchait en songeant à elle et se réveillait au milieu de la nuit en sueur, terrifié à l'idée qu'elle ne veuille plus le voir. Elle s'était infiltrée dans la part la plus importante de sa vie, son travail.

Ce n'était pas la première fois qu'il trompait sa femme, mais, la plupart du temps, ses aventures ne duraient guère. Il s'ennuyait vite et retrouvait sa femme avec soulagement. La calme, la sensible Augusta le comprenait. Elle connaissait sa faiblesse pour les jolis minois et, sans jamais y faire allusion, tolérait ses escapades. Chose surprenante, Augusta, si sereine, si « contrôlée », faisait bien l'amour. Au lit, elle n'avait aucune inhibition et elle était même très inventive.

Son aventure avec Prune durait depuis six mois. En surface, la vie continuait. Il prenait son petit déjeuner avec Augusta, même s'il s'arrangeait souvent pour se dissimuler derrière le *Times*. Il préparait ses conférences le matin et travaillait à son roman. Ils dînaient chez des amis, allaient au théâtre et au concert. Cependant, au fond de lui-même, *il devenait tranquillement fou.*

Il vivait pour ses après-midi d'amour avec Prune. Il la retrouvait dans l'appartement d'un ami et le soir, parfois, l'emmenait dans une auberge de campagne. Son corps de gamine avec ses seins haut perchés et ses longues jambes le faisait trembler de désir.

C'était surtout après l'amour qu'il se sentait inspiré. Prune, pelotonnée dans le lit, regardait son amant noircir des pages et des pages d'une écriture que lui seul parvenait à déchiffrer. Il écrivait sur elle, sur sa grâce féline lorsqu'elle se baladait nue dans la chambre, sur le contraste de ses cheveux flamboyants avec le ciel d'hiver.

Ce livre serait différent de tous les autres. Il raconterait l'ivresse des sens, l'histoire d'une capture qui s'était transformée en passion. Cependant, il avait l'impression que, sans Prune, il ne serait jamais parvenu à l'achever.

Harry décrocha brusquement son téléphone. A l'autre bout du fil, il entendit la fille crier : « Prune! C'est ton Anglais! » Tout Radcliffe devait être au courant de leur liaison.

« Allô? » Prune parlait d'une voix haletante. « C'est toi, Harry?

– Je vous aime, Prune de Courmont, déclara-t-il. Qu'ils aillent tous se faire foutre, je t'aime.

– Oh! Harry... moi aussi.

– Tu peux me voir maintenant?

– Il faut que je travaille.

– S'il te plaît... j'ai besoin de toi. »

Ce fut le mois où Prune rata ses examens que le merveilleux livre de Harry Launceton parut. Les critiques furent dithyrambiques. En même temps, Boston apprit avec stupeur que l'écrivain s'était enfui avec Prune de Courmont.

Augusta Launceton prit la nouvelle avec sa philosophie habituelle. Harry lui avait laissé une lettre brève mais tendre, où il se donnait tous les torts. Augusta n'était pas en cause. Il l'aimerait toujours. Forte de cette déclaration d'amour un peu particulière, elle répondit à ses amis qui l'appelaient pour lui exprimer leur sympathie – espérant bien lui soutirer quelques détails juteux sur l'affaire – que Harry était ainsi. « Quand il écrit, conclut-elle, il a tendance à confondre le rêve et la réalité. Cette fois, il a largué les amarres, mais il reviendra. J'en suis convaincue. »

Elle fit ses bagages et rentra en Angleterre pour l'attendre. Quelques mois plus tard, Harry obtint son divorce à Las Vegas et épousa Prune de Courmont.

47

Noël aimait Detroit même l'hiver, lorsque ses rues étaient recouvertes d'une épaisse couche de neige ou qu'on pataugeait dans la gadoue. La vue des gratte-ciel le stimulait. C'était pour lui le symbole de la réussite, le rappel constant que la vie est une lutte « verticale ». Le but, c'était d'atteindre le sommet de ces tours, là où se prenaient les décisions importantes, où le pouvoir changeait de main. Ceux qui montaient tout là-haut possédaient les derniers modèles de voitures et rentraient chaque soir retrouver leur élégante épouse à Grosse Pointe, dans une maison bourrée de meubles anciens et de tableaux de prix.

Enfin, c'était ainsi que Noël voyait les choses. En attendant de pouvoir les imiter, il avait pris un job d'ingénieur assistant à Greater Lakes Motor Corporation. Il gagnait douze mille dollars par an. Pas mal pour un nouveau. Il est vrai qu'il était diplômé de l'université du Michigan et du M.I.T. Il avait loué un petit appartement dans une rue paisible de la proche banlieue et le roi n'était pas son cousin. Pour la première fois, il avait un vrai logis, 22, Cranbrook Street. Il le meubla peu, mais s'acheta deux affiches, un Kandinsky très coloré et un Mondrian noir et blanc. Ces tableaux abstraits lui plaisaient. Il les contemplait le matin, en buvant son café, ou lorsqu'il rentrait du bureau. Ils l'accueillaient, en quelque sorte, lui souhaitaient la bienvenue.

Un sympathique directeur de banque lui avança l'argent de son premier mois de salaire et il put s'acheter une demi-douzaine de chemises Oxford bleues, un costume sombre, deux cravates rayées et une paire de chaussures noires à lacets. Comme un gosse qui entre dans une nouvelle école, il voulait avoir immédiatement le bon uniforme.

Il fit l'acquisition d'une Chevrolet de trois ans. Pas mal pour un orphelin, se dit-il. *Mais pas encore assez.*

En tant qu'ingénieur assistant affecté à la recherche, il participait à des réunions avec des concepteurs et des chefs de produits, creusant des idées fondées sur des études de marché.

Travailler sur sa première voiture l'excita au point de l'empêcher de dormir. Il restait le soir tard au bureau, consultait les fabricants d'outils et les dessinateurs. Il assistait à d'interminables réunions où des changements sans fin étaient discutés et, la plupart du temps, adoptés. Enfin, la maquette prit forme.

C'était une compacte d'un prix abordable mais dont Noël trouvait la ligne sans intérêt, parce que trop semblable à celle qui l'avait précédée. On s'était contenté de rajouter des chromes, une orgie de chromes pour la rendre plus attrayante, mais qui serait dupe ? Noël n'émit aucune critique mais lorsque, enfin, le modèle sortit, il le trouva complètement ringard, en dépit du bleu étincelant de la carrosserie. Non seulement la voiture n'avait aucun intérêt, mais des impératifs de coût et d'esthétique avaient contraint les constructeurs à tellement réduire la puissance du véhicule qu'il ne différait guère du modèle précédent.

En rentrant chez lui, il passa chez l'épicier pour s'acheter une bouteille de J&B. Cependant, en dépit du whisky, la magie n'opérait plus. Il arpenta le petit espace loué qu'il appelait sa maison d'un air morose sans même jeter un coup d'œil au Kandinski ou au Mondrian. Il se sentait coincé. Pour la première fois depuis l'âge de treize ans, il eut le sentiment que son existence stagnait. Il avait vingt-deux ans, bien qu'il prétendît en avoir vingt-six. La glace lui renvoyait l'image d'un garçon très brun, l'air sombre, qui aurait pu tout aussi bien approcher de la trentaine. Il en avait assez de ce boulot d'assistant. Ce n'était pas pour ça qu'il avait travaillé d'arrache-pied pendant tant d'années. Il voulait être celui qui prend la décision finale, qui donne, d'un signe de tête, son approbation à un projet audacieux, susceptible de bouleverser l'industrie automobile.

Compte tenu de son ambition, ses études étaient insuffisantes. La technique et le design, il connaissait. Il lui fallait maintenant en savoir un peu plus sur les affaires. Il passa la nuit à boire et à réfléchir. L'aube se levait sur Detroit lorsqu'il s'endormit enfin sur le canapé en Vynil.

Noël prétexta une migraine pour ne pas retourner au bureau le lendemain. Il savait ce qu'il devait faire. Il était inutile de projeter des années de cours du soir à Detroit. Il n'en aurait jamais le courage. Mieux valait prendre le taureau par les cornes. Il fourra son curriculum vitae, son costume et ses chemises dans un sac de voyage, monta dans sa voiture et prit la direction de l'Est.

Boston lui parut étrange. Il s'était habitué aux complexes industriels, au délabrement de la ville, aux usines automobiles. Les bâtiments élégants et les rues pavées de Harvard semblaient appartenir à un autre univers. Il loua une chambre en ville pour la nuit. Le lendemain, douché et rasé, il traversa Anderson Bridge et s'engagea dans North Harvard Street. Deux heures plus tard, il émergeait du bureau des admissions de Harvard Business School. Il était inscrit à un cours de gestion.

Ce même soir, Noël traversa Copley Square et entra au Copley Plaza Hotel. Il commanda un Martini au jeune barman et trinqua en silence à sa nouvelle vie.

Le lendemain, il repartit pour Detroit. Il s'arrêta à plusieurs reprises au bord de la route pour prendre du café et dormit dans sa voiture. En arrivant, il donna son congé au propriétaire, vendit sa voiture et loua une chambre bon marché près de l'usine. Il parvint à économiser une partie de son salaire et, en juillet, il démissionna de Great Lakes Motor Corporation, puis alla trouver le chef du personnel de la U.S. Auto pour s'assurer un boulot à la chaîne pendant les vacances.

En septembre, il commença Harvard Business School et, le soir, reprit son ancien job de barman au Copley Plaza. La boucle était bouclée.

48

Prune, accablée, regardait tomber la pluie. Ici, il pleuvait en toutes saisons. Les magnifiques pelouses de Launceton Hall étaient gorgées d'eau. L'hiver, c'était vraiment sinistre.

Elle songea avec nostalgie au chaud soleil de la Côte d'Azur, au chant des cigales, à l'odeur de la garrigue et du jasmin. Elle rêvait de nuits tièdes et du bruit du ressac sur la grève.

Si elle n'avait pas été enceinte, elle serait partie immédiatement là-bas, mais Harry ne voulait pas. « Quelle idée? avait-il protesté. Le bébé va naître dans deux mois. Et s'il t'arrive quelque chose? Je te rappelle que les enfants de Launceton sont tous nés ici. »

Elle ne risquait pas de l'oublier. Il le lui répétait constamment. A sa stupeur, Prune avait découvert peu à peu que cet auteur d'avant-garde, réputé pour la modernité de ses idées, vivait dans un respect absolu des traditions. A Launceton, le destin des enfants était tout tracé. L'aîné des fils héritait systématiquement du titre et des terres et vivait à Launceton Hall, même s'il avait horreur de la campagne, tandis que sa mère – celle de Harry en l'occurrence – s'installait à Londres dans un confortable appartement.

Tom, le frère cadet de Harry, habitait Launceton Magna Farm et gérait les trois grandes exploitations agricoles du domaine. Prune enviait sa façon de vivre. Le plus jeune des fils, Archie, qu'elle connaissait à peine, préparait une carrière militaire à Sandhurst. Voilà comment les choses fonctionnaient dans cette famille. Chose surprenante, personne n'aurait songé à remettre en question cet ordre des choses. Tom, dont elle avait pensé se faire un ami, s'entourait d'une bande de gens bien plus jeunes que Harry. Leurs chemins ne se croisaient guère que le dimanche à déjeuner, ou à des réunions familiales.

Son enfant était déjà inscrit dans les diverses écoles qu'il devait obligatoirement fréquenter et on lui avait imposé son prénom · William Piers Launceton, du nom de son grand-père décédé. Lorsqu'elle avait timidement suggéré celui de son propre grand-père, Gilles, elle s'était attiré des regards choqués et cette réplique savoureuse de sa belle-mère : « Ma chère, il n'y a jamais eu de Gilles dans la famille. »

Il va sans dire que personne n'envisageait l'hypothèse que cet héritier fût une fille.

Merde! Prune regardait la pluie ruisseler sur les vitres d'un air morose. Elle n'avait pas envie de cet enfant. Elle contempla avec agacement son ventre rebondi sous la large robe à smocks. Lorsqu'elle se baignait, elle essayait de ne pas se regarder dans la glace tant elle se trouvait bizarre et déformée. Elle ne pouvait blâmer Harry de ne plus vouloir lui faire l'amour. Elle avait mis un certain temps à l'admettre puis s'était rendue à l'évidence : son mari n'avait plus envie d'elle. En fait, elle le voyait très peu depuis quelque temps. Il s'enfermait dans son bureau pendant des heures pour travailler à son nouveau roman. C'était si différent quand il écrivait *son* livre! Etre une source d'inspiration pour Harry l'avait beaucoup excitée, encore que, parfois, elle se demandait s'il n'allait pas consigner ses propos dans son livre et rendre publique sa vie privée. Dans les cocktails d'édition, elle rougissait toujours lorsqu'il la présentait comme sa muse.

Souvent, étendue sur le lit, dans la délicieuse langueur qui suit l'amour, elle regardait le visage de son amant penché sur sa feuille de papier et un bonheur intense l'envahissait. Elle avait eu, à cette époque, l'impression d'occuper une place privilégiée dans l'univers de Harry parce qu'elle partageait ses pensées tout comme son plaisir. Et c'est ce qu'elle avait ardemment souhaité.

Prune s'éloigna de la fenêtre. Du bout de sa chaussure, elle poussa une bûche au fond de l'âtre pour faire repartir le feu, puis se laissa tomber dans la bergère à oreillettes aussi vieille que la maison. La pendule sonna sur la cheminée. Il n'était que 3 heures et demie et on se serait cru au crépuscule. La grisaille de novembre... Vers 6 heures Harry émergerait de son bureau pour prendre un verre, puis demanderait à la femme de charge de lui monter un plateau pour le dîner. Il veillait ainsi presque tous les soirs. A 10 heures, elle poserait son livre et grimperait l'escalier toute seule. Merde, à la fin! Elle n'avait que vingt-deux ans. C'était un peu tôt pour vivre comme une femme mariée depuis dix ans.

Elle décrocha le téléphone pour appeler Melinda.

« Viens prendre le thé, lui proposa cette dernière, tu me raconteras tout ça. »

L'existence, chez les Seymour, était plutôt bohème et la maison retentissait de cris d'enfants et d'aboiements de chiens. Ceux-ci se précipitèrent pour accueillir Prune. Le jeune frère de Melinda faisait hurler sa musique. Prune aimait la façon dont vivaient les Seymour. On passait chez eux prendre le thé à l'improviste, ou restait dîner et il y avait toujours quelqu'un pour vous raconter les derniers potins du comté.

Quelle différence avec Launceton Hall, où tout était si formel, si dénué de spontanéité! Ces réceptions planifiées deux mois à l'avance, ces invités triés sur le volet! Exclusivement des universitaires et des gens de l'édition, car Harry tenait à ce que la conversation fût « stimulante ». Parfois, il fallait prêter une attention soutenue pour comprendre leurs propos. Mais, pardessus tout, Prune redoutait les week-ends. Harry invitait parfois une douzaine de personnes. Dieu merci, la cuisinière n'était jamais débordée et confectionnait toujours un ragoût innommable, suivi d'un pudding au riz gélatineux. Harry prétendait qu'ils s'étaient habitués à manger ce genre de chose au collège mais Prune trouvait ces mœurs révoltantes. Elle n'avait absolument rien de commun avec ces gens. Les femme s'habillaient mal, toujours dans ces tons marron, vert ou bleu électrique – une couleur dont elles raffolaient toutes et qui tuaient leur fameux teint d'Anglaises dont on lui rebattait les oreilles. Elles regardaient avec un étonnement mêlé de réprobation sa merveilleuse robe en soie fuchsia de Dior, l'air de dire : « A quoi peut-on s'attendre de la part d'une Française? »

« Je ne peux plus supporter cette vie », déclara-t-elle à Melinda. Assises devant le feu, elles faisaient griller des crêpes à l'aide d'une longue fourchette en cuivre.

« Tiens, attrape! » Melinda lui tendit la crêpe bouillante en se brûlant les doigts. « D'une part, tu es enceinte, d'autre part, Harry a beaucoup de travail. Quand vous aurez pondu qui son gosse, qui son bouquin, ça s'arrangera. Tu devrais lui proposer des vacances. Pourquoi n'iriez-vous pas aux Barbades? C'est divin à cette saison. Chaud, ensoleillé, tout ce que tu aimes.

– Les Barbades? Tu plaisantes! Il ne veut même pas m'emmener à Londres alors qu'il y va tous les quinze jours! Il déjeune avec son éditeur ou son agent littéraire et il dîne au club avec ses vieux copains. Il prétend qu'il a besoin d'air et que ma grossesse est trop avancée pour que j'aille en ville. Je crois qu'il aime l'idée que je l'attends à la maison, que j'attends la naissance de son fils. J'ai l'impression d'être une actrice pour laquelle il aurait créé un rôle.

– En un sens, ce n'est pas faux. Tu as toujours été une source d'inspiration pour lui.

– Plus maintenant, répondit-elle d'un air sombre. Actuellement il me trompe avec la Rome antique. Melinda, tu sais ce que je vais faire après la naissance du bébé? Je vais acheter un appartement à Londres. A Chelsea, peut-être. Ou peut-être une de ces jolies maisons de Belgravia. Il est temps que nous ayons un pied-à-terre en ville.

– Il ne marchera jamais. J'ai entendu dire qu'il agrandissait sans cesse le domaine de Launceton. Harry n'investit que dans la terre.

– Eh bien, je l'achèterai avec mon propre argent », rétorqua Prune, enchantée de son idée. Elle savait exactement ce qu'elle voulait : une maison blanche avec une porte laquée et un heurtoir en cuivre. Deux chambres – au cas où elle voudrait emmener son fils. Ce serait leur nid d'amour et tout redeviendrait comme avant. Elle garderait le secret jusqu'à ce que les travaux soient terminés, puis lui ferait la surprise.

« Je suis sûre qu'il sera fou de joie », conclut-elle, rayonnante.

Melinda la regarda avec inquiétude. Il y avait bien des choses que Prune ignorait au sujet de Harry.

49

En janvier, ils connurent les températures les plus basses jamais enregistrées dans le comté, mais Prune s'en fichait. Couchée dans son grand lit à baldaquin de Launceton Hall, elle contemplait le feu qui pétillait dans l'âtre, son bébé endormi dans son berceau, à côté d'elle. A présent, elle en était folle, tout en déplorant qu'il ne ressemblât pas davantage à son père.

Ô merveille des merveilles, sa mère et son père, venus passer Noël avec elle, étaient restés pour son accouchement. Amélie lui avait tenu la main dès que les douleurs avaient commencé et c'est elle qui lui avait tendu son enfant.

Prune avait demandé à son père d'intervenir dans le choix du prénom et ce fut Gérard qui l'imposa. « J'espère que vous ne m'en voudrez pas d'insister, dit-il, tout sourire, mais le prénom de Gilles, dans notre famille, est attribué à toutes les générations. Nous serions heureux de l'associer à ceux des Launceton. » L'enfant fut donc baptisé William Piers Gilles Launceton. Dieu sait pourquoi, personne ne l'appela jamais autrement que Will.

On demanda à la nurse qui avait élevé les trois enfants Launceton de revenir pour s'occuper du bébé, ce qu'elle accepta sans hésiter. Prune retrouva ainsi sa liberté qu'elle mit aussitôt à profit pour courir les agences immobilières. Elle finit par trouver exactement ce qu'elle cherchait : une petite maison blanche dans une vieille rue pavée. La porte, laquée en noir, était agrémentée d'un magnifique heurtoir de bronze figurant une tête de lion qui rappelait Sekhmet, la statuette de sa grand-mère.

Melinda et elle chinèrent chez les antiquaires afin de meubler la maison. Harry ne lui demandait jamais ce qu'elle faisait de ses journées. En fait, il ne lui posait aucune question. Pas plus sur ses activités que sur ses états d'âme. Elle ne s'en formalisait pas trop, sachant qu'il avait un livre en gestation et s'inquiétait à l'idée de ne pas respecter les délais imposés par son éditeur.

Dès que la maison fut prête, elle décida d'en faire la surprise à Harry. Il était parti à Londres par son train habituel et elle devait le rejoindre à 7 heures au Claridge.

Elle monta dans sa petite Courmont et, une heure plus tard, elle se garait sur Hans Place et se dirigeait à grandes enjambées vers Food Halls pour faire ses emplettes. Elle acheta du saumon fumé, une tourte au poulet, une salade et des fromages français.

Dans son kilt, avec son chandail vert foncé, elle eut soudain et pour la première fois le sentiment qu'elle finirait par s'adapter à la vie anglaise. Elle était lady Launceton, vingt-trois ans, mère d'un fils de trois mois, mariée à l'homme idéal dont elle était encore passionnément éprise. Tout allait s'arranger avec l'achat de cette maison. Elle redeviendrait la Prune qu'il avait aimée, celle qu'il appelait six fois par jour et dont il ne pouvait se passer.

Elle rentra dans sa nouvelle demeure et mit le couvert pour leur dîner d'amoureux. Elle installa la table devant le feu et la recouvrit d'une grande nappe en dentelle. Elle sortit ses nouvelles assiettes italiennes et ses verres en cristal taillé. Une charmante corbeille de fleurs séchées décorait le centre de la table.

Prune prit ensuite un bain, se maquilla avec soin, comme le lui avait appris Laïs, et enfila une robe de velours noir qu'elle avait achetée dans Bond Street et payé une fortune. Elle remonta ses cheveux sur le haut de la tête et mit des boucles d'oreilles en diamant. Elle rajouta, après avoir hésité, les trois rangs de perles fines que lui avait offertes sa belle-mère pour son mariage. Elle n'aimait pas porter trop de vrais bijoux, mais cela ferait plaisir à Harry.

Elle se rendit au Claridge et commanda un gin tonic, boisson qu'elle jugeait médiocre mais dont les Anglais raffolaient tous.

« Lady Launceton ? demanda le barman. Un appel téléphonique pour vous, Madame. »

Elle se leva et se dirigea vers la cabine. « Prune ? c'est moi. Écoute, je vais être en retard. Il vaudrait mieux que tu rentres à Launceton toute seule.

– Non, non... Je préfère t'attendre.

– C'est absurde ! Je ne sais pas du tout à quelle heure je vais terminer. Je suis plongé dans une longue discussion avec mon éditeur. Ça menace de durer. Je coucherai sans doute au club. »

Elle raccrocha tristement. Sa surprise était fichue. Elle revint à sa table et termina son gin tonic en se demandant ce qu'elle allait faire. Tout n'était pas perdu. Elle coucherait seule dans sa jolie maison et appellerait Harry à son club demain matin. Il la rejoindrait pour le petit déjeuner.

Elle lui téléphona de très bonne heure et ce fut le concierge qui répondit. « Sir Harry n'est pas là en ce moment, Madame, dit-il avec sa discrétion habituelle, voulez-vous laisser un message ?

– Il est sorti prendre son petit déjeuner ?

– C'est probable, Madame.

– Pouvez-vous lui demander de rappeler lady Launceton à Belgravia 2313, s'il vous plaît ? »

Elle décida de faire un tour avant le petit déjeuner. Vêtue de son vieil uniforme – pantalon noir collant et gros chandail assorti –, elle sortit dans l'air frais de cette belle matinée de printemps.

Elle flâna dans James Park, regarda jouer les enfants et eut soudain une envie folle de retrouver son fils. Elle allait rappeler le club et laisser un message à Harry disant qu'elle rentrait directement à Launceton.

Elle attendait que le feu passe au rouge devant le Ritz lorsqu'elle vit un porteur qui sortait de l'hôtel en portant deux sacs. Il était suivi d'un couple. D'un geste protecteur, l'homme aida la femme à monter dans le taxi, puis prit place à côté d'elle. Ils se sourirent. Prune mit un moment à réaliser qu'il s'agissait de Harry et d'Augusta.

Melinda était en proie à un dilemme. Elle hésitait à révéler la vérité à Prune de peur de la faire souffrir, mais vraiment Harry se conduisait de telle manière qu'il était temps que quelqu'un se charge de lui ouvrir les yeux.

« Ce n'était peut-être pas lui, dit Prune, pleine d'espoir. J'ai pu me tromper. »

Melinda se coupa une autre tranche de gâteau au chocolat. « Si, c'était Harry, confirma-t-elle. Ça fait des mois qu'il revoit Augusta. Tout le monde est au courant sauf toi. »

Prune la regarda, pétrifiée. « Tu veux dire qu'ils...

– Tu connaissais quand même Harry avant de l'épouser! Après tout, il a eu une liaison avec toi alors qu'il était marié à Augusta. Elle avait l'habitude. Elle prenait ça avec philosophie et rentrait l'attendre au bercail. Cette fois-ci, les choses ont tourné différemment, il t'a épousée. Ça a dû être un choc pour elle parce que, jusqu'à présent, il était toujours rentré la queue entre les jambes – si j'ose dire!

– Augusta... je n'en reviens pas, dit Prune, accablée. Si seulement c'était quelqu'un d'autre! »

Melinda poussa un soupir. « Je suis désolée, mais il vaut mieux que tu saches la vérité. Depuis votre mariage, Harry a couché avec la moitié des femmes dans un rayon de cent cinquante kilomètres. L'autre étant constituée des moches, des vieilles ou de celles qui ont des scrupules. »

Prune ne savait s'il fallait en rire ou en pleurer. Cela expliquait pourquoi il avait si peu de temps à lui consacrer et ne la touchait plus. Elle regarda Melinda d'un air soupçonneux. « Et toi, à quelle catégorie appartiens-tu?

– Tu es folle! » protesta Melinda, l'air horrifié.

Prune songea à son bébé paisiblement endormi dans la nursery de Launceton Hall pendant que son père courait le jupon dans tout le comté. Elle se mit à pleurer.

« Prune... ma puce, dit tendrement Melinda. Tu sais bien que Harry n'a jamais eu besoin de se donner du mal avec les filles. Elles lui tombent toutes dans les bras et il ne sait pas résister à un joli visage.

– Mais qu'est-ce que je vais faire? hoqueta-t-elle.

– Rends-lui la pareille, suggéra Melinda. Prends un amant.

– Mais je n'en ai pas envie! cria-t-elle. Je vais m'en aller. »

Soudain la Floride et sa mère lui parurent à l'autre bout de la terre. Elle pensa à sa grand-mère. Alice saurait résoudre ce problème. C'était une femme d'expérience.

Harry avait, comme d'habitude, laissé un message. Il était retenu à Londres et rentrerait plus tard que prévu. Par chance, Nanny avait demandé un jour de congé pour rendre visite à sa sœur à Bristol. Elle regarda d'un air intrigué le visage bouffi et les yeux rougis de Prune, mais ne fit aucun commentaire. Prune écouta les instructions concernant les repas de bébé, puis se posta à la fenêtre pour s'assurer qu'elle montait bien dans la voiture du jardinier qui devait l'emmener à la gare. Elle fit rapidement ses bagages, fourra les affaires de Will dans une mallette et rangea le tout dans son coffre; après quoi elle remonta, installa l'enfant dans son couffin de voyage, puis prit les couches et les biberons. Elle se faisait l'effet d'une réfugiée. Après tout, qu'était-elle d'autre? Elle fuyait Harry comme d'autres fuient l'ennemi.

Elle jeta un dernier coup d'œil à Launceton Hall avant de démarrer. C'était un lieu paisible, serein sous le soleil changeant d'avril. De gros nuages gris s'avançaient dans le ciel, comme ils le faisaient depuis des siècles.

50

C'est trop injuste, sanglota Prune. Comment a-t-il pu me faire ça à moi? J'avais confiance en lui, je *l'aimais.*

– Tu l'aimais? »

Prune leva la tête. Alice tenait Will sur ses genoux. Le bébé tirait sur ses perles et essayait de les fourrer dans sa bouche.

« Que veux-tu dire ?

– Tu parles de tes sentiments pour lui à l'imparfait. Tu ne l'aimes plus ?

– Si... non... je ne sais plus. Je me sens misérable.

– Naturellement... ça t'a blessée, répondit Alice. Tu es jalouse et vexée d'avoir ignoré quelque chose que tout le monde savait autour de toi. Harry se conduit comme il s'est toujours conduit. Et, toi, tu lui as couru après quand il était avec Augusta, comme ces femmes le font maintenant qu'il est avec toi. »

Prune déconcertée la regarda. Elle était venue pleurer dans le giron de sa grand-mère, sûre d'y trouver le réconfort dont elle avait besoin, de se faire dorloter et consoler jusqu'à ce qu'elle retrouve suffisamment d'énergie pour faire face aux événements.

« Pourquoi me dis-tu ça ?

– Tu sais que je n'ai jamais approuvé votre mariage – encore moins ce qui l'a précédé. Depuis que tu as quinze ans, tu fais une absurde fixation sur ce garçon. Tu l'as idéalisé. Harry se comporte comme il l'a toujours fait. Mais tu étais aveugle, éblouie au point de ne rien voir. Maintenant, c'est trop tard.

– Pourquoi trop tard ?

– Parce que tu es mariée et que tu as un enfant de lui. Jamais Harry ne te laissera partir avec son fils. Il va venir te chercher et, si tu refuses de rentrer avec lui, il emmènera Will.

– Il ne peut pas faire ça, cria Prune, indignée. Je suis sa mère, j'en aurai la garde.

– Au tribunal, il déclarera que tu es trop jeune, trop immature pour t'en occuper. De surcroît, tu es étrangère. Il expliquera que l'enfant aura avec lui une vie plus équilibrée, plus stable dans le berceau de la famille. Et c'est la vérité. Tu étais trop jeune pour te marier. S'il n'y avait pas l'enfant, je te suggérerais de divorcer, mais maintenant... » Elle poussa un soupir. « Tu es encore emberlificotée dans tes rêves d'adolescente. Le mieux que tu puisses faire, c'est d'essayer de reprendre la vie commune et de t'arranger pour que ça marche.

– Tu as raison, admit Prune tristement. Harry était mon idole. Et c'est vrai que moi aussi je me suis conduite très égoïstement. Je me fichais bien du sort d'Augusta quand je suis partie avec lui. La seule chose qui comptait, c'était nous deux.

– Oui, mais à présent, vous êtes trois. » Alice lui tendit Will. Le bébé se mit à gazouiller et à lancer ses jambes en tout sens. « Réfléchis bien, Prune, parce qu'il n'y a rien de plus terrible que de vivre loin de son enfant. Crois-moi, je sais ce dont je parle. »

Prune serra le bébé contre elle. Elle savait qu'Amélie, sa mère, avait été élevée par Édouard d'Aureville au Brésil mais elle n'avait jamais vraiment su pourquoi. Il s'agissait, croyait-elle, d'une sombre histoire entre son grand-père et sa grand-mère.

« Enfin... c'est une autre affaire, soupira Alice, balayant le passé d'un geste de la main. Il faut maintenant penser à Will et à son avenir. Et à *ton* bonheur, chérie.

– Je ne les laisserai pas l'emmener, cria Prune, hors d'elle. Et je ne retournerai jamais auprès de Harry. Jamais! Jamais!

– Prune, quand vas-tu enfin devenir adulte? »

Harry et Nanny arrivèrent la semaine suivante après une série d'appels téléphoniques entre Jim et Harry, car Prune refusait de lui parler.

« Je te demande pardon, lui dit Harry d'un air contrit. Je ne voulais pas te faire souffrir.

– Comment as-tu pu... et avec Augusta, balbutia-t-elle, les yeux pleins de larmes.

– Augusta et moi avons toujours été bons amis, répondit-il calmement. Nous avions rendez-vous pour parler de questions financières. Nous avons dîné au Ritz et le service a été plus long que nous ne le pensions. Nous avons pris chacun une chambre. Ce n'est pas du tout ce que tu crois. »

Prune savait que Harry versait une pension alimentaire à Augusta, mais cela nécessitait-il vraiment des rencontres? Pourquoi ne pas régler ce genre de chose par téléphone?

« Écoute, chérie, renvoyons Nanny et le bébé à Launceton, proposa-t-il soudain, et partons en vacances. Je t'emmènerai dans une île tropicale, je te couvrirai de guirlandes d'hibiscus et nous recommencerons tout à zéro. Ou préférerais-tu aller à Venise dans un de ces merveilleux palais? »

Harry semblait sincère. Il avait vraiment envie d'arranger les choses. Mais que se passerait-il la prochaine fois qu'une jolie fille passerait à sa portée? Penserait-il à *elle?* Elle regarda Will qui babillait dans son Youpala et ne put supporter l'idée de le perdre.

Elle ne fut pas déçue par Venise, en dépit du temps maussade. Ils flânèrent à pied, glissèrent en gondole sur les canaux et burent des Bellini au bar qui portait le nom de Harry. Celui-ci ne se séparait jamais de son carnet de notes sur lequel il consignait fébrilement tout ce qu'il voyait et entendait. Il lui faisait l'amour l'après-midi dans leur chambre de l'hôtel Cipriani, mais il n'écrivait plus jamais sur elle.

Étendue auprès de Harry endormi, Prune observait son visage, se souvenant d'avoir fait de même la première fois où elle s'était réveillée à côté de lui. Seulement, aujourd'hui, elle y cherchait la vérité. Harry n'était pas cruel. Derrière sa beauté et sa séduction, il n'y avait qu'un homme faible, porté à l'auto-indulgence. Demain, la semaine prochaine, un joli visage lui sourirait et, alors, il oublierait ses promesses. Il ne changerait jamais.

Prune écoutait le clapotis de l'eau contre la jetée de l'hôtel. Elle savait qu'elle n'aimait plus Harry. Elle s'était conduite comme une enfant, poursuivant sans cesse un rêve d'adolescente. Cependant, il fallait qu'elle reste à cause de Will. La perspective d'une suite interminable de jours solitaires à Launceton s'étendait devant elle. Elle sentit les larmes lui monter aux yeux.

Merde, se dit-elle, furieuse contre elle. Assez de larmes. J'ai assez pleuré sur moi. Il est temps que je fasse quelque chose de ma vie. Un jour, elle s'était arrêtée devant le portrait de son grand-père et lui avait promis de refaire de Courmont l'équivalent de Rolls Royce ou de Mercedes. Eh bien, c'était le moment ou jamais d'essayer.

51

Noël fêta sa promotion au sein de Great Lakes Corporation en achetant le petit appartement de Scott Harrison. Il était le plus jeune directeur de division de la société. Il passait tous les jours devant l'immeuble en se rendant à son bureau dans son coupé Great Lakes flambant neuf. Un jour, mû par une impulsion, il s'arrêta. Naturellement, l'immeuble était moins reluisant que douze ans auparavant. Le tapis gris commençait à s'user et les cuivres de l'ascenseur s'étaient ternis mais, quand il apprit qu'il y avait des appartements à vendre – dont celui de Scott –, il sut que c'était là qu'il voulait habiter. Il visita les pièces vides et anonymes, se revoyant à quatorze ans, affamé et épuisé, vêtu du peignoir en cachemire de Scott.

Il appela l'agence, fit une offre et eut gain de cause.

Noël continuait à prétendre qu'il avait trente ans. Tout le monde le croyait. Les gens s'imaginaient même parfois qu'il était plus âgé. Il n'aurait certainement pas eu son premier job s'il n'avait pas menti sur ce point. Il gagnait trente mille dollars par an, plus les bonus. Et il était foutrement bon dans son boulot! Un jour, Paul Lawrence l'avait fait appeler dans son bureau. Le directeur avait vite remarqué les dons exceptionnels de Noël et il n'était pas du genre à empêcher un type de grimper les échelons pour une histoire d'âge.

Il l'interrogea sur lui-même. Noël lui raconta l'histoire qu'il avait mise au point depuis longtemps. Paul l'écoutait, jaugeant le jeune homme en face de lui.

« Il est clair que travailler dur ne vous fait pas peur, conclut-il. Il faut dire que vous avez dû en prendre l'habitude depuis le temps! Dites-moi, Noël, que faites-vous de vos loisirs? »

Cette question sembla le déconcerter. « Vous savez, dit-il, je n'en ai pas beaucoup. En fait, je préfère travailler.

– Mais le samedi soir? Le dimanche? Tout le monde a envie de décompresser un jour ou deux par semaine. Même les présidents de grosses sociétés.

– J'aime la musique, lui confia Noël. J'ai pas mal de disques et je vais au concert chaque fois que je peux. Je vois aussi beaucoup d'expositions de peinture.

– Vous n'êtes pas marié?

– Non, monsieur.

– A en juger par votre curriculum vitae, vous n'êtes pas resté suffisamment dans un lieu pour qu'une femme ait le temps de vous mettre le grappin dessus, dit-il en riant. Dites-moi, Noël, aimeriez-vous devenir directeur de la division G.L. Motors, chargée de nos voitures milieu de gamme? »

Le visage de Noël s'épanouit brusquement.

« Laissez-moi vous donner un conseil, poursuivit Paul Lawrence après qu'ils se furent serré la main pour conclure leur affaire, prenez un peu de bon temps. Quand on travaille jour et nuit, on finit par se faire phagocyter par les détails et on perd l'ensemble de vue. Il faut un peu de recul pour donner à chaque chose l'importance qu'elle mérite. Mettez-vous au golf. Vous serez surpris du bien que ça fait. »

Comme un gosse lâché dans une confiserie, Noël erra dans le grand magasin pour s'acheter de quoi meubler son appartement. Il voulait tout immédiatement. Il donna des instructions pour la livraison et paya d'avance. Il fut livré trois jours plus tard. En rentrant de son bureau, il vit les deux canapés Chesterfield en cuir noir, le tapis noir, la table basse sur laquelle était posé un énorme cendrier publicitaire Ricard, une paire de lampes chromées et toujours le Kandinsky et le Mondrian, pendus au mur. Enfin, il ouvrit un grand paquet et en sortit un peignoir en cachemire rayé. Il le suspendit à la patère, derrière la porte de la salle de bains, puis se laissa tomber sur son lit, épuisé. Il s'endormit dans les dix minutes.

Le mari de Claire Anthony était vice-président de la division voitures et camions chez Chrysler. C'est pourquoi ça l'exaspérait que cette saleté de break refuse de démarrer. Elle aurait voulu une Jaguar ou une MG, une voiture importée qui ait du style et non pas cette grosse limousine. Impossible! Elle était vouée à ces guimbardes de la société, si longues qu'elle avait du mal à reculer, elle qui était myope comme une taupe. Se garer tournait parfois au cauchemar. Elle s'y reprenait à dix fois.

Claire sortit de la voiture, hors d'elle, et flanqua un violent coup de pied dans le pneu avant gauche. « Saloperie de bagnole! » cria-t-elle.

Noël qui l'observait depuis un moment s'approcha en rigolant. « Vous avez des ennuis? » Elle se mit à rire aussi.

« Prise sur le fait, dit-elle. Mon mari ne me l'aurait jamais pardonné.

– N'exagérons rien. Vous auriez pu rentrer dans un mur. Vous

vous êtes contentée de donner un coup de pied dans un pneu.

– C'est vrai, dit-elle. Je suis dans une telle fureur! Elle ne veut pas démarrer.

– C'est sans doute parce que vous avez laissé vos lumières, expliqua-t-il. Il pleuvait ce matin. Vous avez dû rouler en code et oublier d'éteindre.

– Mais, dites-moi, vous êtes le Sherlock Holmes de la mécanique! Rien ne vous échappe. »

Noël haussa les épaules. « C'est une déduction facile. Mais, tant qu'à faire, je préférerais être comparé à Philip Marlowe.

– Dites-moi, Philip Marlowe, maintenant que nous savons pourquoi la bête renâcle, quel remède suggérez-vous? »

Il la regardait avec intérêt. Elle était grande, bien foutue, l'air astucieux. Ses yeux bruns, derrière ses grosses lunettes de soleil, étaient pleins de malice. « Allons à l'hôtel Pontchartrain. Nous téléphonerons au garage et, pendant qu'ils rechargeront votre batterie, on prendra un verre.

– J'aime les hommes efficaces, dit-elle, prenant son sac et claquant la portière. Montrez-moi le chemin, Philip Marlowe. »

Elle prit un café et lui raconta ses démêlés avec les breaks Chrysler et les manœuvres complexes auxquelles elle se livrait pour parvenir à se garer. Il était mort de rire. Elle habitait une maison coloniale blanche à Bloomfields Hills avec son mari, vice-président de Chrysler, et ses deux enfants, Kim, treize ans, une vraie centrale atomique sur les dents, et Kerry, onze ans, une beauté.

« Comme sa mère, dit Noël.

– Non, merci du compliment, mais elle ressemble à son père.

– Vous avez dû vous marier très jeune, non? » hasarda Noël. Elle le regarda d'un air espiègle. « C'est une façon habile de me demander mon âge? Oui, c'est vrai que je me suis mariée jeune. Trop jeune, je me le dis souvent. N'allez pas en conclure que je suis une frustrée, ajouta-t-elle vivement. Ce n'est rien d'autre qu'un soupçon de mal de vivre propre aux femmes de mon âge. » Elle lui sourit et changea brusquement de sujet. « Et vous? Vous ne me dites rien de vous.

– J'ai trente ans et je suis directeur de division à G.L. Motors. Et j'habite Detroit – en ville.

– C'est tout?

– Comment? Que voulez-vous dire?

– Eh bien... d'où venez-vous? Qu'avez-vous fait avant d'occuper votre poste actuel? Et votre femme? »

Noël prit sa main, examina son alliance et sa bague de fiançailles, un gros diamant. « Je vois tout dans votre paume, dit-il. Originaire de la Nouvelle-Angleterre, bonne famille, fiancée à dix-neuf ans à un jeune loup frais émoulu d'un collège de l'Ivy League, mariée à vingt ans, enceinte la même année. Une vie paisible à Bloomfields Hills, des déjeuners de femmes, des réunions littéraires, des dîners et des parties. Noël avec toute la famille autour du sapin et beaucoup de cadeaux pour chacun. »

Les yeux de Claire rencontrèrent les siens. Tranquillement, elle retourna la main qui emprisonnait la sienne. « Moi aussi, je peux lire dans la vôtre, Philip Marlowe, dit-elle. Je vois surtout un homme très solitaire. »

Noël entrelaça leurs doigts. « Vous avez peut-être raison, dit-il d'un ton léger. Je n'ai jamais eu le temps d'y songer.

– Je crois qu'il serait temps. » Elle se leva. « Il faut que j'y aille. Je vais appeler un taxi et j'enverrai quelqu'un reprendre ma voiture plus tard. » Ils sortirent ensemble de l'hôtel.

« Attendez, dit Noël. J'aimerais vous revoir... »

Elle le regarda en riant. « Nous n'avons pas été présentés dans les règles, dit-elle.

– Noël. Noël Maddox. » Il griffonna son numéro de téléphone sur sa carte de visite. « Claire, je vous en prie... téléphonez-moi. »

Un taxi s'arrêta et elle monta dedans. Noël attendait, anxieux, tenant la portière ouverte. Lorsqu'elle se retourna pour un dernier geste d'adieu, elle vit qu'il n'avait pas bougé et qu'il avait les yeux fixés sur elle.

Noël se demandait où emmener, pour lui faire l'amour, une femme mariée, visiblement connue à Detroit. Il finit par opter pour son propre appartement.

« Seigneur! s'exclama-t-elle, debout sur le seuil. C'est à mi-chemin entre un parloir funéraire et un restaurant d'aéroport. »

Elle avança d'un pas hésitant sur le tapis noir et contempla les deux canapés en cuir avec une sorte d'horreur. Ses yeux parcoururent la pièce, se posèrent un instant sur les deux affiches toujours appuyées contre le mur. « Il faudrait des plantes, dit-elle d'un ton plaintif, un peu de vert, des coussins... une touche d'humanité. »

Noël sourit, sortit un disque d'un coffret et le posa sur la platine de la chaîne hi-fi. La musique triomphante de la *Water Music* de Haendel emplit la pièce.

« C'est mieux, comme ça? demanda-t-il. Ça rend l'appartement plus humain?

– Ouf! Oui. Je commençais à me dire que j'avais commis une terrible erreur. J'ai soudain eu l'impression que vous deviez être à l'image de cette pièce. Froid, sans cœur ni fantaisie. » Elle envoya balader ses chaussures à talons hauts, erra dans la pièce, puis entra dans la salle de bains. « Mmmm, fit-elle, touchant le peignoir en cachemire, on a des goûts de luxe... » Noël la suivait du regard, médusé. Elle pénétra ensuite dans la cuisine, ouvrit les placards et examina leur contenu avec intérêt. « Vous êtes un homme très ordonné, Noël », dit-elle en ouvrant le réfrigérateur. Il contenait un bocal d'olives, un reste de camembert, un petit pot de caviar beluga et une bouteille de dom pérignon.

« Ni fruits, ni lait, ni œufs, constata-t-elle, étonnée. Un homme aux goûts raffinés.

– J'ai acheté le champagne et le caviar pour vous. Philip Marlowe faisait sûrement ce genre de choses. »

Elle se mit à rire. Il lui plaisait. « Où sont les toasts? »

Il la regarda sans comprendre. « Pour le caviar », lui dit-elle.

Il prit une boîte de crackers sur l'étagère. « J'ai pensé que ça ferait l'affaire... »

Elle lui prit la boîte des mains et la posa sur le comptoir. Elle ôta ses lunettes, puis glissa ses bras autour de son cou et l'observa : son visage était tout en angles, la peau tendue sur les os. Des cheveux noirs pleins de vigueur... mais un peu longs pour un cadre en pleine ascension. Sous sa chemise bleue, son corps semblait ferme, musclé, très tentant.

« Je ne devrais pas être ici, chuchota-t-elle, mais j'y suis. On pourrait peut-être boire le champagne plus tard. »

Il la prit par la main et l'entraîna dans la chambre. Étendue sur le dos, elle remonta ses jupes et écarta ses jambes. « Je ne peux pas me déshabiller, haleta-t-elle, j'ai trop envie. » Elle portait une culotte de dentelle ivoire et des bas noirs. Il déboutonna sa braguette d'une main fébrile et la pénétra. « Oh! C'est bon, gémit-elle, je n'en pouvais plus... J'ai rêvé de toi, je te voulais en moi... Je t'ai utilisé pour nourrir mes fantasmes... Prenons un peu de champagne maintenant, avant de continuer. »

Noël, qui la sabrait frénétiquement, la regarda, stupéfait, et ne put s'empêcher de rire. « Tu es folle, dit-il. Et moi qui te prenais pour une sage petite épouse de Bloomfield Hills.

– Tu ne sais pas de quoi sont capables les épouses de Bloomfield Hills », murmura-t-elle. Il alla chercher le seau à champagne dans la cuisine et le posa sur la table de chevet. Il avait enlevé ses vêtements dans la salle de bains et enfilé son peignoir. Il retourna à la cuisine pour prendre le caviar, une cuillère et la boîte de crackers.

« Excuse-moi, dit-il en lui tendant un biscuit nappé de caviar. La prochaine fois, j'aurai des toasts. J'ai beaucoup de choses à apprendre. »

Il avait dit cela avec un tel sérieux que Claire, surprise, leva les yeux vers lui.

« C'est sans importance, dit-elle gentiment. Je suis un bon professeur. »

Le champagne glacé était délicieux. Ensuite, il lui enleva ses bas noirs, la caressa et l'embrassa longuement. Quand, enfin, folle de désir, elle se tendit vers lui pour qu'il la prenne, il la posséda en se contrôlant parfaitement. Noël Maddox n'avait besoin d'aucune leçon pour faire l'amour.

52

Claire se rendait chez Noël deux fois par semaine – parfois davantage quand elle le pouvait – mais, avec un mari et deux enfants, ce n'était pas facile. Au départ, elle n'avait pas eu l'intention de laisser les choses aller si loin mais faire l'amour avec Noël était devenu pour elle une véritable drogue. Lance lui donnait parfois la sensation d'être transparente. Bien sûr, c'était presque inévitable. Au bout de quatre ans de mariage, la fraternité l'emportait sur l'érotisme, mais cette intimité se révélait souvent plus pernicieuse pour les couples que l'alcoolisme ou l'adultère. Elle aimait Lance et il l'aimait, mais elle le soupçonnait de préférer son travail à tout. C'était quasiment un ménage à trois. En le trompant, elle avait l'impression de rétablir un peu l'équilibre.

Noël Maddox était attirant. Deux êtres différents cohabitaient en lui. Lorsqu'il parlait de son travail, on sentait la flamme de l'ambition brûler blanche et vive en lui. Mais sa vie personnelle était encore à construire. Il ne lui avait pas dit grand-chose, à part le fait que ses parents étaient morts pendant son enfance et qu'il avait toujours dû travailler pour payer ses études. Il n'avait pas eu le temps d'apprendre à vivre.

Claire n'arrivait jamais chez lui les mains vides. Elle lui offrit des plantes vertes, un plaid écossais pour adoucir l'aspect austère des canapés noirs et des coussins de couleurs vives. Un jour, elle lui apporta une paire de cadres anciens en argent.

« Que veux-tu que je mette là-dedans? lui demanda-t-il, interloqué.

– Mais... des photos, naturellement, répondit-elle, tout aussi surprise. Je ne sais pas, moi... ta famille... tes amis... les gens que tu aimes. »

Il les remit dans leur emballage et les lui tendit. « Garde-les, dit-il. Je n'ai pas de photos. » Parfois, il l'effrayait un peu.

Généralement, lorsque Claire arrivait, le visage de Noël s'éclairait. Il lui ôtait ses lunettes et la prenait dans ses bras. Elle se collait à lui et ils s'embrassaient avec ardeur.

Il lui apportait du champagne, du caviar et des disques. Elle lui offrait des livres sur l'histoire de l'art, des biographies de compositeurs et de bons romans. Un jour, elle lui tendit un livre de Harry Launceton, *Nectar.* « C'est celui que je préfère, lui dit-elle. La couverture, une femme toute dorée aux courbes à demi dissimulées, intrigua Noël. « Launceton a complètement changé de genre ces dernières années, expliqua-t-elle, depuis qu'il a épousé la petite Courmont.

– La petite Courmont?

– Oui, tu sais, les voitures françaises... Je crois qu'elle s'appelle Prune. Elle a été une extraordinaire source d'inspiration pour lui. Sa muse, en quelque sorte. »

Noël posa le livre sur la table basse et servit du champagne à Claire, puis il alla à la fenêtre et contempla la nuit.

Claire l'observait en silence. Quelque chose n'allait pas mais elle savait qu'il ne dirait rien. Elle avait rarement rencontré quelqu'un d'aussi secret.

« Viens ici », lui dit-il en se retournant. Il lui arracha ses vêtements plus qu'il ne les lui ôta. Et sa façon de lui faire l'amour fut presque aussi machinale que celle de Lance.

Ils se rhabillèrent en silence. « Je donne une *party,* dit-elle, et j'aimerais que tu viennes. » Elle mordit dans son toast nappé de caviar.

Noël, surpris, leva la tête. « C'est une coutume, chez les épouses de Bloomfield Hills, d'inviter leur amant chez elles ?

– Je ne sais pas, mais c'est le genre de réception qui peut t'être très utile. Tu y côtoieras des présidents et des vice-présidents de grosses sociétés et tout le saint-frusquin. En outre, c'est une réception donnée au profit des orphelinats.

– C'est en effet une bonne raison pour que je vienne », dit-il en souriant. Mais son sourire ne se reflétait pas dans ses yeux.

« Je ne sais pas ce que tu as aujourd'hui, répliqua-t-elle, irritée. Je pense que cette *party* est pour toi une occasion à ne pas manquer. Si tu veux te hisser au sommet, il vaut mieux que tu apprennes à jouer le jeu des gros bonnets.

– Apprends-le-moi. » Noël s'adossa confortablement au canapé et Claire se blottit contre lui.

« Il ne s'agit pas uniquement de talent et de travail, Noël. Ce ne sont pas les gens talentueux qui manquent dans cette ville. Quant à l'ambition, je n'en parle même pas. Ce qu'il faut que tu apprennes, c'est comment grimper les échelons au sein de la corporation. Je le sais parce que j'ai eu l'exemple de Lance.

– Ça n'a pas pas dû être très difficile pour lui ! Une bonne famille, les bonnes écoles...

– Noël ! Cette ville est *dure !* Seuls les chiffres comptent. Tu peux venir de la meilleure école, si tu ne fais pas ton chiffre, tu es cuit. » Elle alluma une cigarette et rejeta une mince spirale de fumée. « Tu veux entendre ce que j'ai à te dire, oui ou non ? demanda-t-elle en chaussant ses lunettes.

– Vas-y...

– Tu ne peux pas être toute ta vie un loup solitaire, être trop différent des autres. Il faut que tu joues le jeu, celui d'un groupe. Tout d'abord, rencontre autant de types que tu peux dans l'industrie automobile ou dans les sociétés d'ingénierie. N'hésite pas à utiliser le prestige de ta boîte pour t'introduire. Paul Lawrence t'a aidé, il peut encore te servir. Tu ne dois pas négliger l'aspect relations de ton job, ne pas hésiter à rencontrer les hommes qui comptent dans ce business, jouer au golf avec eux, te faire inviter chez eux. Apporte des fleurs à leur épouse. Complimente-les sur leur maison, joue avec leurs enfants... Ils t'apprendront un tas de choses. » Claire écrasa son mégot dans le cendrier Ricard, le seul objet qu'elle aimât dans cette pièce. Noël ferma les yeux.

« Continue, dit-il.

– Il faut que tu commences à penser *à court terme.* »

Il ouvrit les yeux et la regarda, surpris. « Comment ça ?

– Il s'agit d'obtenir un résultat. Les cadres sont constamment sous pression parce qu'ils doivent atteindre les objectifs fixés par leurs supérieurs. Ceux qui sont susceptibles de gravir les échelons ne sont pas ceux qui ont projeté une campagne destinée à bouleverser la société dans cinq ans. Le succès doit être immédiat. Les types qui réussissent en ce moment se verront offrir des jobs plus importants par d'autres sociétés. Ils ne s'intéressent pas à un homme qui *promet.* Tu m'as dit toi-même que Paul Lawrence t'avait proposé ce poste de directeur de direction grâce à ce que tu avais accompli. Il faut bouger constamment dans ce métier. Avoir des idées à profusion, savoir s'adapter rapidement et agir vite. Pas question de faire la gueule parce qu'on ne te donne pas le feu vert pour un projet que toi tu considères comme important, même si preuve est faite ensuite que tu avais raison. »

Claire ôta ses lunettes et s'adossa au canapé. « Ou tu t'intègres au système ou tu le rejettes. Libre à toi. Mais c'est ainsi que ça se passe, Noël. Ce sont les règles du jeu. »

Les sourcils froncés, il contemplait la vue.

« Tu viendras à ma *party ?* » demanda-t-elle.

Il se tourna vers elle. « Entendu, dit-il, je viendrai. »

Noël avait souvent emprunté les rues de la banlieue résidentielle et remarqué les maisons spacieuses entourées de jardins.

« Bloomfield, c'est de l'argent récent, lui avait dit Claire. L'étape suivante, c'est Grosse Pointe, là où résident les vieilles familles pleines de blé depuis des générations. Toute épouse de cadre supérieur vivant à Bloomfield Hills rêve d'habiter Grosse Pointe. » Il contemplait à présent ces demeures d'un œil neuf. Il remarqua une jolie femme qui revenait du supermarché. Elle sortait d'un magnifique break un monceau de paquets qu'une jeune fille en blouse blanche portait dans la maison. Les enfants parcouraient les trottoirs impeccables sur des vélos flambant neuf. Le rêve américian, se dit-il, la récompense si on joue bien le jeu. Il savait où se trouvait la maison de Claire. Il était passé souvent devant chez elle, le samedi soir, quand il se sentait seul. Il regardait les fenêtres éclairées et les imaginait, Lance et elle, bavardant et riant avec leurs amis.

Le préposé au parking, vêtu d'une veste rouge, s'avança vers lui. L'allée était déjà encombrée de voitures. Redressant nerveusement son nœud de cravate, Noël s'avança vers la maison. Les larges portes-fenêtres étaient ouvertes sur le jardin et un domestique l'accompagna au salon. La maison lui parut énorme. Tout autour de la piscine, dissimilée par un muret de brique, les gens bavardaient, un verre à la main. Une batterie de barbecues avait été disposée un peu plus loin. Quatre serveurs en veste blanche activaient les braises.

Noël comprit tout de suite qu'il n'était pas habillé convenablement pour la circonstance. Les hommes portaient des pantalons légers et des vestes de lin. Les femmes, des tenues décontractées et estivales. Mal à l'aise dans son costume sombre, il chercha Claire.

« Ah! Te voilà! s'écria-t-elle, j'étais persuadée que tu te dégonflerais.

– J'aurais mieux fait », dit-il d'un air sombre.

Claire poussa un soupir. « J'aurais dû te prévenir que c'était en tenue de campagne mais en général les gens savent qu'un barbecue à l'heure du déjeuner...

– C'est sans importance. De toute façon, je m'en vais, répliqua-t-il furieux.

– Noël, attends... il faut que tu restes. » Elle lui prit le bras. « Je t'en prie...

– Bonjour! » L'homme qui lui tendait la main était grand, brun et soigné. Noël comprit immédiatement qu'il s'agissait du mari de Claire.

« Je ne pense pas que nous nous connaissions... » Ses yeux marron jaugeaient le jeune homme. « Je suis Lance Anthony.

– Et voici Noël Maddox, dit Claire.

– Ravi de faire votre connaissance... » Lance serra avec chaleur la main de Noël. « J'ai beaucoup entendu parler de vous. »

Noël le regarda, perplexe.

« En bien, rassurez-vous, dit Lance en souriant. Tout le monde dit que vous irez loin, que vous êtes l'un des hommes qui montent à G.L. Que voulez-vous boire ? » Sans attendre sa réponse, il réclama deux Bucks Fizz à un serveur qui passait par là. « J'espère que vous avez faim, dit-il en l'entraînant vers le patio. Il y a d'énormes steaks qui cuisent là-bas... Mais, tout d'abord, je veux vous présenter à un certain nombre de gens. » Prenant Noël par l'épaule, il le pilota vers un groupe d'hommes qui bavardaient à l'ombre d'un olivier. « J'aimerais vous présenter Noël Maddox, dit-il. J'imagine que vous avez entendu parler de lui. Les nouvelles vont vite dans cette ville. Noël, voici Mort Shively, Stan Masters, Paul Lawrence – que vous connaissez, bien sûr – et Dick Svenson. »

Tous les gros bonnets de l'automobile, se dit-il. S'il prenait à quelqu'un la fantaisie de jeter une bombe sur cette pelouse, c'est toute l'industrie qui serait en deuil.

« Je vois que vous avez suivi mes conseils, Noël, dit Paul Lawrence avec un sourire chaleureux. Il faut savoir se détendre de temps en temps. M. Maddox est l'un de nos directeurs de division les plus brillants, déclara-t-il aux autres, mais il ne pense qu'à son travail. Un vrai drogué du boulot. Il faut l'emmener jouer au golf, l'obliger à se détendre. »

Ils se mirent à parler de golf et de pêche. Noël ne savait que dire. Au bout de cinq minutes, Lance le prit à part. « Je voudrais vous présenter votre homologue de Ford », lui dit-il. Il laissa les deux hommes en tête à tête pour aller superviser l'opération barbecue.

« Tout va bien, Noël ? » Il se retourna. Claire lui souriait. Soulagé, il lui rendit son sourire.

« Excusez-moi, dit-elle à son interlocuteur, mais je veux que Noël fasse la connaissance de mes enfants. » Elle l'entraîna et se mit à rire. « Tu n'es pas très porté sur la conversation mondaine, hein?

– Pas trop, non, admit-il.

– Voilà mes filles... Kerry et Jerry. » Elles étaient mignonnes, toutes deux vêtues de bermudas kaki et de polos roses. Elles lui sourirent gentiment. « Et voici mon père », dit Claire, guidant Noël vers une table au bord de la piscine. Sous un parasol était assis un homme dont le visage était familier à quiconque travaillait dans l'industrie automobile. Clive Sanders, l'ancien directeur d'U.S. Auto, encore très influent malgré sa retraite.

« Papa, voici Noël Maddox. C'est l'un des hommes qui montent, dit Claire.

– Ça a été mon cas pendant quelques années, répondit-il d'un air malicieux. Venez vous asseoir, monsieur Maddox, et donnez-moi des nouvelles du bon vieux business. Un point de vue neuf est toujours intéressant. »

Ils bavardèrent pendant une demi-heure, puis le déjeuner fut annoncé.

« Tu ne m'avais pas raconté que tu étais la fille de Clive Sanders, dit-il à Claire d'un air accusateur.

– Je ne me vante jamais de mes relations », répondit-elle en riant. Elle lui tendit une assiette recouverte d'un énorme steak. « Viens par ici, dit-elle en se dirigeant vers les tables protégées du soleil par un parasol.

– Je comprends pourquoi tu connaissais si bien ce boulot!

– Oui. Tout ce que je sais, c'est mon père qui me l'a appris. Et son opinion compte encore beaucoup dans cette ville. »

Noël coupa son steak et regarda avec dégoût le sang jaillir. Il n'était pas habitué à manger de la viande.

« C'est pour ça que je voulais que tu fasses sa connaissance », ajouta-t-elle en regardant Lance et ses deux enfants s'approcher d'eux.

« On a besoin de toi, maman, cria Kerry. Papa pense que le traiteur n'a pas livré assez de crème pâtissière pour les tourtes. »

Laissé seul, Noël ne toucha plus à son plat. Les gens, autour des tables, mangeaient en bavardant. Ils semblaient tous se connaître, mais la hiérarchie ne faisait aucun doute et se décelait dans la façon dont les gens étaient placés. Les huiles occupaient le patio. Les autres s'étaient installés au bord de la piscine.

Rassemblant son courage, Noël prit son assiette et s'approcha de la table voisine. « Je peux me joindre à vous? demanda-t-il tranquillement. Il semblerait que ma table ait été désertée. »

Deux heures plus tard, en rentrant chez lui, il récapitula dans sa tête les événements de la journée. Tout d'abord, Claire n'avait manifesté aucune gêne en le présentant à son mari. Lance était sympathique, rien à dire. Il lui avait fait connaître des gens influents – sans doute parce que Claire le lui avait demandé. Noël, en revanche, avait été désagréablement conscient de son rôle d'« amant ». Paul Lawrence s'était révélé, comme toujours, parfait et les jeunes couples avec lesquels il avait terminé son déjeuner l'avaient accueilli comme l'un des leurs. Quant à sa conservation avec Clive Sanders, elle avait été très intéressante.

53

Prune passait trois jours par semaine avec Will à Launceton et le reste de la semaine à Paris, au siège social de Courmont, avenue Kléber. Au début, elle s'était sentie terriblement coupable de laisser Will, mais elle avait constaté, en rentrant parfois à l'improviste, que le bébé semblait très heureux avec Nanny. Quant à Harry, il ne semblait remarquer son absence que lorsqu'elle affectait ses propres projets. Prune rentrait tous les vendredis par l'avion de 4 heures et arrivait juste à temps pour accueillir leurs invités du week-end.

Harry et elle faisaient maintenant chambre à part. Prétextant l'horreur que lui inspirait cette chambre conjugale constamment désertée, il s'était installé dans la pièce voisine. Prune savait qu'il était soulagé d'être seul. Il lui faisait encore l'amour mais de façon machinale et elle avait le sentiment qu'il ne l'aimait plus. En outre, elle était persuadée qu'il couchait encore avec Augusta et bien d'autres filles. Elle ne cherchait pas à le vérifier.

Dès que Prune pénétrait dans les bureaux de Courmont, elle se sentait libre et heureuse. Elle n'était pas que la mère de Will ou la femme de Harry Launceton, mais Prune de Courmont, qui faisait son apprentissage dans le monde complexe de l'industrie automobile.

Son bureau, situé à l'arrière de l'immeuble, était exigu. Il contenait une grande table, un placard à dossiers et un téléphone noir. Lorsque Jim le lui avait fait visiter, la première fois, elle avait été stupéfaite. En tant qu'héritière de la firme – puisque Gérard s'était retiré du jeu au profit de sa fille –, elle s'attendait à une suite somptueuse donnant sur l'avenue Kléber, avec tapis de la Savonnerie et meubles Louis XVI. Elle s'imaginait déjà choisissant elle-même ses tableaux et répondant d'un air important à une batterie de téléphones.

« Si tu es sérieuse, lui avait dit Jim, et je crois que tu l'es, c'est ici que tu dois commencer. En bas de l'échelle, comme tout le monde. »

Prune, assise à son bureau, écoutait Jim lui expliquer les choses. « Courmont a été l'une des grandes firmes automobiles de l'avant-guerre. Nous nous battons actuellement pour reconquérir notre place sur le marché. En ce moment, nous ne perdons pas de terrain mais nous n'en gagnons pas non plus. Naturellement, nous aurions pu vendre. Ton père m'a laissé prendre la décision. J'ai essayé de redresser la barre pour que tu puisses faire ce choix toi-même par la suite. Cependant, pour continuer, il nous fallait augmenter le capital. Il y avait deux façons de procéder : coter la société en Bourse, ou vendre une partie des biens immobiliers et les fonderies. J'ai choisi la seconde solution parce que je voulais qu'à ta majorité tu trouves la société intacte. Un jour, elle sera à toi et tu en feras ce que tu voudras. L'important, c'est que tu prennes ta décision en toute connaissance de cause. C'est clair ? »

Prune acquiesça d'un signe de tête.

« La première chose à faire, poursuivit-il, c'est de te plonger dans l'historique de la société. Tu trouveras tout ce qui la concerne à la bibliothèque, au troisième étage. Ton grand-père, Gilles de Courmont, gardait la trace de toutes les transactions et les minutes des réunions. Il y a aussi les plans des premières voitures ainsi que des détails sur leur prix de revient et leurs performances. »

Prune lut à peu près tout ce qu'avait écrit son grand-père qu'elle n'avait jamais connu. Elle examinait son écriture sévère avec attention, espérant y trouver quelque indice de sa mystérieuse personnalité. Au bout de deux semaines, elle avait compris la façon dont Gilles de Courmont avait bâti on empire. Elle était prête pour la phase suivante.

Jim savait que deux mois aux usines de Valenciennes seraient suffisants pour mettre à l'épreuve le courage et la ténacité de Prune. Il lui retint une chambre dans une pension de famille, près de l'usine où elle se rendait tous les matins.

Ensuite, elle passa une semaine dans chaque service, assista à des réunions du personnel, écouta ses doléances, rencontra les syndicats. Assise dans son coin, silencieuse, elle ne perdait rien de ce qu'elle voyait ou entendait. Tous les vendredis, elle prenait le train pour Paris, puis l'avion pour Londres.

« Je vais avoir un plus grand bureau maintenant? demanda-t-elle à Jim en rentrant de Valenciennes.

– Pour quoi faire? répliqua-t-il. Tu n'as même pas encore besoin d'une secrétaire. A présent, il faut que tu apprennes tout ce qui concerne les ventes. »

La salle d'exposition de Courmont occupait tout le rez-de-chaussée du siège social. Derrière de grandes baies vitrées, se profilaient les derniers modèles sur fond de moquette grise. « C'est notre fenêtre ouverte sur le monde, déclara Jim. Toute personne se promenant avenue Kléber sait ce que Courmont a à lui offrir. Nous avons, de surcroît une excellente équipe de vente. Sors, rencontre les représentants, vois comment ils travaillent. »

Prune passa quelques mois à sillonner la France, l'Italie, l'Allemagne et l'Angleterre avec les vendeurs. Elle se plongea ensuite dans les études de marché.

Au bout de six mois, Jim lui dit : « Bon, je sais maintenant que tu es sérieuse. Le vrai travail peut commencer. »

Prune s'affala sur son fauteuil avec un grognement de bête. « Oh non! C'était quoi, alors, tout ce que j'ai fait? »

Jim se mit à rire. « Le début, juste le début. Es-tu prête à ingurgiter le reste? Le plus dur?

– S'il le faut, répondit-elle en le regardant d'un air maussade.

– Bon, tu vas commencer par t'habiller un peu. Il est temps que tu rencontres les directeurs. »

Prune ne s'était pas acheté de robe depuis des lustres. Faire la tournée des couturiers l'amusa. Elle dénicha quelques tailleurs stricts et de bon goût et une très belle robe du soir en velours bleu marine qui ne manquerait pas de provoquer une fois encore la stupeur réprobatrice parmi les épouses anglaises qui passaient les week-ends à Launceton.

En tant que président, Jim bénéficiait d'un grand bureau d'angle au premier étage avec vue sur l'avenue Kléber. Beau tapis, superbes tableaux et un nombre impressionnant de téléphones. Sa secrétaire, qui travaillait chez Courmont depuis vingt-cinq ans, en gardait l'entrée comme un cerbère.

Très élégante dans son tailleur gris de Chanel avec son chemisier rose fuchsia, Prune fut présentée au président en exercice et aux divers cadres supérieurs. Se sentant aussi nerveuse qu'une écolière le jour d'un examen, elle but du porto tandis qu'ils lui souriaient avec indulgence en lui demandant si elle aimait son nouveau travail. Puis ils s'enquirent de son fils et elle produisit aussitôt les quelques photos de lui qu'elle gardait en permanence dans son portefeuille. Ils s'extasièrent sur le chérubin.

Ce jour-là, Jim emmena Prune déjeuner à La Tour d'argent. Il l'observait pendant qu'elle chipotait sa nourriture.

« Eh bien ? Tu n'as pas faim ? Ça ne va pas ? demanda-t-il.

– Ils étaient condescendants, fulmina-t-elle. Amusés par cette épouse et cette mère de famille qui a fui le domicile conjugal pour aller jouer à la femme d'affaires. C'était odieux ! Et moi, pauvre gourde qui donne là-dedans, qui sors les photos du bambin ! Ça me tue ! Harry m'appelle toujours le *tycoon,* au fond il a raison de se moquer de moi !

– Pour eux tu n'es pas une professionnelle, mais une femme dans un monde d'hommes. Et tu ne peux pas prouver qu'ils ont tort de te juger ainsi. »

Elle lui lança un regard furieux. « Traître ! Tu crois peut-être que je me suis tourné les pouces depuis six mois ? J'ai exécuté tes ordres à la lettre, j'ai fait tout ce que tu m'as demandé de faire !

– C'est vrai, mais ce n'est qu'un début. » Jim lui prit la main par-dessus la table. « Je dois admettre que tu m'as épaté. Je ne pensais pas que tu irais aussi loin. Maintenant je parie sur toi. Ça va être de longues heures de travail, mais j'ai peur que ces allées et venues perpétuelles entre Paris et Londres te fatiguent, Prune. Tu crois que tu vas y arriver?

– Il le faut, dit-elle avec entêtement. C'est ma société et un jour je la dirigerai. »

Jim se mit à rire et leva son verre. « Buvons à ces excellentes résolutions et à mon éventuelle retraite. »

La maison de l'île Saint-Louis était si grande, si luxueuse! Prune s'y sentait perdue. Jusqu'à présent, elle avait été trop occupée pour souffrir de sa solitude, mais la réunion d'aujourd'hui lui en faisait prendre conscience. Elle se plongea dans un bain très chaud pour se calmer et se débarrasser de la fatigue accumulée au cours des mois passés. Elle se demanda une fois encore si elle ne faisait pas une folie en se lançant corps et âme dans cette difficile carrière. Elle adorait Will et, si elle voulait le voir grandir, elle devait rester avec Harry. Mais, pour supporter ce mariage, il lui fallait se construire une vie à elle. Devenir un *tycoon* n'était peut-être pas le but de sa vie, mais ça avait au moins le mérite de l'occuper à plein temps et de l'empêcher de tourner en rond sur ses problèmes conjugaux.

Elle sortit de sa baignoire, enfila un peignoir en éponge blanc et dévala l'escalier. Le portrait de Gilles de Courmont, dans le hall, lui rendit son regard. « Je vais y arriver, lui dit-elle d'un ton farouche. Je vais leur montrer que je suis votre petite-fille. Mais, désormais, je ferai ça à ma façon. Et je vais m'amuser. »

54

Le bureau de Noël, situé au quatorzième étage, était petit mais agréable. Des changements importants avaient eu lieu dans l'industrie automobile. Mort Shively avait quitté U.S. Auto en emmenant son vice-président avec lui. Paul Lawrence avait démissionné de Great Lakes Motor pour reprendre le poste de Shiveley avec un contrat portant sur une durée de cinq ans. Lawrence allait devoir recruter un vice-président et Noël voulait ce poste. Paul Lawrence choisirait un homme en qui il aurait une totale confiance. Parmi ses rivaux éventuels, le seul qui l'inquiétait vraiment, parce qu'à cent coudées au-dessus des autres, c'était Lance Anthony.

Paul avait rapidement promu Noël. De directeur de division, celui-ci était devenu directeur du service d'esthétique industrielle. Il lui laissait une grande liberté. Les plans du nouveau camion à quatre roues motrices avaient déjà reçu son approbation et certaines modifications suggérées par Noël sur des modèles existant déjà avaient été exécutées aussitôt.

Lorsque Noël était monté au quatorzième étage, il avait pensé que ça y était, qu'il était enfin arrivé. Il était le plus jeune de tous les vice-présidents.

Sa ligne privée bourdonna et il décrocha rapidement. C'était Claire. Il ne l'avait pas vue depuis des semaines, les enfants avaient été malades et elle-même avait attrapé la grippe.

« On peut se voir ce soir ? Lance est à New York et les filles sont casées. Je suis seule.

– Enfin !

– Chez toi ? Vers 7 h 30 ? »

Il était en retard mais Claire avait sa clé. Elle l'attendait. Elle mit au four le plat à emporter qu'elle avait acheté chez le Chinois et posa la bouteille de meursault sur la table. Noël arriva quelques minutes plus tard.

Il se dit soudain qu'il ne l'avait jamais emmenée dîner au restaurant. Ils ne sortaient pas ensemble. Son appartement était tout leur univers. Parfois ils se rencontraient à une *party* chez d'autres gens mais Claire était toujours accompagnée de son mari.

« J'ai besoin de toi, soupira Claire en se blottissant dans ses bras.

– Mon Dieu ! La vie est donc si dure pour l'une des reines de Motor City ? railla Noël.

– Pour ce que ça m'a rapporté ! répliqua-t-elle, agacée.

– Rien, à part les meilleures écoles, une superbe maison, des poneys, des villas au bord de la mer, des voyages en Europe et j'en passe... Tout cela avant dix-huit ans. Moi, pendant ce temps-là, je trimais pour payer mes études. Tu ne devrais pas dire n'importe quoi, Claire », ajouta-t-il d'une voix vibrante de colère. Elle le regarda d'un air glacial. « C'est grâce à cet argent que j'ai pu me faire opérer le nez et refaire les dents. Et j'ai acheté beaucoup de paires de lunettes. Pense à l'horreur que j'aurais été sans argent! Tu ne m'aurais pas regardée deux fois!

– Tu ne devrais pas plaisanter sur ce sujet, Claire, dit Noël, radouci. Ton père a travaillé dur pour ça. »

Exaspérée, elle le repoussa et alla se verser un verre de vin blanc.

« Je suis venue ici ce soir en espérant échapper à ce genre de conversation, dit-elle. Je pourrais aussi bien être avec Lance. J'en ai marre des discussions sur l'argent et l'ambition. Dans cette ville, les gens ne parlent que de ça. »

Il prit une gorgée de vin. Il était bon. « C'est Motor City, dit-il. Nous sommes tous ici pour jouer la règle du jeu. Souviens-toi... c'est toi qui me l'as apprise.

– Peut-être, mais ce n'est pas moi qui t'ai communiqué cette ambition forcenée, rétorqua-t-elle, amère.

– Non, c'est ma mère qui en est responsable. »

Claire ne l'avait jamais entendu parler de sa mère et elle le regarda, intriguée. Le visage de Noël était crispé mais il n'ajouta rien.

« Lance est pareil, dit-elle enfin. Dieu merci, je crois qu'il va enfin avoir le poste dont il rêve et il nous foutra la paix. Il nous rend fous, les enfants et moi, en ce moment.

– Tu fais allusion à la vice-présidence d'U.S. Auto? demanda négligemment Noël, le cœur battant.

– Oui. Il la mérite. Il est l'homme du poste et mon père qui est un ami de Paul Lawrence lui a donné un coup de main. Je crois que c'est dans la poche. » Elle regarda tendrement Noël. « Ne nous disputons pas. Viens, chéri, dînons. J'ai mis le plat à réchauffer. »

Noël posa son verre sur la table basse. « Mange, toi, je n'ai pas faim. »

Elle le regarda en silence. Il fermait les yeux. Il semblait très lointain. Elle prit son manteau, s'avança vers lui et l'embrassa.

« Quelque chose me dit que tu n'as pas envie de me voir ce soir, dit-elle doucement. Il est temps que je m'en aille. »

Il ouvrit brusquement les yeux et essaya de la retenir mais elle était déjà au milieu de la pièce. A la porte, elle se retourna. « Appelle-moi quand tu auras besoin de moi », dit-elle en s'efforçant de sourire bravement.

Il enfouit son visage dans le plaid qu'elle lui avait offert. Il l'avait perdue. Et le job sur lequel il rêvait tant allait lui échapper. Jamais une pareille occasion ne se représenterait.

La semaine suivante, Paul Lawrence invita Noël à déjeuner à l'hôtel Pontchartrain.

Noël arriva en avance et s'installa au bar pour l'attendre.

« Que voulez-vous boire, Monsieur ? demanda le barman.

– Un Virgin Mary », commanda Noël. Il ne buvait jamais d'alcool quand il avait un déjeuner d'affaires.

Lawrence le rejoignit quelques minutes plus tard. Noël sentit des regards curieux braqués sur eux. A Motor City, tout le monde se connaissait et chacun saurait bientôt que Paul Lawrence et Noël Maddox avaient déjeuné en tête à tête. Qu'en concluraient-ils ?

« Mon cher Noël, autant vous dire la vérité, commença Paul dès qu'ils furent à table. J'avais quelqu'un d'autre en tête pour ce poste. Un homme très capable, un peu plus âgé que vous. Non que la jeunesse soit préjudiciable en ce qui vous concerne. Vous avez amplement fait la preuve du contraire. Mais, parfois, l'expérience que donne l'ancienneté compte davantage. Je ne mentionnerai pas son nom car ceci est confidentiel. En outre, son beau-père est un de mes amis. Voilà, il y a eu toutes sortes de rumeurs concernant sa femme. Il paraît qu'elle a une liaison. Il ne s'agit pas de pruderie, naturellement, bien que je désapprouve ce genre de chose, mais un divorce peut être catastrophique pour la vie professionnelle d'un homme. J'ai perdu, pour cette raison, plusieurs excellents collaborateurs. Et sa malchance va être votre chance, Noël. Je vous offre la vice-présidence d'U.S. Auto. Qu'en dites-vous ? »

Repoussant fermement l'image de Claire qui s'imposait à lui, Noël lui tendit la main. « Je serai ravi d'accepter, monsieur. Et merci beaucoup. Vous avez transformé ma journée. »

Paul Lawrence se mit à rire. « Votre journée? C'est votre vie entière que je vais transformer, mon garçon! »

55

Harry Launceton posa le journal sur son bureau et regarda, furieux, la photo de Prune, accompagnée de cette légende : « Prune inaugure la nouvelle salle d'exposition de Courmont à Beverly Hills. »

On la voyait, flanquée de deux célèbres acteurs de cinéma, coupant un ruban avec une énorme paire de ciseaux, avec son sourire de femme célèbre qu'il trouvait exaspérant. Une vraie cover-girl!

Depuis que Prune était devenue la star de la nouvelle campagne publicitaire de Courmont, on la voyait partout – dans les quotidiens, dans les magazines, sur les kiosques et même à l'arrière de la nouvelle Courmont, disant dans une bulle : « Croyez-en une Courmont, c'est la plus fantastique! » S'il la voyait partout, il ne la rencontrait plus guère. Elle voyageait dans le monde entier pour faire la promotion des nouveaux modèles et donnait même des conférences de presse.

C'était le problème de Will qui avait fini par les séparer. Prune ne s'était jamais habituée aux coutumes anglaises. Quand il avait insisté pour envoyer leur fils en pension – c'était prévu depuis longtemps – elle avait poussé de hauts cris. Selon elle, mettre un enfant de sept ans en pension, c'était de la cruauté mentale. Il avait eu droit à des torrents de larmes, de vraies scènes d'hystérie. Au point qu'il avait dû demander à Augusta d'emmener Will chez Peter Jones pour lui acheter son uniforme, Prune « refusant d'être mêlée à cet acte de barbarie ». Augusta avait été épatante. Jamais un mot contre Prune, pas même un « je te l'avais bien dit ». Après le départ de Will, Prune s'était mise à passer le plus clair de son temps à Paris. Elle ne venait plus guere que lorsque son fils était en vacances et, la plupart du temps, elle s'arrangeait pour l'emmener dans le midi de la France ou en Floride, chez ses parents.

Jamais il n'aurait dû divorcer d'Augusta pour épouser Prune, mais, lorsqu'il écrivait, il était comme possédé. On pouvait lui faire faire n'importe quoi. Il s'était complètement entiché de cette gamine et avait été incapable de lui résister. Elle lui avait été une extraordinaire source d'inspiration pour ce que le *Times* appelait « son plus grand livre ». Les deux derniers romans de Harry avaient été difficiles à écrire. Ils avaient nécessité une énorme documentation – un vrai casse-tête pour s'y retrouver – et la critique les avait descendus en flammes. Cela le déprimait. Pour couronner le tout, Prune parcourait le globe, sans doute avec une meute d'hommes sur ses talons, tandis que lui était coincé à Launceton, en proie à l'angoisse de la page blanche.

Harry décrocha son téléphone pour appeler Augusta. Il regarda par la fenêtre de son bureau. Une matinée parfaite pour le grand match de Will. « Augusta? Que fais-tu aujourd'hui? Je voudrais que tu m'accompagnes au match de cricket. Je pourrais passer te prendre à 11 h 30 et nous déjeunerons en route... Prune? Oui, j'imagine qu'elle y sera. Will m'a dit qu'elle viendrait spécialement de Paris par avion pour le voir. Je me fous éperdument de ce qu'elle pense... D'accord. A tout à l'heure. »

Il jeta un coup d'œil à sa montre, puis se dirigea vers la porte, les mains dans les poches, en sifflotant. Il était soulagé d'avoir pris sa décision. Il avait besoin d'une femme pour s'occuper de lui et d'une mère pour Will. Il allait divorcer de Prune et se remarier avec Augusta – si elle voulait encore de lui.

Prune s'assit dans son lit pour prendre son café et admira sa nouvelle chambre. Le décorateur avait fait du bon travail. Il est vrai qu'il avait suivi ses instructions à la lettre. Après six ans de nuits bien souvent solitaires dans l'île Saint-Louis, elle avait compris que posséder cette vaste demeure habitée par une femme seule et quatre domestiques était absurde. Elle avait décidé de la transformer au bénéfice de la société, tout comme les viticulteurs ouvrent leur château au public. Elle donnerait ici des déjeuners d'affaires et inviterait des gens célèbres dont les photos pourraient éventuellement servir aux campagnes publicitaires.

Prune avait appris de bonne heure cette notion capitale : quand on voulait faire passer une idée, il fallait tout d'abord la creuser, en connaître le coût et savoir quel profit la société pourrait en tirer afin que le directeur n'ait plus qu'à dire oui ou non. Ainsi tout le monde gagnait du temps. Depuis qu'elle était devenue directrice de la publicité et avait fait une campagne remarquée, le conseil d'administration la prenait au sérieux.

Elle avait longuement réfléchi avec le décorateur à la façon de moderniser cette maison musée pour en faire le symbole parisien de l'élégance Courmont. Ils avaient ôté une grande partie du lourd mobilier et repeint toutes les pièces. La maison était remplie de fleurs et, le soir, les bouquets et les bougies conféraient aux salons une atmosphère intime qu'ils n'avaient jamais eue auparavant.

Prune aimait sa nouvelle chambre donnant sur la Seine. Elle regarda autour d'elle avec satisfaction. Tout y était à présent – même un homme dans son lit.

Ce n'était pas la première fois que Prune partageait sa couche depuis six ans et, comme les autres, ce garçon était charmant, amusant et lui plaisait. La famille de Laurent possédait des vignobles dans la région d'Épernay. La grand-mère de Prune avait gardé des contacts parmi ses vieux amis de la Résistance et elle se rendait tous les ans à Épernay pour les voir. C'est là que Prune avait rencontré Laurent. Trente-cinq ans, séduisant et pas bête. Il l'avait beaucoup sortie dans la région, puis était venu à Paris et, une chose en entraînant une autre... il était amoureux d'elle et lui faisait très bien l'amour. Alors pourquoi ressentait-elle cette insécurité, ce malaise ?

La femme d'affaires qu'elle était devenue, mère à mi-temps et occasionnellement amante, se sentait aussi solitaire que lorsqu'elle avait quitté Harry.

Posant sa tasse de café vide sur sa table de chevet, elle sortit du lit et alla à son bureau. Sur son carnet de rendez-vous ouvert, elle lut, écrit à l'encre rouge et souligné : match de cricket de Will. École 2 heures. Elle avait eu l'intention de rentrer à Londres la veille mais Laurent était arrivé à l'improviste et l'avait emmenée dîner. La petite pendule Fabergé en émail vert, finement décorée, qui avait appartenu à sa grand-mère, Marie-France de Courmont, indiquait 7 heures. Elle avait le temps de prendre l'avion de

9 heures. Elle passerait d'abord chez elle, à Belgravia, pour s'assurer que la femme de ménage avait fait le lit de Will et rempli le réfrigérateur. Elle se sentait toujours mieux lorsqu'elle était auprès de son fils. Harry et elle se le partageaient pendant les vacances. En fait, Harry, qui avait besoin d'être seul quand il écrivait, ne le prenait pas souvent. Parfois Prune s'installait quelques jours à Launceton mais elle s'y ennuyait vite et Will aussi. Elle préférait l'emmener à Londres ou à Paris. Ces moments passés avec son fils comptaient parmi les plus précieux de son existence. Will ne ressemblait en rien à Harry – sauf qu'il manifestait, comme lui, des dons pour le cricket. Ses yeux étaient bleu foncé, comme ceux de sa mère, et il avait les cheveux noirs et le visage bien construit de son arrière-grand-père, Gilles de Courmont.

La querelle avec Harry à propos de son école avait été épique et, à présent, elle se sentait idiote parce que Will, de toute évidence, adorait sa pension et la compagnie de tous ces garçons de son âge. Ce salaud de Harry, au bout du compte, avait prouvé qu'il avait raison.

Elle leva le rideau et observa le temps gris. La Seine baignait dans la brume. Le brouillard! Merde! Pourvu que son avion n'ait pas de retard. Will ne lui pardonnerait jamais de rater son match.

Will Launceton traversa la pelouse, une tasse de thé à la main, et la tendit avec précaution à tante Augusta. Il s'inquiétait de ne pas voir arriver sa mère. Elle avait promis d'être là pour le début du match et il l'attendait depuis midi, pensant qu'elle arriverait pour le déjeuner.

Soucieux, il s'assit machinalement dans l'herbe.

« Tu vas tacher ton beau pantalon blanc », observa Augusta en buvant son thé.

Will se leva avec obéissance, songeant que Prune ne lui faisait jamais de réflexions de ce genre. Dieu, comme il était impatient d'aller à Londres avec elle! Aujourd'hui, il allait la présenter à ses copains. Ils l'avaient aperçue deux ou trois fois et la trouvaient vachement bien, pas du tout comme une mère.

« Tu as une bonne équipe, mon garçon, dit Harry. Il y aura un second Launceton parmi les gagneurs de trophées aujourd'hui.

Garde bien les yeux sur la balle et le bras immobile et tu y arriveras. Bonne chance, Will. »

L'adolescent but nerveusement sa limonade tandis que Harry et Augusta bavardaient avec d'autres parents. Se faufilant hors de la foule, il fit le tour de la large allée de gravier, puis courut au portail pour scruter la route, dans l'espoir d'apercevoir au loin la silhouette de sa mère. Il ne vit rien et repartit en courant, arrivant juste à temps pour mettre sa casquette et envoyer son premier joueur manier la batte.

Prune franchit le portail de l'école à 5 heures un quart. Elle se gara dans une envolée de gravillons, claqua la portière et courut vers le terrain de cricket. Bon Dieu, ce qu'il pouvait faire chaud! C'est pour ça qu'ils avaient eu ce brouillard!

Les parents, assis en cercle sur des chaises de jardin, contemplaient leurs rejetons vêtus de blanc. Prune jeta un coup d'œil au tableau d'affichage. L'équipe de Will menait. Soulagée, elle chercha des yeux une chaise libre. Will, au guichet, s'apprêtait à renvoyer la balle à son tour.

Il fronça les sourcils. Il était face au soleil et devait affronter un lanceur très rapide. La balle arriva sur lui comme un boulet. Avec des réflexes d'acier, il la frappa de toutes ses forces et marqua quatre points. Ils allaient gagner le match. Il aurait simplement souhaité que sa mère fût là, elle le lui avait promis et c'était la première fois qu'elle le laissait tomber. Ses yeux parcoururent la foule pendant que le lanceur regagnait sa place. Il se retourna à toute allure et lui envoya une seconde balle au moment précis où Will apercevait enfin sa mère. La balle rebondit sur l'herbe mais il eut un temps de retard qui lui fut fatal. La balle le heurta avec violence à la tempe gauche. Will tituba puis s'écroula.

Prune s'élança vers son fils. Les joueurs s'agglutinaient autour de lui. Elle vit Harry courir vers l'enfant. Quelqu'un apporta une civière sur laquelle Will, inconscient, fut hissé. Harry marchait à côté de son fils. Avec un sanglot, elle se pencha vers Will. « Chéri! Will! » cria-t-elle. Il était blême, les yeux fermés, avec une grosse ecchymose à la tempe. Elle se tourna vers Harry, les yeux pleins de larmes. Augusta les rejoignit.

Prune prit la main de Will et la serra très fort dans la sienne, priant pour qu'il s'en sorte.

A l'hôpital, on le transporta en radiologie. Prune, Harry et

Augusta s'installèrent dans la salle d'attente. Ils se taisaient. Le remords torturait Prune, comme lorsque Laïs avait été blessée. Elle était de nouveau responsable d'un désastre. Au lieu de passer la nuit avec Laurent, elle aurait dû prendre l'avion la veille au soir. Elle n'avait pas pensé au brouillard. Et, comble de malchance, elle avait croisé le regard de Will au moment où la foutue balle arrivait! « C'est ma faute, dit-elle à brûle-pourpoint, tout est ma faute. J'aurais dû arriver à l'heure. »

Will fut couché dans un lit blanc. Il semblait tout petit là-dedans. L'infirmière installa la perfusion et le monitoring, enregistra les battements de son cœur et son encéphalogramme. Ses yeux restaient obstinément fermés.

« Dors, mon chéri, dit tendrement Prune en lui caressant les cheveux. Repose-toi un moment. Après ça ira mieux. »

Harry la considérait en silence. Augusta, toujours pleine de tact, sortit de la pièce pour les laisser seuls.

« Tu ne mérites pas d'être sa mère, siffla-t-il enfin. Si Will s'en sort, Prune, s'il s'en sort, tu auras de la chance. Mais je m'arrangerai pour que tu ne l'approches plus. »

56

Anna Rushton arriva, comme toujours, de bonne heure à son bureau, bien que ce fût son anniversaire. M. Maddox était toujours là très tôt et épluchait généralement son courrier avant l'arrivée de sa secrétaire. Elle avait quarante ans et faisait partie du personnel d'U.S. Auto depuis quinze ans. La société était sa vie, mais jamais elle n'avait été aussi heureuse que depuis qu'elle avait commencé à travailler avec M. Maddox, six ans auparavant. Ils pouvaient dire ce qu'ils voulaient à son sujet à la cantine des cadres. Elle savait qu'il s'attirait des inimitiés. Certains jugeaient un peu désinvolte la façon dont il les traitait. A son avis, M. Maddox était l'oiseau rare. Il s'y prenait aussi bien avec les syndicalistes qu'avec les ouvriers. A l'usine, ils l'appelaient « notre homme, Maddox ». C'était l'un d'eux. Il avait débuté à la chaîne, enduré la même monotonie, partagé les mêmes frustrations et il avait gravi tous les échelons, jusqu'au sommet – ou presque. Paul Lawrence, le président, était encore là, fidèle au poste, mais Noël était devenu son plus proche collaborateur. Anna savait que d'autres sociétés le contactaient pour lui faire des offres alléchantes. Il était très brillant et, n'eût été son jeune âge – trente-neuf ans – il aurait pu à l'heure actuelle assumer la présidence d'une des plus grosses firmes automobiles.

Le bouquet de roses attendait sur son bureau, comme depuis six ans, à chacun de ses anniversaires. Aujourd'hui, un petit paquet était posé à côté, enveloppé dans du papier bleu, le tout noué par un ruban argenté. Prenant les fleurs, elle lut : « Bon anniversaire, Anna, meilleurs vœux. Noël Maddox. » Au cours de toutes ces années, il lui avait rarement dit quelque chose de personnel mais, quand elle ne se sentait pas bien, il le remarquait toujours et n'hésitait jamais à la renvoyer chez elle pour qu'elle se repose.

Anna disposa les fleurs dans un vase. En souriant, elle mit le petit paquet de côté, pour plus tard, et commença à trier le courrier de M. Maddox, puis fit une pile des journaux – le *New York Times*, le *Washington Post*, le *Wall Street Journal*, le *Times* de Londres, le *Financial Times* et diverses feuilles de chou locales. Elle déposa tout cela sur son bureau en bois de rose, puis vérifia son emploi du temps. Il avait un déjeuner à l'hôtel Pontchartrain avec deux messieurs d'une firme automobile française. Il serait donc absent entre midi et demi et 3 heures, mais pourrait consacrer sa matinée au travail et aux appels téléphoniques. L'après-midi, il avait trois réunions prévues. Il finirait sans doute vers 9 ou 10 heures et mangerait un hamburger sur le pouce avant de remonter dans son appartement situé dans l'une des tours les plus hautes et les plus modernes de Detroit. Elle n'avait jamais vu l'appartement de Noël et ne savait même pas s'il vivait seul. Anna, très discrète, n'épiait pas les conversations téléphoniques. Noël avait la réputation de sortir avec de jolies filles dans les réceptions officielles, ce qui n'avait rien de surprenant. Sans être vraiment beau, M. Maddox avait beaucoup de charme.

Elle ouvrit son paquet et découvrit une petite boîte en daim provenant de chez Tiffany, à New York. Le cœur battant, elle ouvrit l'écrin : il contenait un bracelet, une grosse tresse d'or et d'argent. Une carte, comme pour les roses, l'accompagnait. « Afin que vous preniez conscience de votre propre valeur, Anna. Que ferais-je sans vous ? Meilleurs vœux d'anniversaire et merci pour votre aide. Noël Maddox. »

Il était allé chez Tiffany exprès pour elle ! Elle se sentit toute fière. Elle passa le bijou à son poignet et l'admira avant de se mettre au travail.

« Bonjour, Anna, cria Noël en entrant dans son propre bureau.

– Bonjour, monsieur Maddox. Merci pour les fleurs et ce somptueux cadeau. Je ne mérite pas ça. Il est absolument ravissant.

– Ne vous sous-estimez pas. Vous êtes la meilleure secrétaire au monde. Ce petit présent est simplement destiné à vous faire comprendre que je le sais. »

Noël ôta sa veste et parcourut la presse du jour. Ce fut à la page deux du *Times* de Londres qu'il remarqua un entrefilet concernant Prune de Courmont. « Will Launceton, lut-il, âgé de huit ans, fils de l'écrivain Harry Launceton, a été victime d'un accident au cours d'un match de cricket, il y a six semaines. L'enfant est à présent sorti du coma et semble hors de danger. Toutefois, il restera à l'hôpital en observation encore quelques semaines. Lady Launceton, née Prune de Courmont, est l'héritière de la firme automobile française Courmont. »

Noël avait du mal à imaginer Prune en mère de famille. Depuis quelque temps, il voyait son visage sur tous les panneaux d'affichage. Courmont mettait le paquet pour essayer de faire une percée sur le marché américain, mais, en dépit de ce matraquage publicitaire, ils allaient se ramasser avec leur nouvelle voiture. Elle était trop « bonne femme » et les femmes – toutes les études de marché arrivaient à cette conclusion – n'aimaient pas les modèles trop féminins. Elles voulaient des engins susceptibles de rivaliser avec ceux des hommes et pouvoir les doubler sur la route.

Il sortit de sa bibliothèque le dernier exemplaire d'un magazine de voyage et le feuilleta jusqu'à ce qu'il tombe sur une publicité de Courmont. Le visage de Prune lui souriait derrière le volant d'une petite décapotable bleu pâle, la « Fleur ». La portière de la voiture était ouverte et on voyait les longues jambes étendues confortablement. Cette position soulignait le fait que même les grandes femmes y étaient à l'aise. Noël n'avait pas revu Prune depuis cette fameuse soirée à Boston, dix ans auparavant, mais il ne l'avait jamais oubliée.

La salle à manger du Pontchartrain regorgeait de monde. Cependant, le maître d'hôtel gardait toujours une table pour Noël même si celui-ci s'attardait au bar. Tout le monde le connaissait. Les portes s'ouvraient pour lui avant même qu'il les atteigne et le portier l'accueillait d'un sonore et jovial : « Bonjour, monsieur Maddox, comment allez-vous aujourd'hui ? »

Le déjeuner avec les directeurs français fut aussi morne qu'il le prévoyait ; mais, à la fin du repas, l'un des deux dit enfin quelque chose qui lui fit dresser l'oreille.

« En Europe, nous aurions besoin d'hommes qui pensent comme vous, à long terme, monsieur Maddox. Il nous faudrait l'équivalent du dernier modèle que vous avez sorti, la " Stallion ". La dernière Courmont, la " Fleur " n'est pas une réponse.

– C'est exactement ce que je me disais ce matin, commenta Noël.

– Courmont a des ennuis, ajouta le Français. La " Fleur " se vend, mais pas suffisamment pour justifier le coût de la production. En dépit de la campagne publicitaire de Prune de Courmont, la société risque de prendre un sacré bouillon...

– Ils ont des ennuis financiers ? » demanda Noël, intéressé.

L'homme hocha la tête. « Il paraît. Jim Jamieson est un homme d'affaires compétent, mais l'automobile n'a jamais été sa spécialité. Il est obligé de faire confiance à son équipe qui, cette fois, s'est trompée. »

En rentrant chez lui, Noël se remémora cette conversation. Quelque temps auparavant – il travaillait depuis deux ans avec Paul Lawrence – Noël s'était dit qu'il était temps de déménager. Après avoir fait le tour de Bloomfields Hills avec l'agent immobilier qui s'obstinait à lui faire visiter des maisons de dix pièces, Noël jeta son dévolu sur un appartement. De la terrasse, on avait une vue très dégagée sur la ville et, au-delà, sur la banlieue et la campagne. Il y avait peu de meubles mais le savant dégradé des ocres conférait au salon une atmosphère intime, notamment en hiver lorsqu'il faisait du feu dans sa cheminée, un simple rectangle découpé dans le mur, recouvert de briquettes et entouré d'une moulure d'acier. Ne restait de son ancien appartement que le cendrier Ricard et les deux affiches, le Kandinsky et le Mondrian.

Une jolie fille lovée sur le canapé l'attendait. Il déposa un baiser distrait sur ses cheveux blonds et jeta son manteau sur une chaise.

Della Grieves s'étira en souriant. Il était en retard, mais elle avait l'habitude. Ils étaient censés aller dîner au bord du lac, mais ils pourraient y aller le lendemain. Elle se sentait bien ici.

Noël revint de sa douche vêtu d'une robe de chambre bleu marine, les cheveux mouillés. Il ôta le disque que venait d'écouter Della et le remplaça par son concerto préféré de Mozart, puis s'affala sur le canapé, l'air épuisé, sans lui adresser la parole. Cela ne la gênait pas. Les hommes comme Noël Maddox ont toujours beaucoup de préoccupations. Il était complètement polarisé sur son travail au point que Della se demandait parfois s'il cessait vraiment d'y penser lorsqu'ils faisaient l'amour.

« Quoi de nouveau dans le monde des fringues? s'enquit-il enfin.

– Oh! Rien de spécial », répondit-elle en haussant les épaules. Elle sentait qu'il lui posait la question par pure politesse. Son père lui avait acheté une boutique dans un quartier élégant de Detroit. Elle aimait beaucoup son travail, mais elle savait que Noël ne s'y intéressait pas et elle évitait d'en parler.

Ils écoutèrent de la musique jusqu'à ce que Noël s'endorme sur le canapé. Della partit se coucher.

Elle avait fini par s'habituer aux longs silences de Noël, mais ce week-end il exagérait vraiment. Il arpenta l'appartement pendant qu'elle préparait le déjeuner et ils mangèrent sans échanger une parole. A 6 heures, Della, au bord des larmes, décida de réagir.

Noël regardait le crépuscule noyer peu à peu Detroit. La situation de Courmont lui trottait dans la cervelle depuis la veille. Plus il y pensait, plus la chose lui paraissait intéressante. C'était une bonne firme et, bien gérée, elle pourrait devenir juteuse. Sa décision prise, il appela Paul Lawrence. Ce dernier lui dit qu'il en parlerait au président du conseil d'administration mais qu'il pouvait, d'ores et déjà, entamer des négociations avec Courmont.

Della, qui regardait par la fenêtre, se retourna brusquement, les yeux pleins de larmes. « Noël, dit-elle, qu'y a-t-il ? »

Il la regarda, confus. Della était charmante et ne méritait pas pareil traitement. Il avait conscience de la négliger. Tout un lot de filles jolies et agréables comblait le vide sentimental de son existence, mais aucune n'arrivait à la cheville de Prune de Courmont. La vision qu'il avait eue d'elle à l'orphelinat l'avait marqué au fer rouge. Il la revoyait aussi à la soirée bostonienne, ravissant bourreau en robe écarlate, le crucifiant avec ces mots : « *Vous êtes Noël Maddox, de l'orphelinat Maddox.* »

Il entra dans la cuisine et Della entendit le bruit du réfrigérateur qu'on ouvre, puis celui des glaçons tintant dans les verres. Il préparait des cocktails.

« Martini ? » proposa-t-il en lui tendant également un petit paquet bleu. Il lui sourit d'un air si contrit que Della, comme d'habitude, se sentit fondre. Elle ouvrit la petite pochette de daim bleu et en sortit une paire de créoles en or.

« En passant chez Tiffany la semaine dernière, j'ai pensé à toi. D'après le vendeur, c'est la grande mode.

– C'est vrai. J'adore ça. » Elle l'embrassa tendrement. « Merci, Noël.

– Dis-moi, Della, je dois me rendre en Europe pour affaires la semaine prochaine. Tu veux venir ? »

Elle avait des millions de raisons pour refuser, mais elle savait qu'elle les rejetterait. « Oui, bien sûr », dit-elle en l'embrassant.

57

Alice pensait que Jim aurait dû passer la main depuis longtemps. Il était trop âgé pour filer à Paris à tout bout de champ afin de résoudre les difficultés de Courmont. C'est pourquoi elle avait insisté pour que M. Maddox descende ici.

Elle poussa un soupir. Si elle trouvait Jim trop vieux pour voyager, que dire d'elle? Quand Paris avait-il aperçu Alice Bahri Jamieson pour la dernière fois? Aux obsèques de sa chère Caro. Sa vieille amie était le dernier lien qui la rattachait à Paris. A présent, elle passait son temps à s'occuper de son jardin ou à rester tranquillement assise sur la terrasse à contempler la mer et à songer au passé. Même son petit chat était vieux, lui aussi. Il dormait des jours entiers sur ses genoux.

Alice ne se souvenait pas du jour où elle avait commencé à se réfugier dans ses souvenirs au lieu de penser à l'avenir, mais quelle étrange sensation! Comme si le temps qui lui était imparti touchait à sa fin. Elle commençait à se sentir vieille. Ses os la faisaient souffrir et elle s'ankylosait, bien qu'elle continuât à se promener sur le chemin de ronde et à se baigner dès le printemps. Les changements intervenus dans le paysage de la Côte d'Azur la bouleversaient. Cette région si sauvage, si belle, avait été peu à peu livrée aux promoteurs immobiliers et aux hordes de touristes. Son coin n'avait été préservé que grâce à Jim qui, quarante ans plus tôt, avait racheté tous les terrains autour de chez eux. Quarante ans! Où donc s'était enfui le temps?

Dieu merci, elle adorait ses enfants et ses petits-enfants qui lui rendaient régulièrement visite. Elle aimait écouter leurs histoires et partager leurs expériences.

Amélie et Gérard avaient toujours été si heureux ensemble! Et c'était merveilleux de recevoir la visite de Laïs et Ferdi qui vivaient dans leur château en Allemagne et dont l'amour et la tendresse étaient si touchants. Bien sûr, elle voyait davantage Léonore parce que celle-ci dirigeait l'hostellerie en été, ne rentrant en Suisse que pour la saison d'hiver. Elle avait parfaitement réussi. Grâce à son énergie et à son entregent, elle avait rendu célèbres les deux hôtels dont elle avait la charge. Et, bien sûr, il y avait Prune.

Alice caressa le chat sur ses genoux, en contemplant la mer si calme, si bleue. Quelques voiliers se profilaient à l'horizon et un yacht faisait route vers Monte-Carlo. Le bruit de ses puissants moteurs troublait le calme de cette matinée. Cette vision, comme toujours, fit resurgir le souvenir de Gilles de Courmont. En dépit de son âge, il ne se passait pas un jour sans qu'elle y pensât. Il ne faisait aucun doute que le fils de Prune lui ressemblait mais elle était sûre que le jeune Will Launceton, en grandissant, ne deviendrait pas satanique comme son arrière-grand-père.

La nouvelle de l'accident de Will l'avait terriblement affectée et elle avait voulu se précipiter à Londres mais Jim, jugeant ce voyage fatigant pour elle, avait insisté pour qu'elle reste. Il avait fait un saut là-bas et était resté auprès de Prune jusqu'à ce qu'Amélie arrive de Floride. Tous deux l'avaient aidée à supporter cette épreuve.

Dieu merci, l'état de Will s'améliorait de jour en jour, mais, maintenant, c'était Prune qui n'allait pas bien. Jamais son activité professionnelle, pour intense qu'elle fût, ne pourrait remplacer l'amour qui manquait si cruellement à sa vie. Alice se demandait si elle avait bien fait de conseiller à Prune de rester avec Harry. Peut-être lui avait-elle ôté toute chance de trouver le bonheur. Prune s'était réinstallée à Launceton pour être près de son fils et peut-être cet accident qui avait bien failli tourner à la tragédie les avait-il rapprochés. Elle l'espérait pour l'enfant.

Jim bavardait avec Noël Maddox dans le salon. Les deux hommes étaient assis de part et d'autre de la table basse, un plateau à café entre eux. Noël avait appelé de Detroit la semaine précédente, expliquant qu'il se rendait en Europe pour affaires et se proposait de rencontrer Jim afin de discuter de certains points qui l'intéressaient. Jim avait pensé que la grande firme américaine allait lui faire une offre pour fabriquer la « Fleur » en Amérique sous licence française.

Il fut surpris de la précision avec laquelle Noël cita certains chiffres et notamment ceux des ventes de la « Fleur ». U.S. Auto, annonça-t-il, souhaitait racheter partiellement la société Courmont. 75 pour cent des parts pour l'U.S. Auto, les 25 autres restant la propriété des Courmont.

« Ce n'est qu'une base éventuelle de négociations, naturellement, ajouta Noël. Mais je crois que nous pouvons vous garantir, monsieur Jamieson, que 25 pour cent de la nouvelle société Courmont rapporteraient davantage à la famille que la totalité des actions, tel que la firme marche actuellement.

– C'est loin d'être sûr, répliqua Jim, un peu agacé par son assurance. En tout cas, je vous félicite. Vous en savez long sur notre société. Il y a toutefois un détail que vous semblez ignorer en dépit de son importance : j'ai été président de cette société pendant vingt ans, mais je ne faisais que représenter mon gendre, Gérard de Courmont. Je ne suis pas habilité à négocier, monsieur Maddox.

– Donc, il faudrait que je rencontre Gérard de Courmont ? demanda-t-il, furieux d'avoir, dans sa hâte, négligé de se renseigner sur la structure familiale de la société. Avec vous et le reste du conseil d'administration, je présume ?

– Pas nécessairement, répondit Jim, s'amusant assez pour oublier le choc que lui avait causé cette offre de rachat. Voyez-vous, il y a cinq ans, quand sa fille a commencé à travailler réellement dans la société qui devait lui revenir un jour, Gérard de Courmont lui a fait cadeau de ses parts. C'est donc elle qui contrôle la firme et qui, seule, pourrait prendre la décision de la vendre. Je doute qu'elle en ait envie, en dépit de votre proposition alléchante. Prune est très " famille ", monsieur Maddox. Elle travaille beaucoup et elle est décidée à redonner à Courmont la faveur dont la marque jouissait autrefois auprès du public. »

Noël demeura impassible. Il rangea ses papiers dans son attaché-case qu'il referma avec un bruit sec. Au cours des années, il avait acquis une maîtrise de soi qui lui donnait l'expression anonyme d'un joueur de poker, mais, en réalité, il était irrité contre lui-même. Se tromper d'interlocuteur était une erreur grave et il le savait. Prune de Courmont, son rêve d'adolescent, se glissait entre lui et ce qu'il désirait le plus au monde : la présidence et le contrôle de Courmont États-Unis.

« Ma femme et moi serions ravis de vous garder à déjeuner », proposa cordialement Jim. Il n'éprouvait aucune animosité envers le jeune Maddox. C'était un homme d'affaires qui faisait son travail. En outre, il avait pris un avion de bonne heure le matin pour venir le voir, il lui paraissait correct de l'inviter à déjeuner.

Noël hésitait. Il se sentait idiot et mal à l'aise, mais, d'un autre côté, Jamieson lui semblait un type bien. Pendant des années, il s'était démené pour relancer l'affaire de la famille. On ne pouvait s'attendre qu'il fût emballé par l'idée de revendre la société. De surcroît, Noël ressentait une certaine curiosité à l'égard de la grand-mère de Prune, la légendaire Alice dont lui avait parlé Della. « Volontiers, lui répondit-il en souriant. C'est très aimable de votre part. »

Le fait qu'Alice fût à présent une vieille dame n'empêcha pas Noël de lui lancer des regards furtifs pendant tout le déjeuner. Elle était encore très belle avec une peau lisse, mis à part le fin réseau de rides qui entourait ses yeux obliques et dorés. Lorsqu'elle souriait, elle avait un tel charme qu'on comprenait qu'elle ait pu être considérée comme une grande beauté de son temps. Prune, sans ressembler vraiment à sa grand-mère, avait son visage triangulaire et son sourire.

Alice avait rencontré des douzaines de jeunes cadres brillants pendant les vingt ans de présidence de Jim, mais aucun comme Noël Maddox. On sentait une tension derrière son sourire, un courant souterrain tumultueux sous cette façade de calme et de maîtrise de soi. Pendant tout le déjeuner, Jim et lui parlèrent de la vie aux États-Unis et comparèrent leurs expériences. Pourtant, Alice avait le sentiment qu'il pensait à autre chose. Il semblait n'éprouver aucune difficulté à être deux personnes à la fois... Comme Gilles de Courmont jadis. C'était un homme étrange et secret.

Ils finirent de déjeuner puis allèrent prendre le café au salon. A ce moment, le téléphone sonna. Noël détourna poliment la tête lorsque Alice décrocha. « Prune ? Où es-tu, chérie ? Hein ? A Barcelone ! Je t'entends à peine... Parle plus fort... Calme-toi et dis-moi ce qui se passe. » Elle écouta un long moment en silence puis dit : « Pourquoi ne viendrais-tu pas nous rejoindre ? Nous pourrions en parler. Harry ne peut pas t'enlever Will comme ça, voyons ! Il faut un jugement du tribunal. Il l'a ? Oh ! Mon Dieu ! Je vois, il veut divorcer pour épouser Augusta... Écoute, chérie, donne-moi le numéro de téléphone de ton hôtel. L'hôtel Recuerdo ? Connais pas... Je te rappellerai ce soir. Et, quand tu en auras assez d'être seule avec tes pensées, viens nous voir. C'est réconfortant d'être entouré des siens dans ces moments-là. Oui, oui, moi aussi je t'aime, mon trésor. »

Oubliant la présence de Noël, Alice se tourna vers Jim d'un air las. « Tu as compris, j'imagine. Harry demande le divorce et interdit à Prune de remettre les pieds à Launceton. Il a son fils et il possède un jugement provisoire du tribunal, disant qu'elle est une mère irresponsable et qu'en conséquence la garde de l'enfant, etc. Harry lui impute l'accident de Will. Naturellement, Prune est très culpabilisée. Elle s'est enfuie à Barcelone parce que c'était le premier avion sur lequel elle a trouvé de la place. Elle veut rester seule pour réfléchir à tout cela.

– J'ai envie d'aller la rejoindre », suggéra-t-il, ne supportant pas l'idée que Prune fût toute seule dans une ville étrangère, sans personne pour l'aider.

« Elle savait que tu dirais ça, et elle m'a demandé de t'en dissuader. Elle est plus calme à présent. Elle s'attendait bien à divorcer de Harry un jour ou l'autre et elle est attristée de l'échec de son mariage, mais pas bouleversée. En revanche, l'histoire de son fils la rend malade. Elle répète sans arrêt que c'est vrai, qu'elle est responsable de l'accident. Je ne sais plus que lui dire. »

Alice sentait soudain son âge. Elle était fatiguée et déprimée. La vie de Prune tournait mal et, pour une fois, elle ne savait pas quoi faire pour elle.

Noël toussota et posa sa tasse de café. « Il va falloir que je rentre... Merci pour tout. »

Alice parut soudain se souvenir de lui. « Je suis navrée, s'excusa-t-elle. Je ne voulais certainement pas troubler vos discussions avec ces problèmes familiaux.

– Pas du tout, madame... je comprends très bien. D'ailleurs nous en avons terminé... en tout cas pour le moment », ajouta-t-il en souriant à Jim.

La grosse limousine blanche d'U.S. Auto, conduite par un chauffeur, l'attendait devant la maison. Il se fit déposer à l'aéroport et prit l'avion pour Paris.

La suite du Crillon était vide et Noël se rappela que Della avait profité de son absence pour aller visiter Versailles. Il fit ses bagages, téléphona à un fleuriste pour faire envoyer des fleurs à Della, puis fit prendre un billet d'avion par le concierge. Une demi-heure plus tard, il quittait l'hôtel. Avant de refermer la porte de sa chambre, il se retourna. La pièce était remplie de roses et il avait laissé une lettre à Della. Dans l'enveloppe, il avait glissé son billet de retour. Tout était réglé.

Il arriva à l'aéroport juste à temps pour prendre l'avion de Barcelone.

Quatrième Partie

58

Prune déambulait dans le magnifique parc Guell de Barcelone sans rien voir de ce qui l'entourait. Elle avait arpenté les rues de la ville et les *ramblas* toute la matinée pour échapper à la petite chambre où elle avait passé la nuit.

Elle était à présent certaine d'avoir définitivement perdu Will. Harry l'avait fait suivre à Paris pendant des mois – non qu'elle cherchât à cacher quoi que ce fût, mais elle n'éprouvait pas l'envie de parler de sa vie avec lui. Après tout, c'était les infidélités de Harry qui avaient brisé leur ménage, et non les siennes. Et maintenant, il allait se servir de ses quelques aventures pour essayer d'obtenir la garde de Will.

Harry lui avait fait observer que le juge ne pouvait être qu'indigné par la conduite d'une mère qui vivait à Paris alors que son fils habitait l'Angleterre. Prune avait objecté qu'elle voyait Will dès qu'elle avait un moment de libre, mais Harry s'était montré implacable, ne manifestant aucun remords. Sans aucun doute, la considération dont il jouissait dans *l'establishment* jouerait en sa faveur. Il saurait s'attirer la sympathie du tribunal.

Enfin, Harry lui avait expliqué que, si elle contestait quoi que ce fût et révélait ses infidélités, toute l'histoire s'étalerait dans les journaux, ce qui aurait des conséquences désastreuses pour Will. En tout serait sa faute. En revanche, si elle acceptait les dispositions concernant l'enfant, les choses se feraient discrètement. Pourquoi l'obliger à prouver publiquement qu'elle avait été une mère lamentable? Elle n'en perdrait pas moins Will.

Prune s'assit sur le mur de mosaïque réalisé par le célèbre artiste Gaudi sans même remarquer son étrange beauté. Elle fixait du regard un petit garçon qui faisait des tours de bicyclette. L'enfant solitaire symbolisait tout ce qu'elle avait perdu et elle se mit à pleurer. Elle ne pouvait pas gagner. D'aucune façon.

Noël l'observait, caché derrière un arbre. Il était entré de très bonne heure dans le bistrot qui faisait face à son hôtel. Tout en partageant sa table avec les ouvriers qui venaient boire un café avant de partir au boulot, il avait guetté Prune. Celle-ci avait émergé deux heures plus tard de sa pension de famille, pâle, les traits tirés, dissimulée derrière de grosses lunettes noires. Le moment semblait mal choisi pour l'aborder. Il l'avait suivie jusqu'ici et la regardait contempler l'enfant, les yeux pleins de larmes. N'en pouvant plus, Noël s'avança vers elle. « Prune, laissez-moi vous aider », dit-il.

Elle se retourna, ahurie, et reconnut aussitôt les yeux gris, les joues creuses d'un homme surgissant de son passé. « Vous êtes Noël Maddox, dit-elle.

– De l'orphelinat Maddox », précisa-t-il avec un sourire narquois.

Non sans remords, Prune se remémora la soirée à Boston. « J'ai cru que vous alliez me tuer quand j'ai dit ça, dit-elle, et je vous comprends. C'était vraiment stupide... impardonnable, mais j'étais si contente de mettre enfin un nom sur votre visage! »

Il haussa les épaules. « C'est le passé. J'ai l'impression qu'il vaut mieux se pencher sur votre avenir. Venez avec moi, allons prendre un café et vous me raconterez tous vos ennuis. »

Prune ne comprenait pas pourquoi il était si simple de parler à Noël. Peut-être sentait-elle qu'il n'était pas homme à la juger sur sa stupide histoire avec Harry, comme devait le faire sa propre famille. Elle savait qu'il lui donnerait un avis impartial et la conseillerait judicieusement. Il l'écouta avec attention, assis en face d'elle, fort et rassurant. « Je ne sais pas quoi faire », conclut-elle, l'air désemparé.

Noël regarda sa montre. « Il est 7 heures du matin à New York. Je vais appeler mon avocat qui me dira avec qui prendre contact à Londres. Avez-vous une copie du jugement provisoire? »

Elle fouilla dans son sac. « Le voici. »

La suite de Noël au Ritz, avenue José-Antonio, était vaste et luxueuse. Elle arpenta son salon tandis que Noël téléphonait et regarda par la fenêtre la marchande de fleurs dans son kiosque.

« Entendu... John Marcher... oui, j'ai noté le numéro. Je vais l'appeler immédiatement, merci, Bill. Je vous tiendrai au courant. Oui, je suis d'accord. Au revoir. »

Prune le regarda, nerveuse, repensant aux menaces de Harry. Noël composa le numéro de l'avocat londonien. Il intercepta le regard de la jeune femme et lui sourit. « Vous n'allez pas abandonner Will sans vous battre, n'est-ce pas ? » lui dit-il pour l'encourager.

Prune n'eut pas le courage d'entendre la seconde communication. Elle alla s'enfermer dans la salle de bains et se regarda dans la glace. Sous la lumière crue, sa figure était pâle et ses yeux bouffis. Noël devait la trouver dénuée de charme et idiote. *Pourquoi l'aidait-il ainsi ? Et d'où venait-il ?* Il était sans doute à Barcelone pour affaires et avait gardé un peu de temps pour visiter la ville. De toute façon, toute aide, d'où qu'elle vînt, lui serait précieuse. Noël était calme, logique, exactement le genre d'homme dont elle avait besoin dans ce cas précis.

« Prune ! » appela-t-il. Elle sortit de la salle de bains, recoiffée, un peu de rouge aux lèvres. « Tout est arrangé, lui dit-il. Pour l'avocat, il est évident que Harry essaie de vous faire le coup de l'intimidation pour vous prendre votre fils. Selon lui, la vie sentimentale de votre mari est aussi connue que ses livres et sa liaison avec Augusta tout ce qu'il y a d'officiel. Vous n'aurez aucun mal à lui intenter un procès en divorce. Inutile de vous préoccuper de ce que vous faites quand vous êtes seule à Paris. »

Ses yeux gris se posèrent avec insistance sur les siens et Prune détourna la tête. « Mais Will ? demanda-t-elle. Je ne veux pas qu'il souffre de tout ça.

– Il souffrira bien davantage s'il perd sa mère, répondit Noël, agacé. Ressaisissez-vous, Prune et essayez de raisonner convenablement. »

Elle le regarda, surprise. Il semblait si dur, soudain, si froid ! « Quelle est la suite du programme ? demanda-t-elle d'une petite voix.

– L'avocat nous rappellera demain. Entre-temps, il va essayer de faire annuler ce jugement provisoire. Il connaît naturellement les avocats de Harry et il va négocier avec eux. Je crois qu'ils arriveront à un compromis supportable pour vous deux. Ce que je peux vous promettre, Prune, c'est que vous ne perdrez pas votre fils. »

Elle regarda le visage viril et séduisant de Noël et son angoisse céda. Elle sentait qu'il n'était pas homme à raconter n'importe quoi. Le tourment des jours précédents commençait à s'apaiser. Elle s'approcha de lui et l'embrassa sur la joue. « Merci, dit-elle, je ne sais pas ce que j'aurais fait sans vous. Tout était si confus dans ma tête... je ne voyais aucune issue.

– Il y en a toujours une, répondit-il en l'entourant de ses bras. Il faut simplement la chercher.

– Que faisiez-vous dans le parc ce matin? demanda-t-elle. Pourquoi êtes-vous venu à Barcelone? »

Il contemplait ce visage dont il avait rêvé tant d'années, les pommettes hautes, le nez droit, les yeux bleu foncé, la bouche si tentante. Il aurait été facile de prendre ses lèvres.

« Êtes-vous un ange de la miséricorde envoyé par Dieu?

– C'était le destin, j'imagine », répondit-il évasivement.

L'avion de la British Airways, en provenance de Madrid, se posa à l'heure prévue à Heathrow Airport. Prune regroupa ses affaires à la hâte. « S'il vous plaît, ordonna l'hôtesse, restez assise jusqu'à l'extinction du signal lumineux. » Prune se rassit avec un soupir. Ce vol, qui pourtant n'était pas bien long, lui avait semblé interminable.

Noël l'avait déposée à l'aéroport avant de prendre lui-même un avion pour Paris. Sa présence calme et efficace lui manquait déjà. Il s'était si bien occupé d'elle! Il avait décidé de rester avec elle en Espagne jusqu'à ce que les avocats se mettent d'accord.

Ils avaient passé quelques jours à Barcelone, puis, ayant épuisé les plaisirs de cette ville, étaient partis pour Madrid.

Cette fois, ils séjournèrent dans le même hôtel, mais Noël retint une suite pour Prune et une chambre pour lui-même. Ils explorèrent la ville, visitèrent le Prado, puis louèrent une voiture – une Seat dans laquelle ils s'installèrent avec le fou rire tant elle était petite. « Je suis plus grande que vous, se plaignit Prune, dont les genoux remontaient au menton.

– Oui, mais moi, je suis plus large, ça compense », répliqua Noël.

Le soir, ils flânaient dans la ville, buvaient du sherry dans un bar de la Plaza Mayor et dînaient dans les *tapas*.

Par une sorte d'accord tacite, ils ne parlaient ni de Harry ni de Will, sauf lorsque Noël téléphonait aux avocats. On lui répondait que les choses suivaient leur cours. Dès qu'il y aurait du nouveau, ils seraient immédiatement prévenus.

« On a l'impression que ça ne progresse pas, dit nerveusement Prune.

– C'est toujours comme ça avec les avocats, répondit calmement Noël. Ils ne disent jamais rien tant qu'ils ne sont pas sûrs du résultat. »

Prune n'avait jamais parlé autant d'elle-même. Les quatre derniers jours, elle raconta à Noël toute l'histoire de sa vie. Elle lui parla de la France, de la guerre, de Laïs et de ce terrible sentiment de culpabilité dont elle avait mis tant de temps à se débarrasser. Elle lui dit combien elle aimait sa grand-mère. Elle lui expliqua qu'elle avait littéralement pourchassé Harry. Elle ne mentionna pas sa maladie, pas plus que les affreuses gouttières d'acier. Elle avait encore honte de sa faiblesse et de la maigreur de ses jambes. Lorsqu'elle lui parla de sa maison de Belgravia, il lui prit la main et lui demanda s'il pourrait venir la voir.

Elle s'était sentie rougir comme une collégienne. « Bien sûr, il faudra venir », avait-elle répondu, se demandant ce que sa phrase signifiait réellement.

« Vous êtes la seule personne qui sachiez ce que je suis vraiment », lui dit-il un soir, en se promenant dans les rues animées de Madrid.

Elle le regarda, étonnée. « Vous voulez dire *qui* vous êtes?

– Je ne suis rien, répondit-il, avec brusquerie. Rien d'autre qu'un orphelin qui a réussi.

– Racontez-moi comment vous avez fait », suggéra-t-elle.

Passant son bras sous le sien, la tête penchée vers lui, elle écouta. De la musique et des rires leur parvenaient des cafés.

A son tour, il lui raconta Luke, Mme Grenfell, l'entraîneur, M. Hill, le lavage de voitures, le travail au garage de Joe et sa passion pour les moteurs qui l'avait propulsé au bout de quelques années à la vice-présidence d'U.S. Auto. « Quelle coïncidence étrange que nous soyons tous deux dans la même branche, ajouta-t-il.

– Ça me revient, maintenant, dit Prune. Quand je vous ai vu à l'orphelinat, vous vouliez que je vous montre le moteur de notre voiture. Vous étiez déjà passionné par la mécanique.

– Je le suis toujours.

– Vous n'avez pas de femme? Pas de maîtresse? »

Leurs regards se croisèrent. « Non, ni épouse ni maîtresse », répondit-il avec gravité.

Elle s'était demandé s'il allait l'embrasser mais il avait simplement dit : « C'est la première fois que je parle de moi à quelqu'un, et sans doute la dernière. Si je l'ai fait, c'est que, d'une façon mystérieuse, vous semblez avoir eu un rôle dans ma vie dès que je vous ai connue. »

Ensuite, ils avaient pris un dernier verre dans un café et écouté des joueurs de guitare, puis ils étaient rentrés à l'hôtel. Il ne l'avait toujours pas embrassée. Il s'était contenté de lui dire bonsoir.

L'appareil s'immobilisait sur la piste. Elle se leva en se demandant si Noël était déjà arrivé à Paris.

Dans quelques heures, elle allait retrouver Will. Les avocats avaient obtenu la garde partagée. Le divorce serait prononcé aux torts réciproques. Noël Maddox avait gagné la bataille.

59

Noël regagna le Crillon. En son absence, son téléphone avait sonné à plusieurs reprises et un nombre impressionnant de messages venant de Detroit l'attendait, dont l'accord d'U.S. Auto pour le rachat de Courmont. Demain, toute l'équipe du marketing allait débarquer à Paris. Il lui donnerait des directives sur la conduite à tenir, puis les emmènerait dîner dans le gay Paris avant de les envoyer « au charbon ».

La liste des concessionnaires Courmont d'Europe était posée sur la table. Les noms les plus importants avaient été soulignés en rouge. Noël avait reçu l'ordre de leur proposer l'exclusivité de la vente de la « Stallion », la nouvelle voiture d'U.S. Auto qui faisait un triomphe en Amérique. Les conditions étaient très favorables, avec la promesse d'un soutien publicitaire et promotionnel important – une occasion qu'ils ne laisseraient certainement pas passer en dépit de leur attachement à Courmont. Noël n'envisageait pas de leur demander de laisser tomber la « Fleur ». Ce n'était pas nécessaire. Entre la « Stallion » et la « Fleur », le client n'hésiterait pas. La Courmont n'avait aucune chance.

La sonnerie du téléphone le fit sursauter.

« Noël ? C'est Prune. Vous allez bien ?

– Très bien, répondit-il, en reculant son fauteuil pour pouvoir poser ses jambes sur la table, mais j'ai eu un boulot fou.

– Oh... je suis désolée. Vous voulez que je vous rappelle plus tard ? Ce n'était rien d'important.

– C'est vous qui êtes importante, répondit tranquillement Noël. En outre, je n'ai qu'une envie, c'est de bavarder avec vous. C'est bien plus intéressant que ce qui m'attend sur mon bureau. »

Le rire léger de Prune retentit à l'autre bout du fil. « Rassurez-vous, cette fois, je ne vous appelle pas au secours. Je voulais simplement vous dire que Will est ici, avec moi à Londres. Depuis que vos avocats sont intervenus, Harry est doux comme un agneau. Il se rend probablement compte qu'il n'a pas le choix, mais c'est quand même plus agréable, surtout pour Will.

– Comment va-t-il ?

– Il doit passer une radio de contrôle à l'hôpital et, si tout va bien, il pourra partir chez grand-mère, sur la Côte d'Azur. C'est le lieu rêvé pour une convalescence. Je vous verrai en passant, Noël ?

– J'aimerais beaucoup, Prune, mais je ne suis pas sûr d'être encore à Paris. Il faudrait que vous me disiez quand, quel jour exactement vous comptez venir.

– Oui... entendu. » Elle semblait déçue. « Je voulais vous remercier encore pour tout ce que vous avez fait. Je ne sais pas comment je me serais débrouillée sans vous.

– Inutile de me remercier, dit-il doucement.

– Vous me manquez, dit-elle soudain. J'aimerais bien me promener avec vous, Noël.

– Moi aussi, vous me manquez, Prune. Plus que vous le devriez. »

Il y eut une pause : « Je vous préciserai ma date d'arrivée à Paris, dit-elle enfin.

– Oui, ce sera plus sûr. » Après avoir raccroché. Noël s'adossa confortablement à son fauteuil et sourit. La vie était bonne, elle prenait enfin tournure.

60

Will observait Noël d'un air méfiant. Sa mère, tout sourire et douceur, semblait très heureuse. On sentait qu'elle voulait qu'il aime M. Maddox. C'est Noël qui avait eu l'idée saugrenue de les emmener déjeuner, sa mère et lui, sur le bateau-mouche. Will trouvait un peu ridicule de manger, les yeux fixés sur de vieilles baraques illuminées par des projecteurs, mais comment aurait-il pu refuser ? Il aurait de beaucoup préféré un hamburger et des frites, suivis d'une séance de cinéma aux Champs-Elysées, mais cet Américain le prenait manifestement pour un touriste, lui qui connaissait Paris aussi bien que Londres, c'est-à-dire bien mieux que M. Maddox.

« Regarde, Will ! s'exclama Prune tandis que le bateau passait sous le pont Sully, d'ici on voit la maison. »

Will se leva pour mieux observer. « C'est là que vous habitez ? demanda Noël, épaté, contemplant les imposantes façades de pierre.

– Celle qui fait le coin, s'écria Will, tout excité, juste là ! »

Quelques personnes se retournèrent. « Doucement, chéri, dit Prune en riant. La maison a été bâti par un Courmont au XVIIe siècle, expliqua-t-elle à Noël. Elle est assez célèbre. J'y ai fait des tas de transformations. A présent, elle travaille pour subsister, comme la famille. Elle fait partie de la société Courmont. C'est son image parisienne, en quelque sorte.

– Maman, regarde! s'exclama Will, contemplant les gargouilles de Notre-Dame éclairées par les projecteurs.

– Vous voyez... il s'amuse, finalement », murmura Prune.

Noël haussa les épaules. « Je n'ai pas l'habitude des enfants ni de ce qui leur plaît, mais je suis persuadé qu'il aurait préféré avaler un hamburger et aller voir le dernier James Bond. »

Will se retourna et lui sourit gentiment.

« C'est sans importance, monsieur, dit-il. Nous pourrons voir le James Bond demain.

– Promis », dit Noël en lui rendant son sourire.

Ensuite, ils rentrèrent à l'hôtel Courmont. Pendant que Prune couchait Will, Noël erra dans les salons, contempla l'imposant escalier de marbre, les chérubins sur le plafond, et essaya d'imaginer Prune enfant dans cette maison. Il regarda longuement le portrait d'Alice peint par Sargent. Elle y était d'une beauté saisissante, moulée dans une robe à sequins, les bras en croix, une panthère endormie à ses pieds.

« C'est ma grand-mère, expliqua Prune derrière lui.

– Je sais, répondit-il.

– Venez voir Gilles de Courmont », suggéra-t-elle en l'entraînant vers le hall. Il vit un bel homme aux traits austères, avec quelque chose de pervers dans le dessin des lèvres. Ses yeux, bleu foncé comme ceux de Prune, semblaient vous suivre dans la pièce. Au-dessous du portrait, sur une petite plaque dorée, il lut : « Gilles, quatrième duc de Courmont ».

« Je lui parle quelquefois, dit Prune.

– De quoi?

– Oh... des décisions que je compte prendre et qui concernent sa société. Je lui promets de faire de mon mieux pour gagner.

– Et vous le faites?

– J'essaie, soupira-t-elle.

– Dites-moi, Prune, vous avez joué à la marelle sur ces dalles de marbre? »

La vision des gouttières d'acier et les courroies de cuir abhorrées s'imposa soudain à elle. « Je n'ai jamais joué à la marelle », répondit-elle sèchement.

Ils entrèrent dans le salon et s'installèrent face à face sur les canapés de cuir blanc placés de part et d'autre de la cheminée. Un lustre vénitien du XVIIe siècle était suspendu au-dessus d'eux. Une femme de chambre apporta du café et posa le plateau sur la table basse.

« Will est un enfant sympathique et intelligent, observa Noël. Il savait que j'avais commis une erreur en l'emmenant sur le bateau-mouche, mais il m'a laissé m'en tirer.

– Vous savez, moi aussi je fais des erreurs. Avec les adolescents, on ne gagne jamais. Ils sont toujours une marche devant vous.

– Un jour, cette maison lui appartiendra, dit Noël, rêveur, en buvant son café.

– Oui, ainsi que ce qui restera de l'empire de son arrière-grand-père. » Elle le regarda d'un air hésitant. « Ça m'ennuie vraiment de vous barber avec ça, Noël, vous avez déjà fait tellement pour moi, mais je voudrais connaître votre opinion. Je sais que vous êtes un ponte de l'industrie automobile. »

Il la regarda ôter ses chaussures à talons plats – sans doute pour ne pas paraître plus grande que lui – et replier ses jambes sous elle. La tête appuyée sur sa paume, elle le considéra avec sérieux. Dans sa robe corail, avec sa peau dorée et ses cheveux cuivrés, elle était éblouissante.

« La " Fleur " ne se vend pas aussi bien que nous l'escomptions, dit-elle. Cette voiture était censée faire redémarrer Courmont, concurrencer la Datsun, la Fiat et la Volkswagen. C'est une bonne voiture, Noël, peut-être un peu chère pour sa taille, mais solide et bien finie. Les poignées de portes ne vous restent pas dans les mains et elle démarre au quart de tour, même par moins dix degrés.

– La " Fleur " est une bonne petite voiture, renchérit Noël avec précaution.

– Mais alors? Pourquoi se vend-elle si mal? Tous nos concessionnaires se plaignent. Ils sont fidèles à Courmont depuis des années, mais la " Fleur " est là, dans leur vitrine, au lieu de rouler sur les routes.

– Vous voulez que je vous dise la vérité? »

Elle le regarda, anxieuse. « Elle est si inquiétante?

– La " Fleur " est trop petite et trop chère. L'erreur a commencé dès sa conception. Cette voiture, c'est une réponse sans question. Il n'y a pas de marché pour ce genre de modèle. Elle hésite entre deux genres. Trop grande pour une petite voiture, trop petite pour une familiale. L'arrière est si exigu qu'il faut choisir entre le chien et les enfants. La ligne n'est pas non plus très originale. C'est une réplique des précédentes. Si vous voulez mon avis, Prune, vous devriez virer toute l'équipe du service d'études. »

Elle le regarda, effarée. « La " Fleur " était censée sauver la société, protesta-t-elle. Nous avons investi des sommes considérables pour la produire. »

Noël haussa les épaules. « Je suis désolé... vous vouliez la vérité. Bien sûr, vous pouvez demander un autre avis que le mien, mais tout le monde à l'U.S. partage mon opinion.

– Au début, les réactions ont été excellentes, dit Prune. Bien que les critiques dans les revues spécialisées ne nous aient pas gâtés. Après tout, ils avaient peut-être raison.

– Il y a toujours une réaction positive à un matraquage publicitaire, répondit Noël. Entre parenthèses, je vous félicite de votre campagne. Elle était excellente et vous y étiez superbe. »

Elle s'efforça de sourire. « Noël, vous rendez-vous compte de ce que signifierait un échec commercial avec cette voiture ? La société ne pourra plus continuer. La " Fleur " leur a coûté beaucoup trop cher.

– L'erreur, c'était de viser trop bas, expliqua Noël. Courmont devrait concurrencer Mercedes et non pas Volkswagen ! Le vieux type du portrait avait raison. Il a créé du haut de gamme et n'a vendu que ça. C'était son image de marque. Votre visage ne devrait vanter que le cher, le luxueux, le genre Porsche ou Mercedes, et non une petite bagnole pour épouses banlieusardes qui font leur marché. On est vraiment loin de l'image Courmont. Changez votre équipe, faites dans le luxe, Prune, et vous gagnerez. »

Elle était assise bien droite, les mains sur les genoux, comme une petite fille écoutant la maîtresse d'école. Noël remarqua le vernis corail de ses ongles de pied et la douceur de ses jambes nues. Sa robe était très décolletée et à la lueur des bougies, sa peau luisait à la naissance de ses seins. Il fit un effort pour détourner son regard.

« Ça semble si simple, si logique quand vous l'expliquez, soupira-t-elle. Vous avez raison. Je crois que nous faisons fausse route. »

Noël lui sourit. « Les gens me paient très cher pour ce genre de conseil. Suivez-le. Je vous garantis que ça marchera.

– Accepteriez-vous de venir travailler chez nous et de nous montrer comment il faut faire ? »

Noël se leva et s'étira. « Prune, j'ai bien peur d'être trop cher pour Courmont. »

Elle le raccompagna, pieds nus, à la porte. La nuit était tiède et un long ruban de lumières scintillait le long de la Seine. Ils demeurèrent un instant immobiles sur le perron. « Vous seul pouvez sauver Courmont, Noël, dit-elle avec toute la persuasion dont elle était capable. Personne d'autre ne comprend vraiment le problème. »

Il se mit à rire. « Dans ces conditions, j'y réfléchirai. » Il se pencha vers elle et posa un baiser léger sur ses lèvres. « Bonne nuit, Prune. »

Elle descendit les marches derrière lui. « Noël... bonsoir. »

Il lui fit un signe de la main. » Je vous appellerai demain », dit-il.

Prune attendait Noël chez Maxim's. Il n'y avait que trois femmes, dont elle, dans le restaurant. A l'heure du déjeuner, la clientèle était essentiellement masculine. Elle avait rendez-vous avec Noël pour parler affaires et se sentait nerveuse pour deux raisons : d''une part, elle ne pouvait s'empêcher de repenser au léger tremblement de ses lèvres lorsqu'il l'avait embrassée – ou bien était-ce son imagination ? –, d'autre part, la nécessité de suivre ses conseils sous peine de voir Courmont sombrer la déprimait.

Elle le vit entrer, le visage sévère, presque sombre. Il avait l'assurance des hommes qui contrôlent toutes les situations. Elle avait eu ce genre de pensée lorsqu'elle avait vu Harry pour la première fois et la suite lui avait prouvé qu'elle s'était trompée. Cependant, elle aurait parié que Noël n'était pas, contrairement à Harry, un homme à se laisser facilement séduire. Il lui donnait plutôt l'impression de savoir ce qu'il voulait et de faire le nécessaire pour l'obtenir. Ses yeux gris, qui pouvaient avoir une expression si lointaine, s'éclairèrent quand il la vit. Il se faufila entre les tables.

« Prune, je suis désolé, dit-il en lui tendant la main. J'ai eu un coup de fil au moment où je m'apprêtais à partir.

– Rien de grave, au moins ?

– Rien d'assez important pour m'empêcher de vous rejoindre », dit-il d'un ton léger. Il remarqua la bouteille de champagne dans le seau, sur la desserte. « Oh ! Nous fêtons quelque chose ?

– Je l'espère. C'est pour cela que nous sommes ici. »

Le garçon servit le champagne. « C'est déjà une fête d'être avec vous, dit-il gauchement. Vous êtes si belle dans cette robe jaune. Vous êtes fraîche comme un sorbet. »

Prune, qui se souvenait des premiers compliments de Harry, fut satisfaite, qu'il ne donnât pas dans le genre littéraire. « Merci, dit-elle gentiment, c'est le compliment le plus agréable qu'on m'ait fait depuis longtemps.

– Ce n'est pourtant pas ma spécialité, avoua-t-il. Je suis meilleur en affaires.

– Ça tombe bien parce que c'est pour ça que je vous ai invité à déjeuner. J'ai eu Jim Jamieson au téléphone ce matin et il m'a fait part de votre conversation, il y a quelques semaines.

– Effectivement. Nous avons discuté d'un éventuel rachat de Courmont par U.S. Auto.

– Vous ne m'aviez pas dit qu'U.S. Auto pouvait être intéressé par notre société. »

Il haussa les épaules. « Nous n'avons jamais parlé affaires avant hier soir. J'étais en Europe lorsque j'ai entendu parler des difficultés financières de Courmont. J'ai pensé que ce ne serait pas une mauvaise idée d'avoir un premier entretien avec Jim. Cela dit, je n'avais aucune précision sur la structure de la société.

– Quoi qu'il en soit, je lui ai parlé de notre conversation d'hier et il a bien été obligé d'admettre que vous aviez raison. Il pense aussi que Courmont a besoin de vous, Noël. Pas de quelqu'un *comme* vous, mais de *vous.* »

Noël réprima un sourire de triomphe. Il avait gagné. Il allait obtenir ce dont il rêvait depuis longtemps – la présidence de Courmont.

Il savoura un instant sa victoire, puis dit : « Prune, vous

rendez-vous compte de ce que vous me demandez? Vous savez, je suis très cher. L'un des dirigeants les mieux payés d'U.S. Auto et, dans quelques années, peut-être président. Ce n'est pas n'importe quel job, mais un très haut poste. Pourquoi abandonnerais-je tout cela pour sauver une société étrangère qui bat de l'aile? »

Prune regardait les bulles de son champagne. « J'espérais... je ne sais pas... peut-être grâce à notre amitié. Je comprends maintenant que c'était ridicule de ma part et, au fond, injuste pour vous. »

Il lui prit la main. « Notre amitié est bien réelle, mais il faut que j'y réfléchisse. Il y aurait un moyen, mais je ne suis pas certain que ça plaise à Courmont.

– L'essentiel, c'est que ça me plaise à moi! s'écria-t-elle. Courmont, c'est moi, Noël.

– U.S. Auto pourrait peut-être racheter Courmont – tout au moins partiellement – de façon à obtenir un support financier qui nous permettrait de relancer la société. C'est le seul moyen d'obtenir un financement mais cela suppose que vous abandonniez une partie du contrôle de la firme. Si vous vous décidez pour cette option, Prune, je vous promets que Courmont redeviendra l'un des grands noms de l'automobile.

– Je n'ai pas vraiment le choix, soupira-t-elle, déprimée à l'idée de vendre l'affaire familiale en dépit du soulagement que lui procurait ce sauvetage inopiné. Ou bien je perds le contrôle de ma société, ou bien c'est elle qui fait faillite. » Leurs regards se rencontrèrent. « J'ai confiance en vous, Noël. Je suivrai vos conseils. »

Il lui sourit et but une gorgée de champagne. « Ça peut prendre quelques mois avant que j'arrange tout ça. » Il savait que, dans peu de temps, la « Stallion » aurait complètement enfoncé la « Fleur ». Et Courmont aurait désespérément besoin de lui et de l'argent d'U.S. Auto.

« J'attendrai, promit Prune dont les yeux brillaient à nouveau.

– Eh bien, fêtons cela », dit-il en souriant à l'autre rêve de sa vie.

61

Detroit n'offrit pas son meilleur visage à Prune de Courmont. L'habituelle croûte de neige bordait ses rues glaciales et de gros flocons s'écrasaient contre le pare-brise de la confortable limousine d'U.S. Auto qui l'emmenait à l'hôtel Pontchartrain. Emmitouflée dans un manteau de zibeline qui avait appartenu à sa grand-mère, Prune entra dans le hall, suivie des trois porteurs qui avaient chargé ses douze valises de cuir beige. Personne n'aurait pu imaginer, en la voyant, que s'aventurer dans le monde américain des affaires la rendait si nerveuse. Elle avait apporté bien trop de vêtements, faute de parvenir à faire un choix et décidée à épater ces redoutables hommes d'affaires avec ses faibles moyens. Elle avait une réunion demain, au quatorzième étage de la « tour des puissants ».

Noël s'était assuré le concours de la meilleure agence de publicité des États-Unis pour la nouvelle campagne et il avait imposé Prune et l'hôtel particulier de l'île Saint-Louis comme image de marque de leur nouvelle voiture baptisée « Duc ». A son arrivée à l'aéroport, elle avait été aussitôt entourée d'une nuée de photographes, de journalistes et de caméras de télévision. *Mais pas de Noël!* Juste un énorme bouqsuet de roses thé et un mot : « Elles sont toutes pour vous! J'espère qu'elles vous plairont. Je vous appellerai dans la soirée. »

Prune referma la porte de sa suite sur les bagagistes, le directeur de l'hôtel, les femmes de chambre et deux employés, dépêchés par U.S. Auto, pour voir si tout se passait bien. Enfin seule, elle enleva ses bottes et s'affala sur le canapé.

La formation de la nouvelle société avait pris plus longtemps que prévu et il était temps pour Courmont car les ventes de la « Fleur » avaient chuté de façon spectaculaire dès que la « Stallion » était apparue sur le marché. A présent, l'équipe de vente avait hâte de voir ce que la nouvelle société, présidée par Noël

Maddox, allait sortir. La « Duc » était censée être une voiture luxueuse, concurrençant la Mercedes, mais avec une carrosserie à l'italienne, basse et profilée. Demain, toute la presse allait la découvrir...

Prune n'avait pas vu Noël depuis quelques semaines. Il avait fait de fréquents aller et retour à Paris, accompagné d'experts, d'ingénieurs, de carrossiers et de comptables. Enfin, la nouvelle société Courmont était née. Prune attendait ses visites avec impatience, elle comptait les jours et elle était toujours excitée comme une puce le matin où il devait arriver. Elle lui avait proposé de descendre chez elle, dans l'île Saint-Louis, mais il avait préféré retenir sa suite habituelle au Crillon et elle n'avait pas osé insister. Elle avait compris combien elle désirait l'avoir tout à elle, dans sa bonne vieille maison. Juste eux deux.

Lorsque Noël venait à Paris, c'était souvent « juste eux deux ». Quand il ne travaillait pas, naturellement, car Noël faisait passer le travail avant tout. Ils sortaient beaucoup. Prune l'avait emmené en Allemagne pour faire la connaissance de Laïs et de Ferdi dans ce château de contes de fées dominant le Rhin, puis en Suisse, pour un week-end dans l'hôtel familial, mais pas chez sa grand-mère. Elle ne voulait présenter aucun homme à Alice à moins qu'il ne fasse vraiment partie de sa vie, ce qui n'était pas le cas de Noël, bien qu'elle le souhaitât ardemment. Toutefois, elle n'était pas décidée à faire les premiers pas et à se jeter à sa tête, comme elle l'avait fait avec Harry.

Le téléphone sonna et elle se précipita pour décrocher.

« Bonjour, Prune. Bienvenue à Detroit.

– Merci, Noël. Et merci pour les roses. Les fleuristes de Detroit doivent être en rupture de stock maintenant.

– C'était pour me faire pardonner mon absence, répondit-il. J'ai bien peur de ne pouvoir vous voir ce soir. Nous n'avons pas eu le temps de préparer la conférence de presse de demain. Nous allons nous y mettre maintenant. »

Prune sentit toute joie refluer d'elle. « Ça ne fait rien, dit-elle. De toute façon, je suis fatiguée.

– Je passerai vous prendre demain. C'est le grand jour! »

Prune, morose, s'adossa aux coussins du canapé. Elle était seule dans la ville de Noël! Elle avait espéré qu'ici les choses évolueraient entre eux, seraient différentes. Et voilà que, pour sa première soirée à Detroit, Noël la laissait tomber, alors qu'elle aurait eu tant besoin de lui pour la rassurer, pour lui dire que ce qu'elle s'apprêtait à faire demain était la meilleure solution. Quelle choix avait-elle, d'ailleurs? Sans Noël, Courmont aurait coulé depuis trois mois. En fait, sans lui, elle aurait tout perdu.

Noël regardait Prune, assise sur le fauteuil du président d'U.S. Auto, signer le document. Elle leva la tête pour sourire aux photographes, ravissante dans son tailleur bleu marine avec son chemisier de soie et sa cravate rayée – une façon de se moquer gentiment de leur uniforme de cadre supérieur. A son tour, Paul Lawrence apposa sa signature et ils échangèrent une poignée de main pour la photo.

Voilà. Courmont était devenu une division autonome d'U.S. Auto et Noël le plus jeune président jamais élu d'une grande firme automobile. Alors pourquoi se sentait-il aussi abattu alors que cette double signature concrétisait tous ses rêves? Qu'est-ce qui n'allait pas? Il regarda Prune, un peu honteux. Il s'était servi d'elle, il avait tiré profit de la situation critique de Courmont pour lui-même et pour U.S. Auto. Bien sûr, en affaires, c'était de bonne guerre, mais derrière tout cela n'y avait-il pas un peu de vengeance? Jamais il n'avait pu oublier Prune le clouant au pilori par ces mots: « *Vous êtes Noël Maddox, de l'orphelinat Maddox!* »

« Noël, appela Prune, venez ici. Ces messieurs veulent une photo du nouveau président de Courmont. »

Il prit place à côté d'elle, conscient de ses yeux fixés sur lui. Il l'avait instamment priée, lorsqu'ils sortaient ensemble, de ne pas mettre de talons plats et, aujourd'hui, elle lui paraissait particulièrement élancée avec ses cheveux remontés en chignon.

« Noël, vous avez l'air fatigué, lui dit-elle à déjeuner.

– Ça va, grommela-t-il, mais je déteste ces raouts publicitaires. » Il regarda la salle à manger bondée et le buffet pris d'assaut. « Je suis un ingénieur, pas un mondain. »

Le sourire se figea sur les lèvres de Prune.

« Désolé, s'excusa-t-il aussitôt. Je dois être en effet fatigué. Ça a été une longue histoire.

– Les Courmont vous ont épuisé.

– Il n'y a pas que les Courmont. Les vingt dernières années aussi ont fini par m'avoir. »

Après le déjeuner, il la déposa à son hôtel et lui promit de passer la prendre à 7 heures et demie pour le cocktail.

Il arriva à l'heure dans le hall, ne fit aucun commentaire sur sa ravissante robe de Valentino et la fit s'engouffrer dans la voiture comme s'ils avaient le diable aux trousses.

Prune, stupéfaite, contemplait son profil buté. Que se passait-il? Regrettait-il déjà la présidence de Courmont? Ou bien ne jugeait-il plus nécessaire de sortir avec l'ex-propriétaire maintenant que tout était réglé? Peut-être la perspective de vivre une partie de l'année en France ne lui plaisait-elle pas. Elle se perdait en conjectures.

Le hall était décoré de drapeaux américains et français et il y avait une profusion de fleurs bleues, blanches et rouges. Flanquée de Paul Lawrence et de Noël, Prune serra la main de nombreux collaborateurs d'U.S. Auto et de leurs épouses, souriant à chacun d'eux, les appelant par leur nom écrit sur un badge épinglé à leur revers. Ensuite, devant les photographes, elle tira sur le cordon du rideau de velours rouge, dévoilant l'étincelante carrosserie en fibre de verre du nouveau modèle.

« Mon grand-père, le duc de Courmont, aurait été fier de prêter son titre à cette merveilleuse voiture », dit-elle avec un charmant sourire. En dépit du caractère symbolique de cette soirée – une ère nouvelle pour Courmont –, elle la trouva interminable. Lorsque Noël lui proposa enfin de partir, elle en éprouva un vif soulagement. Les rues de Detroit étaient désertes. Dans la voiture, Prune prit impulsivement la main de Noël. « Je suis désolée si cette journée n'a pas été exactement ce que vous souhaitiez, dit-elle tranquillement.

– Je ne l'imaginais pas autrement », répliqua-t-il, se tournant pour la regarder. Dans la pénombre, les yeux mi-clos de Prune semblaient pleins de mystère, son visage vulnérable et doux. Il eut soudain furieusement envie de l'embrasser, de lui dire que tout était bien, qu'il allait veiller sur elle.

La voiture s'arrêta devant une tour et un portier zélé, dans un uniforme impeccable, vint l'aider à descendre de voiture. « J'ai pensé qu'on pourrait peut-être prendre un dernier verre dans mon appartement. J'ai le sentiment d'avoir été suffisamment sous le regard du public aujourd'hui. »

Il mit son bras autour de ses épaules et l'entraîna vers l'ascenseur. « Il n'y a qu'un bouton? demanda Prune, stupéfaite.

– Oui, il ne monte que chez moi, au dernier étage, répondit-il en souriant.

– C'est la première fois que je vous vois sourire ce soir, observa-t-elle. Vous aurez l'air plutôt sévère sur cette photo, vous savez!

– Eh bien, cela donnera la Belle et la Bête. Parce que dans cette colonne de lumière que vous appelez une robe, vous étiez très belle, Prune de Courmont. »

L'ascenseur s'arrêta avec une extrême douceur et les portes s'ouvrirent en glissant. Il l'attira contre lui et dit : « La Bête se transformerait-elle en prince si elle vous embrassait? »

Ses lèvres étaient encore fraîches de l'air de la nuit et il les sentit s'ouvrir sous les siennes. Il respirait son parfum et sentait la douceur de sa peau, la fermeté de son jeune corps.

Il la lâcha enfin et ils se regardèrent longuement. « Venez, dit-il. Vous m'avez montré votre monde; je vais vous montrer le mien. »

Traînant son manteau de zibeline derrière elle, elle erra dans le vaste appartement, remarqua le subtil dégradé des ocres, la lumière intime. Elle contempla longuement le Marie Laurencin tout en ne pensant qu'à ses lèvres, à ses yeux, à son corps contre le sien.

« Venez voir ça », l'appela Noël.

Planté devant la baie vitrée, il contemplait les lumières de la ville. « Voilà Detroit, dit-il. *Motor City.* C'est mon territoire, Prune. C'est de ces rues solitaires et glaciales que je suis parti pour me retrouver ici, tout en haut de cette tour, président de la société où j'ai travaillé autrefois à la chaîne. »

Prune se dit que jamais elle ne saurait ce que Noël avait enduré. Comment l'aurait-elle pu? Elle n'avait connu ni la pauvreté, ni la solitude, ni le dur combat pour arriver au sommet. « C'est un poste pour lequel vous étiez hautement qualifié, Noël, dit-elle gentiment. Si Courmont existe encore, c'est grâce à Noël Maddox. Je ne sais pas ce que je ferais sans vous. »

Il la regarda, se demandant si elle parlait d'elle-même ou de la société.

« Je le pense vraiment », insista-t-elle d'une voix douce.

Le manteau de fourrure glissa sur le sol. Il l'attira contre lui et la serra à l'étouffer.

« Oh! Dieu, murmura-t-il, j'ai attendu si longtemps pour te dire que je t'aimais. Je ne peux pas vivre sans toi, j'ai besoin de toi.

– Pourquoi n'avez-vous... n'as-tu pas... j'attendais...

– J'avais tellement peur que tu me rejettes... je ne l'aurais pas supporté. En outre...

– En outre? » Prune prit sa tête entre ses mains et lui sourit.

« En outre, je ne voulais pas profiter de la situation. A la pensée que quelqu'un aurait pu prétendre que j'avais séduit Prune de Courmont pour m'approprier la société...

– Mais je te l'aurais donnée, Noël! » Elle se mit à rire. « Je te l'aurais donnée sur un plateau d'argent, et moi avec! »

Son baiser écrasa ses mots sur ses lèvres et, lorsque l'embrasser ne lui suffit plus, il la prit par la main et l'entraîna vers sa chambre.

Quand ils furent nus tous les deux, elle murmura : « Tu n'as pas besoin d'un baiser pour te transformer, mon amour. Tu es beau. »

Il l'embrassa et la caressa longuement. Lorsqu'il la sentit trembler de désir, il la pénétra. Elle enroula ses jambes autour de lui et s'adapta à la violence de son rythme. Ils jouirent ensemble.

62

« Il faut que je t'emmène loin de tout ça », dit Noël. Elle venait de se réveiller.

« Non, surtout pas, répondit-elle en se pelotonnant dans ses bras. J'adore cette ville.

– Trop de gens, trop de coups de fil, trop de boulot, dit-il entre deux baisers. J'ai une maison en pleine nature. Exactement ce qu'il nous faut.

– Une maison ? » Elle se redressa, intéressée.

« Prends ton café et habille-toi. Nous irons chercher des vêtements à ton hôtel avant de partir.

Prune but tranquillement son café.

« Il me tarde vraiment que tu voies cet endroit, dit Noël.

– Est-ce que cinq minutes ou même une demi-heure feraient une différence ? » demanda-t-elle en reposant sa tasse. Elle se recoucha, nue, dans les draps froissés et lui tendit les bras.

« Nous avons fait l'amour toute la nuit, protesta-t-il en riant.

– Je crois m'en souvenir », murmura-t-elle en le caressant d'un air malicieux.

Il l'attira vers lui en riant. « Tu es délicieuse, trop tentante.

– Et toi, tu es beau », dit-elle, faisant courir ses doigts le long de son dos. Elle était couchée sous lui et sentait son pénis durci contre elle. Ils échangèrent un long regard passionné. « Je vous aime, Prune de Courmont, murmura-t-il.

– Moi aussi, je t'aime, Noël. Si tu savais comme je t'aime ! »

Les congères qui bordaient la route de chaque côté scintillaient au soleil.

« Où allons-nous au juste ? demanda nonchalamment Prune, l'essentiel pour elle étant de ne pas quitter Noël.

– Attends... tu vas voir. »

Ils s'arrêtèrent en route pour prendre un petit déjeuner. Prune dormit le reste du trajet.

« Ouvre les yeux et regarde ce que Dieu t'envoie », dit Noël, citant de travers une comptine.

Le lac s'étendait devant elle, vert près du rivage, d'un bleu profond au loin. Les sapins couronnés de neige rendaient le paysage féerique. De la maison en rondins s'élevait un mince ruban de fumée.

Main dans la main, ils montèrent la volée de marches. Noël ouvrit la porte. C'était un bungalow moderne et simple avec un plancher en bois clair et une vue merveilleuse sur le lac. Il y avait peu de meubles : un canapé profond couvert de coussins et deux gros fauteuils confortables. Un tapis navajo devant la cheminée, une table en pin et des chaises dans le coin repas. Dans la chambre, un lit recouvert d'une couverture écossaise. L'appartement de Detroit correspondait au personnage que s'était forgé Noël. Cette maison, simple et intime, lui ressemblait davantage.

L'homme chargé de l'entretien du bungalow (son plus proche voisin) avait rempli le réfrigérateur et allumé le feu. Il faisait bon dans la maison. Sur la cheminée, elle remarqua une timbale d'argent. Elle la retourna, cherchant une inscription, mais ne vit rien.

« C'était un trophée de boxe, expliqua Noël. Je l'ai gagné à Maddox à quatorze ans.

– Comment se fait-il qu'il ne soit pas gravé ? »

Le visage de Noël se ferma, une expression qu'elle commençait à connaître.

« Ils n'ont pas eu le temps de s'en occuper. Je me suis enfui le soir même.

– Je comprends... Alors, c'est plus qu'un trophée, Noël. Cette timbale symbolise le début d'une nouvelle vie pour toi. Tu devrais la faire graver à ton nom, avec la date, etc.

– Je le ferai peut-être un jour », dit-il en détournant son regard.

Ils partirent se promener le long du lac. La neige crissait sous leurs pieds. Ils rentrèrent, les joues rouges, les doigts engourdis par le froid. Noël prépara du vin chaud qu'ils burent devant le feu, puis il alla chercher dans la cuisine des fraises de Californie.

« Cinq », annonça Prune en prenant la dernière.

Noël se mit à rire. « Pourquoi les comptes-tu ?

– C'est une habitude. Je compte toujours tout. La première fois qu'un garçon m'a embrassée, j'ai compté combien de minutes durait un baiser. Tu sais qui c'était ? Tom, le frère de Harry.

– Décidément... il faut que je me méfie de tous les Launceton.

– De deux seulement. Archie était trop jeune. Et moi, de qui faut-il que je me méfie ? Tu ne m'as rien dit sur les femmes de ta vie. Tu pourrais bien avoir une petite épouse encalminée quelque part après tout.

– Ce n'est pas le cas. Je te le jure. »

Prune détourna la tête.

« Qu'est-ce qu'il y a ?

– Je suis jalouse de toutes ces femmes que tu as tenues dans tes bras et que je ne connais pas.

– Espèce de folle ! dit Noël en embrassant ses doigts. Il n'y a pas eu de femme dans ma vie avant toi.

– Vraiment, Noël ? » Elle s'assit et le regarda avec gravité. « Tu n'as aimé personne ?

– J'ai tenu à une ou deux femmes, mais sans plus. Mon travail m'a toujours intéressé davantage.

– Ou plutôt ton ambition, corrigea Prune.

– Oui, c'est vrai. En tout cas, c'était avant toi. Je veux te demander en mariage mais je meurs de trouille que tu refuses. »

Prune se recoucha avec un rire de bonheur. « Je te préviens, si tu me le demandes, je dis oui. »

Il s'agenouilla près d'elle. « Tu veux bien m'épouser ?

– Oui, mon amour. J'en meurs d'envie. »

63

Alice présidait la tablée familiale, vêtue de dentelle noire, de lourdes boucles en diamant aux oreilles, ses cheveux argentés remontés dans le style édouardien, sa canne (symbole détesté de l'âge) appuyée contre sa chaise. Les maux de tête qui la faisaient souffrir depuis des mois (selon le bon Dr Mercier presque aussi âgé qu'elle, ces migraines étaient dues à une pression artérielle trop élevée) avaient disparu et elle se sentait mieux. Avoir toute sa famille réunie autour d'elle pour le mariage de Prune la rendait heureuse et semblait avoir sur elle un effet beaucoup plus bénéfique que les petites pilules du médecin.

Son regard ne quittait pas Prune qui, assise à côté de Noël, respirait la joie. Elle ne lâchait sa main que pour manger.

Cependant, Noël Maddox, toujours calme et silencieux, restait une énigme pour elle. Qu'y avait-il sous cette tranquille assurance? Lorsqu'il regardait Prune, comme maintenant, ses yeux avaient quelque chose d'affamé, de meurtri, une tristesse tapie tout au fond, comme s'il était effrayé à l'idée de la perdre alors qu'elle allait l'épouser demain. Alice sentait en lui quelque chose de vulnérable, mais pourquoi éprouvait-il le besoin de se forger un personnage? Elle ne parvenait pas à cerner son caractère et cela l'inquiétait. Lorsqu'elle réfléchissait à leur mariage, elle ne pouvait s'empêcher de se demander s'il aimait vraiment Prune. N'était-ce pas plutôt la société Courmont qu'il voulait? Jim lui avait rapporté leur conversation et, depuis, les événements avaient confirmé ses soupçons.

Elle but une gorgée de champagne et sourit à Laïs et à Ferdi. Comme ils avaient l'air heureux ensemble! Et la sollicitude de Ferdi à l'égard de sa femme n'était jamais pesante. Mon Dieu! L'époque où Laïs, belle et jeune, jonglait avec sa vie lui semblait si proche! Cependant, en dépit de tout cela, Laïs avait fini par trouver ce qu'elle cherchait.

Sa sœur aussi avait changé. Qui aurait pu penser que la timide et secrète Léonore deviendrait cette beauté élégante? Et si compétente dans son travail? Dommage qu'elle parût mieux réussir en affaires qu'en amour, mais Léonore avait choisi sa propre voie et semblait bien dans sa peau.

Et, bien sûr, Amélie était de la fête. Belle, fine, dotée de la même énergie qu'elle. En regardant sa fille, si jolie dans sa robe de soie jaune, Alice se revoyait vingt ans auparavant. Leur ressemblance était frappante mais Amélie avait plus de ressort qu'elle. Elle voyait toujours le coin de ciel bleu même lorsque la pluie continuait de tomber.

Comme la vie aurait été différente, songea-t-elle, si Gilles de Courmont avait été aussi bon et aussi équilibré que Gérard. Personne, pas même Jim, ne saurait jamais combien elle avait aimé cet homme, au point de vouloir désespérément un enfant de lui. A présent, l'arrière-petit-fils de Gilles était assis à cette table, à côté d'elle. Cependant, bien qu'il lui ressemblât physiquement, le jeune Will, neuf ans, ne s'appelait pas Courmont et n'avait pas le caractère tortueux, pervers de Gilles qui manipulait les êtres, n'hésitant pas à commettre un meurtre pour arriver à ses fins. Ce souvenir était tapi dans un recoin de sa cervelle, prêt à surgir à la moindre occasion, la torturant sans fin, la forçant à reconnaître qu'elle n'avait jamais cessé d'être attirée par lui, même lorsqu'elle avait compris l'affreuse vérité.

Elle caressa les cheveux drus et bruns du jeune Will et il leva la tête en lui souriant. Elle savait maintenant qu'il n'y aurait plus de fils ou de fille portant le nom de Courmont. Prune était la dernière. Et Gilles de Courmont, le fondateur de Courmont, ne serait bientôt plus qu'un vague souvenir pour certains, puis ferait simplement partie de l'histoire de cette famille, comme elle-même, dans peu de temps.

« A quoi penses-tu, grand-mère? demanda Will.

– J'observe ma fille et mes petites-filles. Je me souviens de l'époque où elles étaient enfants, comme toi, et moi jeune. » Elle recula sa chaise. « Allons prendre le café sur la terrasse. » Dédaignant la canne à pommeau d'argent, Alice sortit lentement dans la nuit tiède, grande et bien droite, presque comme une jeune fille. Will se précipita derrière elle et lui tendit sa canne.

« Merci, Will, dit-elle en souriant. Je ne sais pas ce que je ferais sans toi.

– Tu vas peut-être avoir d'autres arrière-petits-enfants maintenant que maman se remarie. J'aimerais bien avoir un frère ou une sœur. »

Laïs se mit à rire. « Tu entends ça, Prune? Ton fils passe commande!

– Mais pourquoi pas? » Prune leva la tête vers Noël, impassible. Ils s'éloignèrent et contemplèrent, de l'extrémité de la terrasse, la pointe Saint-Hospice sous la lune. « C'est l'idée que je puisse vouloir des enfants qui te rend si sombre? » demanda-t-elle, inquiète.

Le regard de Noël, lorsqu'il se tourna vers elle, était impénétrable et elle se dit que toute une part de lui restait un mystère pour elle. « Nos enfants ne seront pas des Courmont. Ni des Launceton. Ce seront des petits Maddox. Les fils ou filles d'un homme qui ignore jusqu'à l'identité de son propre père. Quand je vois ta famille, vos traditions, la façon dont vous partagez toutes vos expériences – *ton passé,* Prune, je pense que j'ai très peu à t'offrir ou à offrir à un enfant. »

Prune fut bouleversée par la profondeur des blessures que lui révélaient ces propos. « Ils ne t'ont jamais parlé de tes parents? demanda-t-elle d'un ton hésitant.

– Non, ils n'étaient pas loquaces, tu sais. Ils ne donnaient aucune information de ce genre à leurs pensionnaires. Ils vous nourrissaient et vous logeaient, ça suffisait à leur donner bonne conscience. C'est plus facile de laisser tomber un *penny* dans la main d'un mendiant que d'engager la conversation avec lui.

– Noël, c'est si vieux tout ça! Regarde ce que tu es devenu, uniquement grâce à ton énergie et à ton intelligence. Tu peux être fier de toi.

– Je sais, mais parfois je me dis que tout aurait été tellement plus simple si je n'avais pas dû lutter pied à pied pendant tant d'années!

– Le combat est terminé, déclara Prune, mettant sa tête sur son épaule. Tu n'es plus seul, Noël. Et *nos* enfants seront fiers de s'appeler Maddox. »

Noël se mit à rire. « Ils seront bien les premiers! »

En dépit des protestations d'Alice, la famille commençait à prendre congé et à se disperser. Jim les raccompagna à l'hôtel et Prune, qui couchait à la villa, alla border Will.

Alice observait Noël. Appuyé contre la balustrade, il contemplait la mer miroitante sous la pleine lune. « C'est une vue dont je ne me lasse jamais, dit-elle et pourtant ça fait soixante ans que je la regarde tous les jours.

– La mer exerce toujours une fascination sur les gens, répondit-il, sans doute parce qu'elle est différente à chaque heure du jour. Enfant les seules vagues que je voyais, c'était celles que faisait le vent dans les blés. Dans l'Iowa, on peut marcher des journées entières sans voir autre chose que des cultures. »

Alice l'écoutait, intéressée. Enfin une brèche dans l'armure, se dit-elle.

« Ça finissait par me faire peur, poursuivit-il. J'en étais venu à penser qu'il n'y avait rien derrière, rien d'autre que des champs de blé.

– Vous ne me faites pas l'effet d'un homme effrayé par ce qui est devant lui. » Alice s'aida de sa canne pour se relever. « Noël, j'étais là, vous vous en souvenez, le jour où vous avez proposé à Jim de racheter Courmont. C'est pendant votre visite que Prune a téléphoné de Barcelone. Elle m'a raconté comment vous l'aviez retrouvée et aidée. Pourquoi avez-vous fait cela ?

– Quand je l'ai rencontrée pour la première fois, j'avais treize ans. Depuis, nos routes se sont croisées à plusieurs reprises. Je voulais simplement lui donner un coup de main. Elle paraissait tellement désemparée.

– J'aimerais être sûr que vous épousez Prune et non pas Mlle de Courmont. »

Noël la regarda en silence. Au clair de lune, Alice semblait avoir vingt ans de moins. Ce côté farouche, bien décidé à ce qu'aucun arriviste ou coureur de dot ne mette la main sur sa petite-fille, l'amusa. « Vous êtes une femme avisée, Alice, dit-il sèchement, vous saurez juger par vous-même. »

Prune s'avançait vers eux. « Ah ! Vous êtes là, tous les deux ! De quoi avez-vous bien pu parler pour avoir l'air aussi solennel ? Et comment pouvez-vous être aussi sérieux par une nuit pareille ? » Elle sourit à sa grand-mère. « N'es-tu pas contente qu'une de tes petites-filles ait enfin un mariage convenable dont tu pourras te souvenir ?

– J'en suis ravie, chérie, si c'est ce que tu souhaites. »

Passant son bras sous celui de Noël, Prune les regarda, rayonnante.

« Je piaffe, dit-elle en riant. J'ai hâte de devenir Mme Noël Maddox.

– Je voulais te dire bonsoir, ma chérie, et te souhaiter tout le bonheur possible. Demain tu vas être très occupée et je tenais à te voir seule.

– Tu sais à quoi je pensais quand tu es entrée ? Que c'était si différent cette fois-ci ! Quand je pense à cette obsession idiote que je faisais sur Harry ! Noël m'aime et je l'aime. Rien ne peut vous empêcher d'être heureux quand on commence comme ça, non ? »

Alice s'assit dans un fauteuil, sous la lampe. « L'amour est un sentiment fragile, chérie. Il peut être corrodé par toutes sortes de choses, l'ennui, la monotonie de la vie conjugale, la jalousie, et soudain on se demande qui est cet étranger avec lequel on vit.

– C'est ce qui s'est passé pour Harry.

– Tu es très romantique, Prune, et l'amour est difficile à vivre au jour le jour. Ça consiste à se soucier de quelqu'un plus que de soi-même, à partager peines et joies. C'est une émotion si complexe que je me demande si on peut vraiment la définir. L'attirance, le romantisme du début n'en sont que les fondations. L'amour est un long chemin et, pour le vivre pleinement jusqu'à la fin, il faut beaucoup de compréhension et de compassion.

– On sent que tu sais de quoi tu parles, grand-mère. Tu as beaucoup aimé mon grand-père, n'est-ce pas?

– Oui, beaucoup. Plus que Rupert, mon premier amour, et plus intensément que Jim, mon dernier. Mais il n'y avait pas la complicité du rire entre nous. En y repensant, je comprends à présent que Gilles, que je croyais invincible, était en fait aussi vulnérable que n'importe lequel d'entre nous. Si je l'avais mieux compris, si j'avais été moins préoccupée par mes propres sentiments et davantage par les siens, les choses auraient peut-être tourné différemment. Gilles avait besoin de compassion presque autant que d'amour et je ne lui en ai jamais manifesté. C'est dommage. Nos vies auraient pu être si différentes!

– Oh! Grand-mère, chuchota Prune, pas très sûre de comprendre mais sentant l'émotion profonde d'Alice, c'est tellement dommage!

– C'est le passé, chérie, et toi tu es face à ton avenir. A sa façon, Noël est aussi compliqué que Gilles. Très secret, lui aussi. Un jour il aura peut-être besoin de ta compréhension et de ta force. Quand cela arrivera, il faut que tu te souviennes que l'*amour* est tout ce qui compte. »

Prune la regarda, un peu effrayée par la gravité de ses paroles. « Je m'en souviendrai », promit-elle. Alice se pencha pour l'embrasser et Prune lui mit les bras autour du cou.

« Bonne nuit, ma chérie, murmura-t-elle tendrement, et sois heureuse avec ton Noël. Tu sais, pour moi, tu as toujours été une fille plus qu'une petite-fille. J'en ai eu de la chance avec toi! J'ai eu les deux d'un coup! »

Le petit chat brun attendait sa maîtresse à la porte de la chambre. Prune, songeuse, suivit du regard Alice qui regagnait sa chambre.

64

Alice s'assit dans son lit. Elle se sentait fatiguée. La nuit avait été chaude et humide et l'obscurité semblait la cerner, se refermer sur elle de façon oppressante. Elle était restée éveillée, souffrant de migraine, attendant que les battements de ses tempes se calment et que le matin arrive enfin. Aux premières lueurs de l'aube, elle sortit sur la terrasse, contente que Jim soit à Paris – elle lui aurait fait passer une nuit blanche à s'agiter ainsi. Et, aujourd'hui, la solitude ne lui pesait pas.

Chocolat, émergeant de son coin de lit douillet, suivit sa maîtresse qui arpentait lentement la terrasse, serrant autour d'elle sa fine robe de chambre. La brise la rafraîchit.

Elle se pelotonna dans le confortable fauteuil, ses jambes repliées sous elle, s'émerveillant de ne sentir, ce matin, aucune ankylose dans ses membres. Ils étaient aussi déliés qu'à dix-huit ans. Elle aurait pu marcher pendant des kilomètres, franchir les collines... mais voilà qu'elle rêvassait encore, qu'elle se réfugiait, comme tous les vieux, dans ses souvenirs. L'avenir, c'était Prune, Noël et leurs enfants.

La chaleur du soleil la détendit et, sa migraine s'estompant, elle sommeilla, le chat sur ses genoux. Elle songea à Jim. Il disait toujours qu'au fond ce devait être cette fameuse légende de Sekhmet à laquelle elle avait toujours cru qui la maintenait aussi jeune. Merveilleux Jim! Elle revoyait leur première rencontre comme si c'était hier. Ils avaient été si heureux ensemble! Elle l'avait fui pourtant et elle était repartie pour la France, afin d'assumer ses responsabilités, mais Jim l'avait retrouvée et la force de son amour l'avait aidée, au cours des années, à supporter bien des choses.

Elle s'assoupit et ne se réveilla qu'en fin de matinée pour absorber le thé que la nouvelle femme de charge, Marianne, lui apportait. Mme Frénard était morte depuis des années, remplacée peu de temps après par Marianne, mais Alice pensait toujours à elle comme à la « nouvelle ». L'âge vous jouait bien des tours – il écourtait le temps ou bien le rallongeait au gré de ses émotions. Marianne, c'était le nom de la première vendeuse de Serrat, la boutique de lingerie où elle avait travaillé à seize ans. La femme qui l'avait injustement accusée d'avoir volé une paire de bas. Elle les avait achetés (et payés!) pour se rendre à la soirée de Caro. C'est là qu'elle avait rencontré Rupert. « J'ai vu la plus longue paire de bas de soie rouge de ma vie, lui avait-il dit. Il fallait absolument que je fasse connaissance de leur propriétaire. » Mon Dieu, elle devait pourtant avoir une drôle d'allure dans cette robe trop courte avec ses bas rouges! Elle se revit, entrant dans le casino de Monte-Carlo, avec cinq francs glissés dans son bas noir – une sorte d'assurance au cas où elle aurait tout perdu. Et, bien sûr, elle avait tout perdu! Mais elle avait rencontré Gilles de Courmont. Il l'avait longuement observée, comprenant qu'elle jouait pour survivre, persuadé qu'elle allait perdre – c'était inévitable! – et prêt à la cueillir. Il guettait sa proie... Pour son mariage avec Jim, elle avait mis des bas couleur chair et un tailleur de soie ivoire. L'église était pleine de fleurs. Y en avait-il au mariage de Prune? Oui, certainement, mais elle ne s'en souvenait pas. Curieux, en y réfléchissant, le rôle qu'avaient joué les bas dans son existence. Rouges pour Rupert, noirs pour Gilles de Courmont, beiges pour Jim. Alice sourit dans son demi-sommeil.

« Madame... Madame Alice... »

Alice s'éveilla. La vieille servante la secouait par l'épaule. « Oui, Marianne, que voulez-vous?

– Vous avez dormi longtemps, Madame. Il est près de 4 heures. Vous devriez manger quelque chose. »

Alice s'assit et s'étira. Elle se sentait mieux. « Savez-vous ce dont j'ai envie? D'une coupe de champagne et de quelques-uns de ces biscuits que m'envoient mes amis champenois. Oui, ce serait parfait. »

Grommelant contre cette bizarre façon de se nourrir, Marianne rentra dans sa cuisine. Alice regarda soudain sa robe de chambre et ses pieds nus avec dégoût. A 4 heures de l'après-midi dans cette tenue! Elle se leva et constata aussitôt l'inhabituelle souplesse de ses membres. Elle se sentait vraiment bien à présent, aussi fraîche et vive qu'à vingt ans. Elle allait se baigner et mettre quelque chose de spécial pour fêter le retour de la jeune Alice.

Elle entreposait toutes ses robes, depuis soixante-dix ans, dans une pièce réservée à cet effet. Comme Caro, elle ne jetait jamais rien et c'était parmi ces tenues que Prune avait choisi sa robe de mariée. Ah! Voilà ce qu'elle cherchait, une robe dorée, dans un tissu d'une extraordinaire finesse, un modèle de Fortuny – son premier costume de scène. Il collait à son corps comme une seconde peau. Comme elle avait eu peur, la première fois, de se produire devant tous ces gens venus voir chanter la maîtresse du duc de Courmont! La jeune panthère noire, au bout de sa chaîne, tremblait aussi. Mais leur courage à toutes deux avait été récompensé par un tonnerre d'applaudissements. C'était si vieux! Aujourd'hui, cette robe serait parfaite pour boire du champagne.

Rafraîchie, parfumée, pieds nus et vêtue de cette robe spectaculaire, Alice but son champagne et partagea ses biscuits avec Chocolat. Elle se sentait si heureuse ce soir! Pourtant, comme les heures filaient vite! Le ciel s'assombrissait déjà et le paysage prenait sa teinte gris perle du crépuscule. Où le temps était-il parti?

Elle regarda le soleil se changer en une traînée pourpre, puis descendit l'escalier qui menait à la plage. La mer était calme. Alice resta immobile au bord de l'eau, laissant les vaguelettes lui chatouiller les orteils. Enfin, les bras en croix afin que ses larges manches flottent comme des drapeaux, elle avança dans l'eau fraîche et suivit le soleil. Lorsqu'elle eut perdu pied, elle se retourna et flotta sur le dos dans la mer rouge et or. Les derniers rayons du soleil réchauffaient ses paupières closes. Sekhmet la réclamait. Elle ne faisait plus qu'un avec Rê, le dieu du Soleil, comme elle l'avait prévu de tout temps. Elle était sa maîtresse, et entrait dans le tunnel de la nuit, en sécurité dans les bras de son amant qui l'emmenait vers l'infini, vers une aube nouvelle.

65

Prune sanglotait. Ils étaient rentrés de leur lune de miel pour trouver sa mère et son père qui les attendaient avec la terrible nouvelle de la mort d'Alice.

« Nous ne t'avons pas prévenue par téléphone parce que nous savions que grand-mère n'aurait pas voulu gâcher ton bonheur. En outre, tu n'aurais rien pu faire. Il y a une messe pour elle demain à Notre-Dame. Tu n'imagines pas, Prune, tous les témoignages d'amitié qu'elle a reçus, pas seulement grâce à son talent et à sa beauté, mais aussi à sa générosité et à son courage. Tous les journaux, dans le monde entier, lui ont consacré au moins un article. Alice était vraiment une femme remarquable.

– Comment peux-tu en parler si calmement, sanglota Prune, alors que tu sais que tu ne la reverras jamais? »

Amélie se mordit les lèvres pour ne pas pleurer et lança un regard d'impuissance à Gérard.

« Ta mère essaie de maîtriser son chagrin, chérie, comme tu vas le faire toi-même. On souffre, on crie sa peine, puis il faut essayer de l'apprivoiser et de vivre avec elle. »

Noël, appuyé contre la cheminée, regardait Prune en silence.

« Tu dis qu'ils ne l'ont pas retrouvée, dit-elle. Peut-être n'est-elle pas morte, mais simplement partie!

– Oui, elle est simplement partie. La mort n'est pas autre chose, dit Gérard. Ta grand-mère va continuer à vivre dans tous tes souvenirs.

– Prune, dit Amélie en la serrant contre elle, il faut penser à Jim à présent et essayer de l'aider. Il est l'ombre de lui-même. »

Prune regarda Noël. Comme elle l'aimait! Elle n'imaginait pas la vie sans lui. Alice et Jim avaient été mariés cinquante ans. Il devait être affreusement malheureux.

« Peut-être pourrait-il venir habiter ici, proposa Noël.

– Pas ici, répondit vivement Amélie. Pour Jim, cette maison a toujours été celle de Gilles de Courmont. Merci quand même, Noël, c'est très gentil.

– Prune, Laïs et Ferdi sont déjà arrivés au Ritz, dit Gérard. Ta mère a décidé de donner une petite réception ici, après la messe, pour tous ceux qui l'ont aimée. Je donnerai les détails à Noël. »

La cathédrale était remplie de fleurs. Le parfum préféré d'Alice, le jasmin, flottait dans l'air et les rayons du soleil illuminaient la grande rosace. Les voix pures d'un chœur d'enfants s'élevèrent. Prune, vêtue de noir, était debout à côté de Noël. Le large bord de son feutre dissimulait sa pâleur et ses yeux rougis par les larmes. Noël lui prit la main pour essayer de lui communiquer un peu de sa force. Il songeait à cette femme indomptable à qui présidents et hommes d'État rendaient un dernier hommage.

Tout le monde se retrouva ensuite dans l'île Saint-Louis. Noël observa les visages autour de lui. Il y avait là des religieuses, celles qui s'occupaient des orphelins d'Alice installés au château d'Aureville. Certains de ces enfants – à présent adultes – étaient venus avec leur propre famille. Il y avait aussi des hommes et des femmes à qui elle avait sauvé la vie pendant la guerre, des directeurs de théâtre, des chefs d'orchestre, des musiciens, des régisseurs, des familles de l'aristocratie, des gens du Midi qui avaient travaillé pour elle et avaient ressenti les effets de sa bonté et de sa générosité.

« Ce petit verre était une très bonne idée, déclara Jim. Elle aurait été contente de voir tous les gens qu'elle a aimés réunis aujourd'hui. C'est réconfortant de voir le nombre de vies qu'elle a un peu éclairées par sa seule présence. »

Lorsque le dernier invité fut parti, Jim annonça à Prune qu'il lui donnait la villa. « Alice désirait que tu l'aies après notre mort, dit-il. Et je ne peux plus vivre là-bas sans elle. Elle est à toi, chérie.

– Mais où vas-tu aller? demanda-t-elle, les yeux pleins de larmes. C'est ta maison.

– Ne t'inquiète pas pour moi. Tout est arrangé. Je vais emménager dans l'appartement de Laïs, à l'hostellerie. Il n'est pas bon qu'un vieil homme vive seul et là-bas j'aurai de la compagnie. »

Prune n'avait jamais songé à Jim comme à un vieil homme et cette phrase la glaça. Ce n'est pas juste, se dit-elle avec amertume. Les gens ne devraient pas vieillir ni mourir et laisser ceux qui les aiment. C'est trop horrible.

« Ne pleure pas, ma chérie, murmura Jim, apaisant. Je serai si heureux de te savoir dans sa maison. Je suis certain qu'Alice le souhaitait. »

Le lendemain, ils se retrouvèrent tous chez le notaire pour l'ouverture du testament. Ce fut pire que tout. Partager les belles choses de sa grand-mère, les bijoux qu'elle avait toujours vus sur elle, sa magnifique collection de vêtements, les objets qu'elle aimait lui parut intolérable. Une pensée soudaine la jeta dans une folle panique et elle saisit la main de Laïs. « Le chat, chuchota-t-elle, où est Chocolat ?

– Il a disparu le même jour qu'Alice, murmura celle-ci. Oh ! Prune, quelle tristesse... »

Prune ne voulait plus rien entendre, elle se moquait de savoir qui hériterait de quoi. Elle voulait simplement que tout soit comme avant ; que rien ne change jamais. Elle s'élança vers la porte en sanglotant et Noël courut derrière elle.

Prune s'effondra dans ses bras. Peu à peu, elle sentit sa colère et son désespoir s'apaiser. Là, serrée contre son cœur, elle se sentait en sécurité, protégée des hasards de la vie et de la mort. « Noël, dit-elle, levant vers lui son visage ravagé par le chagrin, qu'est-ce que je ferais sans toi ? »

66

Noël ne parvenait pas à s'habituer à la somptuosité de l'hôtel Courmont. Bien qu'il y vécût déjà depuis deux ans, il avait toujours l'impression d'être un invité dans ces pièces lambrissées. Saluant le gardien d'un signe de tête, il rentra sa nouvelle voiture dans la cour et le majordome courut lui ouvrir.

« Ma femme est là ? demanda Noël.

– Madame est au salon, Monsieur.

– Voulez-vous lui demander de venir, s'il vous plaît, Oliver ? Dites-lui qu'il y a une surprise pour elle.

– La voiture, Monsieur ? Permettez-moi de vous féliciter. Elle est magnifique.

– Merci, Oliver. » Noël fit le tour du véhicule et l'examina sous tous les angles. La ligne était splendide et le bleu marine métallisé de la carrosserie s'harmonisait parfaitement avec le cuir beige clair de l'intérieur. C'était la voiture dont il avait rêvé pendant si longtemps, une revanche éclatante sur toutes ces années de compromis. Oui, la « Duc » était magnifique.

« Noël! Elle est fantastique! s'écria Prune du haut des marches.

– Elle est pour toi. La première « Duc » ne peut être que pour la petite-fille du fondateur de Courmont.

– Vraiment? C'est pour moi? » Elle fit courir ses doigts sur la surface étincelante.

« Regarde la plaque... »

Prune fit le tour. « Duc I, lut-elle, ravie.

– Et regarde à l'intérieur », dit-il en ouvrant la portière.

Une odeur de cuir neuf et de jasmin flottait dans la voiture. Prune s'assit au volant et remarqua soudain le brin de jasmin émergeant d'un petit vase de Lalique, réplique exacte de celui de la première Courmont.

« Je l'ai fait faire pour toi, dit fièrement Noël. Aucune autre voiture ne l'aura.

– Il y avait toujours du jasmin dans le vase d'Alice, dit Prune. Tu penses vraiment à tout, Noël.

– Tu es contente, alors?

– Ravie. Merci pour cette somptueuse voiture et pour tout ce que tu as fait. Grâce à la " Stallion ", tu as remis la société à flot. » Sa main restait posée sur le volant de cuir orné, en son centre, des armes de sa famille. « Grand-père aurait été fier de cette voiture. »

Noël lui sourit. « Faites-moi une faveur, madame. Emmenez-moi faire un tour », dit-il en montant à côté d'elle.

Ils quittèrent Paris et se retrouvèrent bientôt sur une route de campagne. Une large rivière, en face d'eux, reflétait le ciel assombri par le crépuscule. Elle s'arrêta et s'adossa au siège avec un soupir de satisfaction. « Elle est parfaite, absolument parfaite. Tu mérites une médaille, Noël. »

Il glissa un bras autour d'elle et elle nicha sa tête au creux de son épaule.

« J'échange la médaille contre un baiser », proposa-t-il.

Elle le regarda avec un sourire en coin. « Depuis quand éprouves-tu le besoin d'échanger quoi que ce soit contre un baiser de moi? Tu crois que je monnaye mes baisers?

– J'échangerais n'importe quoi contre un baiser de toi, murmura-t-il en lui mordillant l'oreille.

– Même la voiture? »

Noël rit. « Oui, même la voiture. »

Il embrassa doucement ses paupières closes, passa ses mains dans la somptueuse chevelure rousse, puis glissa vers ses seins. « Prune, murmura-t-il, je t'aime tant. »

La banquette arrière était large et confortable et, seul, un héron volant à basse altitude au-dessus de la rivière fut témoin de leur passion. Noël avait enfin tout : Prune, la société Courmont et la voiture de ses rêves.

La semaine suivante, Prune se lança dans la nouvelle campagne publicitaire mise au point avec l'agence un an auparavant. Elle parcourut l'Europe avec toute une équipe de photographes. La « Duc » fut d'abord photographiée dans la neige des Alpes, puis filmée, négociant à toute allure les virages d'une route de montagne, des skis sur le toit. Ils l'immortalisèrent aussi devant l'hostellerie, une petite montagne de valises ultrachic dans le coffre ouvert et, à Paris, dans la cour de l'hôtel Courmont, un lévrier afghan étendu à l'arrière.

Noël repartit pour Detroit mais Prune était si occupée qu'elle n'avait guère le temps de penser à lui, sauf au moment où elle se couchait, seule dans quelque chambre d'hôtel. Elle essayait de l'appeler le plus souvent possible. Chose amusante, il semblait toujours savoir que c'était elle, avant même qu'elle ait proféré une parole. Il disait « Hello, Prune » et cette intuition lui faisait battre le cœur.

Après avoir passé quelques semaines à Londres (où elle retrouva Will), en Écosse et en Irlande pour photographier la voiture, elle rentra enfin dans l'île Saint-Louis. Elle n'avait pas vu Noël depuis deux mois et elle était enceinte.

« Je me demandais s'il y aurait de la place pour une poussette dans la " Duc " », lui dit-elle au dîner.

Il la regarda, effaré. « Une poussette? En voilà une idée. C'est tout à fait contraire à l'image de marque de la voiture... Rapidité, race, élégance... Enfin, Prune, c'est toi qui t'es occupée de la campagne publicitaire!

– Tu crois vraiment qu'une poussette gâcherait la vision classe et macho de la " Duc "? Parce qu'il est possible qu'on en ait besoin très bientôt. »

Il la regarda, interloqué.

« Tu es enceinte?

– Tu n'es pas content? » Il ne souriait pas et la considérait avec stupeur, comme s'il n'était pour rien dans cette affaire.

« Mais si, bien sûr. Seulement... nous n'avions pas prévu ça si tôt.

– Passion et planning familial sont incompatibles. »

Noël se mit à rire et elle en éprouva un vif soulagement.

« Tu as raison, dit-il en se levant pour l'embrasser. C'est pour quand?

– Octobre. Dans sept mois.

– Formidable! s'exclama-t-il. Le bébé naîtra au moment où on lancera la " Duc ". Il serra Prune contre lui. « Bien sûr que je suis heureux, chérie. Fou de joie, même. Simplement, c'est dur pour moi de m'imaginer avec un fils ou une fille. J'espère...

– Qu'espères-tu?

– Qu'il pourra être fier de son père.

– Noël! Bien sûr qu'il sera fier de toi! Pourquoi ne le serait-il pas? Oh! Je comprends... C'est encore le truc de l'orphelinat? Mais si ça te hante tellement, pourquoi n'y es-tu jamais retourné? Tu pourrais essayer de savoir qui étaient tes parents.

– Non, je n'y remettrai jamais les pieds.

– Eh bien, dans ces conditions, il va falloir que tu assumes la situation, que tu t'acceptes comme tu es. Si c'est assez bien pour moi, ça devrait l'être pour toi. Et pour notre enfant. »

Prune roulait sur l'autoroute, ravie de constater l'effet que produisait sa nouvelle voiture. Il faudrait qu'elle pense à rapporter à Noël tous les commentaires flatteurs qu'elle suscitait chaque fois qu'elle s'arrêtait dans une station-service.

C'était lui qui avait insisté pour qu'elle parte se reposer sur la Côte. Au début, elle s'était montrée réticente. Alice était morte depuis trois ans et, bien qu'elle eût rendu visite à Jim et à ses sœurs à l'hostellerie, elle n'était jamais retournée à la villa. Laïs avait senti son désarroi. « Un jour, tu y reviendras, lui avait-elle dit gentiment. Quand tu seras prête. » Cependant, en approchant de la maison, elle se demandait si elle était réellement capable d'affronter la terrible épreuve des souvenirs.

La maison, blanche et massive, avec ses volets verts laissant filtrer les derniers rayons du soleil couchant, semblait avoir toujours été là. Les galets blancs devant le portail, les géraniums pourpres dans leurs jarres de pierre rose flanquant la porte d'entrée, le parfum musqué des hibiscus, mêlé à celui des bougainvillées et des jasmins – tout rappelait à Prune son enfance.

Elle contourna la maison par la terrasse. A l'horizon se profilait un magnifique yacht blanc aux voiles gonflées par la brise. Les oliviers argentés se détachaient sur la masse sombre des cyprès. Rien ne semblait avoir changé, à part la terrasse, fraîche et ombragée, qui lui parut étrangement vide. Les coussin bleus, sur le fauteuil d'Alice, avaient une raideur inhabituelle, et aucun petit chat marron ne vint se frotter contre ses jambes.

Marianne surgit de la cuisine. « Madame Prune! Vous voilà enfin! Vous ne pouvez pas savoir ce que je suis contente de vous voir. Monsieur Jim et vos sœurs viennent me voir une fois par semaine, mais la maison est bien vide depuis la mort de Madame. Si vous et vos enfants y veniez, ça redonnerait un peu de vie. »

Prune, émue, embrassa la vieille domestique, puis entra dans la maison. Elle monta dans sa chambre d'enfant, regarda le lit étroit, si petit par rapport aux modèles américains. Les photographies se trouvaient toujours là, glissées dans le miroir, telles qu'elle les avait laissées la nuit de ses fiançailles, mais cette pièce lui était devenue étrangère. C'était celle d'une jeune fille insouciante et romantique qui avait refusé longtemps de grandir.

Elle reprit son sac et longea le couloir à la recherche d'une autre chambre où s'installer. Réflexion faite, c'était elle la nouvelle maîtresse de maison. Pourquoi ne pas prendre celle d'Alice?

Les volets étaient clos. Il régnait dans la pièce un calme étrange. Elle hésita un instant sur le seuil puis s'avança résolument. Elle ouvrit les fenêtres et rabattit les volets. Le soleil s'engouffra dans la chambre, éclairant la statuette de Sekhmet. Le lit, soudain, lui parut frais et accueillant. Elle s'y assit et laissa voguer ses pensées en lissant distraitement le dessus-de-lit en coton blanc. Puis elle ôta ses chaussures et s'allongea, fermant les yeux avec délice sous la chaude caresse du soleil. Un air parfumé pénétrait par la fenêtre et elle se dit qu'il était bon d'être de retour. Et, n'était-ce pas le lieu rêvé pour élever des enfants?

Les longs mois d'été qui s'écoulèrent à la villa furent parmi les plus sereins que Prune eût jamais vécus. Noël passait le plus de temps possible auprès d'elle, rentrant parfois juste pour une nuit, faisant l'« école buissonnière », comme il disait. Will arriva pour les vacances scolaires, Laïs et Ferdi vinrent également et, bien entendu, Jim et Léonore étaient installés à l'hostellerie. Début septembre, Amélie et Gérard prirent l'avion pour la France afin d'assister à la naissance du bébé et, petit à petit, la tristesse qui imprégnait la maison depuis la mort d'Alice se dissipa.

Le 15 octobre, Charles Henry Maddox naquit à Paris et, le même mois fut lancée sur le marché la nouvelle et luxueuse Courmont, la « Duc ».

Noël regarda gravement son fils. « Tu seras le premier à être fier de porter le nom de Maddox, murmura-t-il en caressant doucement la tête du bébé. Je te le promets, mon garçon. »

68

Noël se sentit, comme toujours, tout excité en revenant à Detroit. En arrivant à l'aéroport, il se rendit directement à U.S. Auto ou plus exactement s'y fit conduire car, à présent, il disposait d'une limousine et d'un chauffeur. Il allait si souvent à New York qu'il avait décidé de louer une suite à l'année au Waldorf, à Manhattan. Il avait conservé son appartement à Detroit et, bien entendu, sa maison au bord du lac où il pouvait toujours se réfugier lorsqu'il le souhaitait.

En fait, il n'avait plus guère l'occasion de s'y rendre, étant trop occupé. La « Duc » avait fait un malheur et Noël était devenu célèbre dans l'industrie automobile pour avoir réussi à fabriquer une voiture en trois ans au lieu de cinq. Bien entendu, il s'agissait d'une production limitée, mais même les plus grands professionnels se montraient incapables de faire aussi bien.

A présent, il travaillait sur la « Marquis », une version plus petite que la « Duc », mais il en était encore au stade de la conception. Courmont, remanié de fond en comble par Noël, faisait enfin des bénéfices.

Cependant, il n'était pas encore tout à fait où il désirait être. Il songeait à cela en entrant dans la salle à manger des cadres d'U.S Auto. Paul Lawrence lui donna une tape amicale sur l'épaule et lui serra la main. « Salut, Noël. Comment va? Et votre jolie femme? Et le bébé?

– Très bien, répondit-il. Et nous en avons mis un autre en route.

– Un autre? » Lawrence se mit à rire. Je vois que vous ne limitez pas vos talents à la fabrication des voitures. Venez, le président nous attend. Déjeunons, puis vous nous ferez part de vos idées fascinantes destinées à chambouler l'industrie automobile. »

Noël, vaguement contrarié par cette plaisanterie sur ses activités, suivit Paul. Ce dernier ne dénigrait certainement pas son travail, mais peut-être ne le prenait-il pas suffisamment au sérieux.

Chez lui, ce soir-là, il se versa un scotch et regarda les lumières de la ville scintiller dans la nuit. La réunion avait été plus courte qu'il ne le pensait et il était rentré de bonne heure. Le président du conseil d'administration et la direction avaient écouté avec attention son rapport concernant les ventes des six derniers mois et l'avaient même félicité, mais Noël avait eu le sentiment désagréable qu'ils avaient des choses plus importantes en tête et que, pour eux, tout ce qu'il avait mis sur pied n'était qu'un rouage de l'énorme machine. Dans les couloirs d'U.S. Auto, il avait rencontré un certain nombre de ses anciens collaborateurs qui, certes, l'avaient accueilli chaleureusement, mais semblaient affairés, absorbés par leurs propres tâches. Ce qui irritait Noël, c'était de savoir que l'un de ces types briguerait le « poste » dès qu'il serait vacant, c'est-à-dire dans peu de temps. Loin des yeux, loin du cœur... le dicton se vérifiait souvent. Noël, qui était président d'une des filiales les plus prospères d'U.S. Auto, se sentait à présent comme un étranger dans la maison mère.

Morose, il but son scotch. Un an auparavant, il pensait avoir triomphé de tout. Il était président de Courmont et avait relancé la société. *Time Magazine* lui avait consacré un long article, de nombreux journaux économiques parlaient de ses méthodes drastiques mais efficaces pour sauver les firmes en perdition et il avait été interviewé à plusieures reprises à la télévision. Naturellement, dans les colonnes de potins, on parlait surtout de son mariage avec Prune de Courmont et il voyait trop souvent sa photo dans le journal en prenant son petit déjeuner. Paris semblait décidé à en faire un couple célèbre et les photographes étaient difficiles à éviter dans les réceptions ou au restaurant. Cependant, son succès même l'avait un peu coupé de sa base. Après tout, comment ses collaborateurs d'U.S. Auto auraient-ils pu justifier leur job tout en étant d'accord avec ses méthodes, si différentes des leurs? Cela aurait signifié une totale restructuration de la boîte et ils n'en avaient aucune envie. Bien qu'il régnât sans conteste sur son royaume de France, il commençait à comprendre que, dans ce milieu, seule l'Amérique comptait vraiment. Et Noël était toujours taraudé par l'obsession du pouvoir.

La solitude, soudain, lui pesa. Prune et son fils lui manquaient. Il jeta un coup d'œil à sa montre et appela l'île Saint-Louis. Ce fut Oliver qui répondit. Madame était partie ce matin pour l'Allemagne. Bien sûr... il avait oublié. Prune emmenait son fils pour une quinzaine de jours chez sa sœur. Déçu, il raccrocha. Il aurait pu l'appeler là-bas, mais il n'avait pas le numéro de téléphone de Laïs. Pourquoi n'avait-il pas pensé à le demander à Oliver? Devrait-il le rappeler? De plus en plus déprimé, il prit son manteau et sortit de chez lui. Il allait boire un verre et manger quelque chose à l'hôtel Pontchartrain. Il ne supportait pas d'être seul ce soir.

Claire Anthony, qui dînait avec des amis, le vit entrer. Elle regarda le maître d'hôtel l'installer à une petite table et enlever l'autre couvert. Ainsi, Noël dînait seul! Comme il était différent du jeune homme au regard sombre dont elle s'était éprise! Il semblait avoir beaucoup plus d'assurance. C'était normal. Il avait réussi. Et, pourtant, on sentait encore en lui cette vulnérabilité si attachante. Elle s'excusa auprès de ses commensaux, se leva et se faufila entre les tables. Il leva la tête.

« Claire! Comment vas-tu?

– Très bien. Je ne m'attendais pas à te voir ici. Je te croyais à Paris, voletant d'une duchesse à l'autre dans les salons du faubourg Saint-Germain.

– Ce n'est pas mon genre. Je déteste les mondanités. Comment va Lance? »

Elle le regarda, étonnée. « Tu n'es pas au courant? Il a eu un infarctus l'année dernière. Non, non, rassure-toi... il va bien. Enfin... pas trop mal. On lui a fait un double pontage et, pour le moment, le pronostic n'est pas trop mauvais. Il devrait connaître ses petits-enfants.

– Je suis désolé », dit Noël, choqué par cette nouvelle.

Elle haussa les épaules. « C'est le stress des hommes d'affaires qui a fini par l'avoir. Les choses n'ont pas tourné comme il l'espérait, mais, après tout, n'est-ce pas un peu pareil pour tout le monde? A part toi, Noël. Ici, tout le monde parle de ta réussite.

– Ah bon? » Noël l'observait sans vraiment l'écouter. Elle ne portait plus ses lunettes de couleur mais des verres de contact. Curieusement, il pensait toujours à elle, nue et sans lunettes. C'était le seul moment où elle ne les mettait pas. Dès qu'ils avaient fini de faire l'amour, elle les chaussait résolument, avant d'allumer sa cigarette.

« Tu n'as pas entendu un mot de ce que je te disais, protesta-t-elle. Tu rêvassais et tu as manqué toutes les bonnes choses que je disais de toi.

– Et toi? Qui te dit de bonnes choses en ce moment?

– Que veux-tu dire?

– Que tu es plus jolie que jamais. » Il la regarda avec insistance. « Est-ce que tu tiendrais compagnie à un cœur solitaire ce soir? »

Elle haussa les sourcils. « Solitaire? » Il prit sa main posée sur la nappe et une onde d'excitation la parcourut. « Lance est en Californie à l'usine Fremont et je dîne avec des gens qui n'habitent pas Detroit. Ça m'étonnerait qu'ils s'attardent. Ils doivent prendre un avion tôt demain matin.

– On se retrouve au bar? demanda Noël.

– Comme au bon vieux temps », répondit-elle en se levant.

Nue, elle était toujours aussi belle que dans son souvenir. Elle avait gardé son porte-jarretelles de dentelle noir et ses bas, et arpentait l'appartement sur ses hauts talons, un verre de whisky à la main. On aurait dit une couverture de *Playboy*. « Tu es une *provocatrice* [1], lui dit Noël.

– On dit provocante, ici. Oublierais-tu ta propre langue à force de vivre à l'étranger?

– En tout cas, je n'ai pas oublié ta forme d'esprit, répliqua-t-il. La première fois que tu es venue ici, tu as gardé tes vêtements.

– Depuis, j'ai compris que c'était mieux sans. Dis-moi, pourquoi suis-je incapable de te résister? » demanda-t-elle tandis que Noël lui tendait les bras.

Faire l'amour avec Claire, c'était comme remettre un disque qu'il n'aurait pas entendu depuis longtemps. Familier, mais plus excitant quand on restait un certain temps sans l'écouter. Il la connaissait par cœur, savait exactement à quoi elle réagissait. Elle était belle et passionnée et son sentiment de solitude et d'échec se dissipa.

« Avant, tu portais du cachemire », observa-t-elle en enfilant la robe de chambre de Noël.

Il sourit. « Je suis devenu un homme simple. Et toi, Claire, quoi de neuf dans ta vie? Je ne parle pas de Lance. Tu es heureuse?

– J'adore mes filles, mais Kerry et Kim sont à l'université, alors, bien sûr, la maison est moins gaie, mais Lance est très gentil », ajouta-t-elle précipitamment.

Noël la regarda en silence.

« J'ai de la chance, dit-elle, sur la défensive. Beaucoup de mes amis sont au bord du divorce. Bien sûr, je ne ferai jamais ça. »

Non, bien sûr, se dit Noël. Elle n'est pas du genre à enfoncer la tête d'un type qui se noie. « Comment Lance se débrouille-t-il à Great Lakes? Je ne suis plus au courant de rien.

– Il va prendre sa retraite anticipée l'année prochaine. Nous envisageons d'acheter une maison quelque part au soleil – peut-être en Floride. Et un bateau pour se balader dans les îles. Ce

1. En français dans le texte (*N.d.T.*).

sera amusant, encore que très différent de ce que Lance attendait de la vie.

– Qu'attendait-il? demanda Noël, buvant son whisky tout en la regardant faire nerveusement les cent pas dans la pièce.

– Quoi? Oh! Finir dans la peau du président du conseil d'administration de Great Lakes, j'imagine. Le comble, c'est qu'au moment où ce poste va enfin se libérer, Lance n'est pas assez bien pour proposer ses services. »

Il la regarda avec surprise. « Je n'en ai pas encore entendu parler.

– Peu de gens sont au courant. Je le sais par mon père. Masters, l'actuel P.-D.G., ne veut pas se mettre sur les rangs. Il est trop près de la retraite. Ce serait l'idéal pour toi mais j'imagine que, maintenant, la course ne t'intéresse plus. » Elle eut un sourire triste. « J'ai vu des photos de ta femme. Elle est très belle, avec un visage intelligent. Je suis sûre que je l'aimerais beaucoup. »

Noël songea à Prune, sans doute dormant paisiblement à six mille kilomètres de là. Ce qui s'était passé ce soir entre Claire et lui n'avait rien à voir avec elle. Il s'était senti soudain très seul, voilà tout. Et Claire, sans le savoir, lui montrait à nouveau sa voie.

Il la prit dans ses bras et la serra tendrement contre lui. « Tout va s'arranger, dit-il doucement. Tout va s'arranger.

– Peut-être... C'est simplement que les enfants grandissent et partent. Et il y a aussi ce problème avec Lance. Soudain, tout a basculé. » Elle se mit à pleurer. « Cependant, rien n'est jamais joué, n'est-ce pas, Noël? Tu m'as toujours dit ça. »

Il lui caressa les cheveux en silence.

« Oh! Merde! Je ne devrais pas pleurer. Ça lave le produit que je mets sur mes lentilles de contact.

– Pourquoi ne portes-tu plus tes lunettes rouges? Elles t'allaient très bien.

– J'avais toujours peur que les hommes me trouvent moche avec ça. Dis-moi Noël... » Elle hésita un instant.

« Ça t'ennuirait que je reste cette nuit? Il n'y a personne à la maison et je n'ai vraiment pas envie de rester seule avec mes pensées.

– C'est une excellente idée », répondit-il.

Elle fit du café. Noël mit un disque de musique de chambre,

puis s'étendit sur le canapé, la tête sur les coussins, un bras autour d'elle, songeant à la suite des événements. Demain, avant toute chose, il téléphonerait au président du conseil d'administration, et au président en exercice. Il connaissait à peine le premier et entretenait des rapports courtois, sans plus, avec le second. Mais eux le connaissaient sans doute beaucoup mieux.

Peut-être parviendrait-il à les convaincre qu'il était l'homme de la situation.

Cette nuit-là, il demeura longtemps éveillé. Comment s'y prendre? Il était inutile de leur faire croire qu'il était plutôt conservateur dans sa façon de gérer les affaires, puisqu'il avait amplement prouvé le contraire. Il connaissait la situation de Great Lakes Motor. La concurrence japonaise lui menait la vie dure. Il avait la réponse toute prête et il était probable qu'ils réagiraient de façon positive à ses propositions. Il ne s'endormit qu'à l'aube.

Le téléphone réveilla Claire qui, encore endormie, se leva pour répondre.

« Allô? »

Une voix féminine, semblant venir de très loin, dit : « M. Maddox est-il là?

– Désolée, dit Claire en bâillant, il dort encore. Ah... Attendez... je crois qu'il se réveille. » Elle lui apporta l'appareil. « Tiens, c'est pour toi.

– Allô? dit Noël.

– Noël? »

Il se dressa sur son séant. « Prune! Pourquoi m'appelles-tu si tôt? Qu'est-ce qui se passe? »

Il y eut un silence. Il jeta un regard inquiet à Claire. « Il est 7 heures, répondit Prune. C'est manifestement trop tôt pour toi. Oh! Noël, comment as-tu pu... » Il entendit un bruit de sanglot étouffé puis un déclic. Elle avait raccrochée.

« Oh! Mon Dieu, je suis désolée, dit Claire. J'ai décroché par pur réflexe. Sans réfléchir... »

Noël sortit du lit. « Ce n'est pas ta faute », dit-il en enfilant sa robe de chambre.

Claire, anxieuse, le regarda, puis entra dans la salle de bains pour prendre sa douche.

Noël contemplait cette ville qu'il avait si longtemps rêvé de conquérir en se demandant ce qu'il allait faire. Il était près de 8 heures. Il appellerait Great Lakes Motor dans deux heures. Mais comment arranger les choses avec Prune ? Lui mentir ? Prétendre que c'était la nouvelle femme de ménage ? Il fallait l'épargner à tout prix. Jamais elle ne supporterait la vérité. D'ailleurs, comment essayer de lui faire comprendre quelque chose que lui-même ne parvenait pas à s'expliquer ? Pourquoi avait-il fait cela ? Il n'en savait rien. Et pourquoi voulait-il toujours monter plus haut ? Il était insatisfait alors qu'il possédait tout ce qu'un homme pouvait désirer : la réussite professionnelle, de l'argent à ne savoir qu'en faire, la fille dont il avait rêvé pendant des années et un fils. Il poussa un soupir et décida d'appeler Paris. Oliver lui donna le numéro de téléphone de Laïs en Allemagne. Ce fut elle qui décrocha.

« Noël ! s'exclama-t-elle, que se passe-t-il ? Prune est montée faire ses bagages en sanglotant.

– Ce n'est rien, Laïs. Dis à Prune que ce n'est rien. Demande-lui de venir me parler, s'il te plaît.

– Ça m'étonnerait qu'elle le fasse. Elle m'a l'air dans un drôle d'état... »

Elle revint presque immédiatement. « Je suis désolée, il n'y a rien à faire. Elle refuse de te prendre. Quand je lui ai transmis ton message, elle s'est mise à sangloter de plus belle.

– Oh ! Bon Dieu ! s'exclama Noël, furieux. Quel vol prend-elle ?

– Le premier qu'elle trouvera. Elle s'en fiche. Tout ce qu'elle veut, c'est rentrer à Paris... je n'aime pas la voir comme ça. Si je pouvais, je la retiendrais ici mais ça m'étonnerait qu'elle m'écoute. A ta place, je filerais à l'aéroport.

– Tu as raison. Je vais prendre l'avion ce soir et je serai à Paris demain. Dis-le-lui, Laïs, et excuse-moi. Je suis vraiment désolé de ce qui arrive. »

Elle lui dit au revoir sèchement et raccrocha. Claire sortit de la salle de bains, ravissante dans sa robe noire de la veille. Elle s'était maquillée soigneusement et il respira l'odeur familière de son parfum.

« Je m'en vais, dit-elle en enfilant sa veste de renard argenté. Je suis vraiment navrée, Noël. »

Il l'accompagna à l'ascenseur. « Merci d'avoir été là quand j'ai eu besoin de toi », lui dit-il.

Elle l'embrassa sur les lèvres. « Nous avons besoin l'un de

l'autre », souffla-t-elle au moment où les portes se refermaient.

Sous le jet froid de la douche, Noël essaya d'y voir clair. Pour Prune, il ne pouvait pas faire grand-chose, à part prendre l'avion dès ce soir. Il la prendrait dans ses bras, lui avouerait tout. Elle lui pardonnerait et, ensemble, ils surmonteraient cette épreuve. En revanche, il fallait réfléchir et ne pas faire de fausses manœuvres avec la G.L.M.

Tout en se savonnant, il récapitula ses points faibles. Il avait avant tout une formation d'ingénieur. Il n'était devenu un homme d'affaires que depuis peu. Si les médias s'étaient intéressés à lui, c'était surtout grâce à son mariage avec l'héritière d'un grand constructeur automobile et aussi en raison de ses opinions tranchées sur Detroit et sur le marché de l'automobile. En période de crise, Detroit préférait serrer les rangs et présenter un front uni aux actionnaires et à la presse. On se méfiait des francs-tireurs dans son genre. Cependant la direction de Great Lakes Motor était peut-être consciente de la gravité de cette crise et de la nécessité d'un changement.

En quoi consistaient ses atouts? Sa jeunesse, dans une industrie gérée par une majorité de septuagénaires. Ce point n'était pas négligeable et, grâce aux médias, les clients se faisaient désormais de lui une image précise. Aux yeux des consommateurs, les autres sociétés se ressemblaient toutes. Son ascension rapide débouchant sur la présidence de Courmont, le succès qu'avait remporté la « Stallion » puis, ensuite, la « Duc », tout cela jouerait en sa faveur.

Se sentant revigoré, il s'essuya et se rasa en sifflotant, ayant tout oublié de ses inquiétudes au sujet de Prune. Celle-ci, il en était certain, lui pardonnerait dès qu'elle aurait entendu ses explications.

69

Dans le taxi qui la ramenait de l'aéroport, Prune, son fils sur les genoux, contemplait avec mélancolie le ravissant spectacle qu'offrait Paris par une belle journée d'octobre. Elle portait des lunettes noires, non pour se protéger du soleil, mais pour dissimuler ses yeux rougis et gonflés par les larmes.

Lorsqu'elle avait appelé Noël et entendu la voix chaude et sensuelle de la femme, elle avait compris tout de suite. Mon Dieu, quel choc! Elle en avait eu le souffle coupé. Elle n'avait pas ressenti cela avec Harry parce qu'elle ne lui avait pas accordé la même confiance qu'à Noël. Elle était persuadée que Noël ne la tromperait jamais et même ses fréquents voyages aux États-Unis ne l'avaient pas inquiétée. Elle secoua la tête et fixa d'un air misérable le joli visage de Charles. Il souriait, enchanté comme toujours d'être en voiture. Noël prétendait qu'il tenait cela de son père.

« On y est, maman », s'écria-t-il, tandis que le taxi pénétrait dans la cour de la maison.

Prune regarda tristement la vieille bâtisse habituellement si familière et accueillante. « Oui, chéri, nous y sommes », dit-elle.

Le hall retentit bientôt des cris surexcités de l'enfant et un bruit de voix lui parvint du grand salon dont les portes étaient fermées.

« Il y a une réunion de vente, Madame », expliqua Oliver, remarquant l'air surpris de Prune.

Mon Dieu, elle avait oublié! Noël avait la fâcheuse habitude d'organiser des meetings, des cocktails professionnels et autres réceptions réjouissantes à la maison.

« Monsieur a téléphoné de Detroit, Madame, il rappellera ce soir. »

Que va-t-il inventer? se demanda-t-elle. Allait-il lui dire qu'elle n'avait rien compris? Que c'était la femme de chambre qui lui apportait son café? Elle savait que c'était faux et elle avait définitivement perdu confiance en lui. Contre cela, il ne pourrait rien.

Elle regarda sa montre. Elle attendrait qu'il rappelle. Elle était décidée à ne lui poser aucune question, à ne l'accuser de rien. Il prenait l'avion ce soir et serait là demain. Elle le laisserait simplement dire ce qu'il avait à dire parce qu'elle l'aimait trop pour ne pas garder l'espoir – même faible – de se tromper.

A 11 heures, ce matin-là, Noël avait rendez-vous avec Bill Masters, le président-directeur général de la Great Lakes Motor. Après les préliminaires d'usage, Noël lui expliqua pourquoi il avait sollicité cet entretien.

« Vous n'êtes pas un candidat ordinaire, Noël, dit Masters en secouant la tête. Le conseil d'administration serait difficile à convaincre – et moi aussi, je dois dire. Vous avez fait vos preuves en France – personne ne songerait à le nier. Mais, là, il s'agit des États-Unis. Le jeu est différent. Nous avons Wall Street et une quantité d'actionnaires accrochés à nos basques. Si vous leur expliquez que vous allez investir leur argent dans une nouvelle technologie mais que, pendant quelques années, ils toucheront moins de dividendes, vous verrez leur tête! Ça aurait des répercussions sur l'économie tout entière.

– Je ne pensais pas en arriver là. Cela pourrait se faire progressivement. J'aimerais avoir la possibilité d'en discuter avec vous et avec le président du conseil d'administration au cours d'un déjeuner.

– Arthur est à Washington aujourd'hui. Il ne rentrera qu'en fin d'après-midi. Mais nous pouvons déjeuner tous les deux et vous me direz comment vous envisagez les choses. »

Noël observa son adversaire. Il avait mordu à l'hameçon, même s'il ne semblait pas emballé par sa candidature. C'était toujours ça.

Pendant le déjeuner, il dit à Masters : « Les bénéfices de la société s'amenuisent de mois en mois. Si vous ne faites rien, vous allez vous retrouver sur la même pente savonneuse qu'en 1973. Bien sûr, les profits varient au cours de l'année mais nous savons tous que la Great Lakes Motor est en difficulté et, si imaginative que soit la comptabilité, elle ne pourra plus le cacher bien longtemps. Cette industrie doit penser à long terme. Les actionnaires s'en sont fourré suffisamment dans les poches. Il est temps d'investir. »

Masters regardait le serveur découper les filets de sole et les déposer avec délicatesse dans son assiette. Il apporta ensuite une salade verte. Masters attendit que le saumon de Noël fût servi pour commencer.

« Je remarque que vous faites attention à votre cholestérol, dit-il, voyant que Noël buvait de l'eau Perrier. A propos, vous avez sûrement entendu parler de ce pauvre Lance Anthony? Quel dommage! C'est un type très bien. En fait, il devrait être à votre place, en ce moment.

– Oui, c'est une sale histoire, répondit prudemment celui-ci.

– Oui. Heureusement, il a la chance d'avoir une épouse charmante et des enfants qu'il adore. Mais une retraite anticipée est d'autant plus dure à prendre que vous êtes compétent dans votre travail. A présent, revenons à nos moutons. Si vous me parliez de la Great Lakes Motor?

– Volontiers. A mon avis, c'est très simple. Il faut éliminer la demi-douzaine de divisions qui produisent leurs propres voitures et les réduire à deux. Une division grandes voitures, une division petites voitures. Gérez-les comme des sociétés autonomes et laissez-leur la responsabilité de leur production. Débarrassez-vous des services études et fabrication et sous-traitez. Créez une société totalement indépendante qui aura pour mission de trouver la réponse appropriée à la concurrence japonaise en réduisant vos coûts. Impliquez davantage les ouvriers. Faites-leur signer des accords avec la direction, comme font les Japonais, de sorte qu'il n'y ait plus de tensions internes. Qu'ils aient l'impression de vous donner autre chose que leurs bras et leurs mains. Il faut qu'ingénieurs et dessinateurs travaillent en étroite collaboration. Ils parviendront ainsi, comme nous l'avons fait pour la « Duc », à sortir une voiture en trois ans au lieu de cinq. »

Masters l'écoutait avec attention. « Noël, j'ai bien peur que vos idées ne séduisent pas le conseil d'administration.

– De toute façon, le conseil d'administration se prépare des jours difficiles, qu'il écoute ou non mes idées. »

Délaissant son repas, il entreprit de réexpliquer point par point sa théorie.

« Bon, bon, finit par dire Masters. Voyons si nous pouvons joindre Arthur ce soir. Vous pourrez lui exposer vos théories. »

Noël s'adossa à sa chaise. Il avait gagné la première manche.

Arthur Oranelli, soixante-sept ans, était né de mère irlandaise et de père italien. Il avait la réputation d'être pugnace comme ses ancêtres maternels et gai comme le sont généralement les Italiens. C'était un *self-made man*, comme Noël. Assis en face de lui dans sa belle maison de Grosse Pointe, Noël, un whisky à la main, sentit qu'il pourrait lui parler franchement. Arthur Oranelli le jugerait sur ses mérites et sur sa carrière pour décider s'il convenait ou non de le propulser à la tête de la G.L.M.

Il était plus de minuit lorsqu'il finit d'exposer son point de vue et de répondre aux questions. Il se sentait complètement vidé. Il laissa son regard errer sur la bibliothèque de son hôte qui passait pour un amateur de livres rares.

« J'adore la littérature, dit ce dernier, en suivant le regard de Noël. Et j'aime les voitures. Votre cas est différent. L'automobile est votre passion et, parfois, la passion obscurcit le jugement. »

Noël demeura silencieux.

« Qu'attendez-vous exactement de la G.L.M. ? Le monde est en admiration devant vous et je crains que ça vous soit un peu monté à la tête. Vous avez l'air de donner dans le star système. »

Noël crispa ses doigts sur son verre. « Ce sont les médias qui ont créé ce personnage. Je n'y peux rien. Mes objectifs sont beaucoup plus personnels. Quand j'étais jeune, je n'avais pas un rond. C'est mon amour pour les voitures et les moteurs qui m'a permis d'en arriver là. C'est le pouvoir, et non la célébrité, qui m'intéresse. Je sais que la fonction d'un président de grosse société n'est jamais facile. C'est un poste convoité et, au moindre faux pas, la presse qui m'encense aujourd'hui tirera sur moi à boulets rouges. » Il haussa les épaules. « C'est son affaire. A présent, vous connaissez la mienne. »

Oranelli hocha la tête. « Vous êtes franc et c'est une qualité que j'apprécie. Dans ce métier, la franchise peut favoriser ou ruiner une carrière. En l'occurrence, j'ai l'impression qu'elle vous aidera. Tout ce que vous m'avez dit ce soir tient debout, même si, pour mille raisons, tout n'est pas réalisable. Ce sera à vous de trier. En attendant, je vous considère comme mon éventuel successeur. »

Noël se leva d'un bond pour serrer la main d'Oranelli. « Merci, monsieur. J'en suis très heureux. Merci infiniment. »

Oranelli se mit à rire. « Votre réaction me donne envie d'être jeune à nouveau. En vieillissant, les choses perdent de leur saveur. Dites-moi, Noël, demanda-t-il en le raccompagnant à la porte, qu'allez-vous faire de Courmont ? C'est une affaire de famille, n'est-ce pas ? Et une filiale de l'U.S. Auto ? Que va-t-il se passer si vous rentrez à la G.L.M. ? »

Noël ne sut que répondre. Il n'avait pas accordé une pensée à

Courmont depuis que Claire lui avait donné ce tuyau sur la G.L.M.

« Ma femme est présidente de la société, monsieur, dit-il après quelques secondes de réflexion. Nous avons une équipe solide et, naturellement, je choisirai mon successeur. Il n'y aura pas de conflit d'intérêts avec la G.L.M.

– Il peut y en avoir d'ordre privé, objecta Oranelli. Bien, bonsoir, Noël. Heureux d'avoir fait votre connaissance. »

En rentrant, repensant à sa conversation avec Oranelli, Noël se rendit compte qu'il avait complètement oublié d'appeler Prune et qu'il était censé se trouver, au moment même, dans l'avion de Paris. Il décida de prendre un vol tôt le lendemain matin et de lui téléphoner de l'aéroport.

70

Les bagages étaient dans la voiture. La douce jeune fille que Prune, échaudée par sa mésaventure avec Nanny Launceton, avait engagée pour s'occuper de Charles et du futur bébé, attendait dans le hall, en serrant l'enfant par la main. Prune le trouvait adorable dans son manteau de lainage rouge, avec ses yeux gris toujours graves comme ceux de son père. La sonnerie du téléphone, bien qu'elle l'eût attendue toute la nuit, la fit sursauter. Oliver chargeait les bagages à l'extérieur et elle décida de répondre elle-même.

« Prune! Dieu merci, j'arrive enfin à te joindre! » Noël parlait d'une voix lasse.

« Tu aurais pu me joindre à n'importe quel moment, répondit-elle, glaciale. Je n'ai pas quitté la maison. Tu as décidé de rentrer?

– Je suis désolé, chérie. Hier j'ai eu une dure journée. J'ai fini vers minuit et je n'ai pas osé t'appeler, de peur de te réveiller.

– Il ne t'est pas venu à l'esprit que j'allais passer une nuit blanche à attendre ton appel?

– Écoute, il se passe à Detroit des choses très importantes. Je ne peux pas t'expliquer ça par téléphone.

– Et la fille que j'ai eue au bout du fil? C'est le repos du guerrier? » Il y eut un silence. « Alors, Noël? Ça non plus, tu ne peux pas en parler au téléphone? De toute façon, inutile de te fatiguer. C'est ta maîtresse, je l'ai compris tout de suite. Rien qu'à sa voix.

– C'est faux, Prune...

– Tu parles! Elle sortait du lit... Elle m'a répondu d'une voix tout ensommeillée. » Elle attendit, priant pour qu'il nie, qu'il lui prouve qu'elle se trompait. « J'ai raison, n'est-ce pas? balbutia-t-elle.

– Que veux-tu que je te dise?

– La vérité.

– Je ne t'ai jamais menti.

– Alors, c'est vrai? Elle sortait bien de ton lit?

– Oui... Mais ce n'est pas ce que tu penses...

– Tu te fous de moi? Tu crois peut-être avoir affaire à la gourde qu'avait épousée Harry? Comment as-tu pu me faire ça? J'avais confiance en toi, je t'aimais...

– Je t'en supplie, chérie, ne cesse jamais de m'aimer. Cette histoire n'a rien à voir avec nous. Je t'expliquerai tout quand je te verrai.

– Quand tu me verras! Tu ne crois pas que tu devrais déjà être ici? Ma vie entière s'écroule et tu es à des milliers de kilomètres! Et tu ne prends même pas la peine de téléphoner! Va te faire foutre, Noël, je te déteste! » hurla-t-elle avant de raccrocher violemment. Elle monta l'escalier en trombe, ignorant Charles et la nurse qui la regardaient, interloqués.

Tremblante, elle s'assit au bord du lit en s'efforçant de retenir ses larmes. Il fallait qu'elle se calme. Il y avait Charles. Elle était une bonne mère, à défaut d'être une bonne épouse ou une bonne maîtresse. Elle but un verre d'eau glacée dans la salle de bains, puis s'aspergea le visage. Se sentant un peu mieux, elle redescendit. La sonnerie du téléphone retentit de nouveau.

« Oliver, cria-t-elle en prenant son fils dans ses bras, si c'est mon mari, dites-lui que je suis partie. Et que je ne reviendrai pas. »

Un épaisse couche de brouillard recouvrait Detroit, isolant Noël dans son appartement. Les grandes baies vitrées semblaient dissimulées derrière d'épais voilages grisâtres.

Noël avait fait ses bagages et attendait près du téléphone. La stéréo diffusait un austère chant grégorien et, seule, une lampe basse éclairait la pièce.

Toute les heures, Noël téléphonait à Saint-Jean-Cap-Ferrat, dans l'ancienne maison d'Alice. Quelqu'un décrochait, puis raccrochait. Marianne finit par répondre.

« Madame ne prend aucune communication », répéta-t-elle nerveusement. Oui, elle dirait à Prune de rappeler à ce numéro. « Mais, Monsieur...

– Oui, Marianne ?

– Ça ne sert à rien de rappeler. Madame ne veut pas vous parler. Vous devriez venir le plus tôt possible, Monsieur Noël. »

Oui, il le savait bien. S'il voulait préserver son mariage et garder Prune, il devait sauter dans le prochain avion et quitter cette foutue ville. Exaspéré, Noël téléphona à l'aéroport pour avoir des renseignements sur la météo, qui, pour le moment, interdisait tout décollage. Une hôtesse à la voix suave lui répondit que le brouillard devrait se lever en début d'après-midi et proposa de le rappeler pour le tenir au courant.

Noël se servit une troisième tasse de café noir, s'efforçant de penser à son entrevue avec Oranelli. Il espérait s'être mis le bonhomme dans sa poche car c'était de lui que dépendait sa nomination. Bill Masters se rangerait à son avis. Il frémit de joie en y pensant. Le rêve de toute sa vie... le summum du pouvoir. Il se mit à arpenter le salon jusqu'au moment où il se laissa tomber sur le canapé et rappela la villa à plusieurs reprises. C'était toujours occupé. Il comprit que Prune avait décroché.

L'hôtesse de la T.W.A. le rappela quelques instants plus tard. « Monsieur Maddox ? Votre vol est prévu à 1 h 45. Il fait beau à New York et votre correspondance pour Paris est assurée. Nous vous avons réservé une place sur le vol d'Air France. Vous décollerez à 6 heures et demie. Dois-je confirmer ?

– Oui, oui. Confirmez. C'est parfait. Merci beaucoup. »

Il raccrocha avec un soupir de soulagement. Il serait à Saint-Jean le lendemain matin. Il repensa à la voix angoissée de Prune au téléphone. Oh! Seigneur, il en était malade! Il lui dirait tout, lui ferait comprendre que ce n'était rien. Juste un coup de cafard.

Il regarda sa montre. Il était midi. Autant partir immédiatement pour l'aéroport.

Au moment où il éteignait la chaîne stéréo, la sonnerie du téléphone retentit de nouveau. « Zut! » Pensant que c'était peut-être Prune, il décrocha.

« Noël ?

– Oui, Bill ?

– Content d'être parvenu à vous joindre. Oranelli m'a dit que vous partiez pour la France aujourd'hui. Mais, avec ce satané brouillard, je me suis dit que vous seriez peut-être retardé. En deux mots, voici ce dont il s'agit : Arthur et moi avons discuté longuement de votre candidature. Nous y sommes tous deux favorables. Ce ne sera pas une campagne facile, mais nous aimerions beaucoup que vous soyez le prochain président de G.L.M.

– Merci Bill. Je vous remercie de votre soutien, répondit Noël, exultant.

– Arthur et moi envisageons de vous mettre au courant dès cette semaine. Pensez-vous que la société française pourrait se passer de vous pendant une dizaine de jours ? »

Un pâle soleil déchirait peu à peu le brouillard. Sans une seconde d'hésitation, Noël répondit : « Je resterai là aussi longtemps que vous aurez besoin de moi, monsieur. »

71

Le temps, dans le Midi, était particulièrement chaud pour la saison. Quelques clients s'étaient attardés à l'hostellerie et se baignaient encore dans la piscine. Prune se promenait dans le jardin, se retournant de temps à autre pour regarder son fils qui jouait sous un parasol avec sa nurse. Elle pensa au bébé qu'elle portait en elle depuis quatre mois, l'enfant de Noël. Elle se souvenait de sa joie lorsqu'elle lui avait annoncé la nouvelle. « Nous allons remplir la maison de petits Maddox, s'était-il écrié. Ils vont réveiller un peu cette vieille baraque et redonner de la vigueur à la lignée des Courmont! » Elle avait ri, heureuse de constater qu'il ne manifestait aucune des réticences qu'il avait eues pour Charles. Noël ne pouvait pas, cette fois, rendre sa mère ou son enfance responsables de l'échec de leur vie conjugale. C'était sa faute et sa seule faute. Il avait détruit l'amour et la confiance qu'elle avait en lui. Cela faisait une semaine qu'il prétendait être retenu pour affaires à Detroit. Il avait demandé à Marianne de la prévenir. Que fabriquait-il là-bas alors que sa société se trouvait en France? S'il l'aimait vraiment, il se serait débrouillé pour rentrer. Pourquoi n'était-il pas revenu pour essayer d'arranger les choses, au lieu de la laisser seule avec son chagrin et sa colère? La trahison de Noël était d'autant plus insupportable qu'elle l'obligeait à se remettre en question. Sans doute désirait-il davantage que ce qu'elle lui donnait. Mais quoi? Elle avait complètement perdu confiance en elle. D'abord Harry, puis maintenant Noël! Elle fit demi-tour et revint tristement vers la villa.

« M. Maddox a téléphoné, Madame, annonça Marianne. Vous devriez lui répondre. Rien de bon ne peut sortir de votre silence.

– Vous avez raison, Marianne », répondit-elle. Pour Charles et pour le bébé qui allait naître, elle n'avait pas le droit de laisser la situation se détériorer ainsi.

Noël téléphona de l'aéroport. « Prune, je suis à Nice. Je serai à la maison dans une heure. »

A la maison... il l'appelait encore la maison. En dépit de sa rancœur, elle sentit battre son cœur.

« Allô? Tu es toujours là?

– Oui, oui...

– Comment va Charles?

– Très bien.

– Et toi?

– A tout à l'heure », dit-elle en raccrochant.

A cet instant, elle comprit combien elle lui en voulait. Il pensait qu'il suffisait de débarquer en s'excusant pour qu'elle lui tombe dans les bras. Comme le faisaient les autres, sans aucun doute. Dieu, qu'elle le détestait! Elle souhaitait le faire souffrir autant qu'elle avait souffert!

Noël n'avait jamais vu Prune dans cet état. Elle avait les cheveux tirés, le visage amaigri et très pâle, le regard dur.

Il lui ouvrit les bras mais elle l'ignora et alla se poster devant la cheminée.

Il haussa les épaules. « Par où dois-je commencer? » demanda-t-il.

Elle lui décocha un regard glacial. « Par cette intéressante nuit, il y a deux semaines. Ou bien faut-il remonter plus loin? Combien en as-tu passé avec elle?

– Il n'y en a pas eu d'autres. Je connais cette fille depuis des années, mais j'ai complètement cessé de la voir. C'est une vieille histoire. Nous nous sommes rencontrés par hasard au Pontchartrain...

– Je vois... Vous avez remis ça en souvenir du bon vieux temps, en quelque sorte... »

Noël poussa un soupir. « Claire sortait d'une période difficile. Elle se sentait déprimée et seule, moi aussi...

– Et moi, alors? hurla Prune. J'étais aussi seule que toi! Mais la différence, c'est que, moi, je sais attendre. Je n'ai pas envisagé une seconde de tromper ma solitude avec un autre. Pourquoi as-tu fait ça?

– Je n'en sais rien, Prune. Je ne suis pas sûr de le comprendre très bien moi-même. Simplement, cette nuit-là, j'étais mal. Je me posais des tas de questions sur moi-même, ce que je faisais, qui j'étais...

– Des questions, toi? Tu ne me parais pourtant pas rongé par le doute! J'ai toujours eu l'impression que tu savais exactement ce que tu voulais et ce que tu faisais.

– Qu'est-ce que ça veut dire? demanda Noël d'un ton subitement las.

– Beaucoup de gens pensent que tu as épousé l'héritière de Courmont.

– Tu sais bien que c'est faux.

– Je me le demande, figure-toi. »

Il haussa les épaules. « Tu dis des bêtises. Je ne suis pas resté à Detroit pour une femme, figure-toi, mais simplement parce que le poste de président de Great Lakes Motor était à pourvoir et qu'il m'intéressait. Je l'ai eu! Oui, je l'ai eu. Il est presque sûr, maintenant, que le conseil d'administration sera d'accord. » Il s'avança vers elle, les bras tendus. « Prune, c'est pour ça que j'ai travaillé toute ma vie. Tu comprends ce que ça représente pour moi? »

Elle le regarda, incrédule. « Président de la G.L.M.? répéta-t-elle. Mais que fais-tu de Courmont dans tout ça? Que fais-tu de nous? Je comprends tout à présent. Je comprends tes manigances! Je t'ai offert Courmont en m'imaginant que tu avais les mêmes raisons que moi de souhaiter son succès. C'était notre entreprise, notre famille, notre vie, alors que pour toi il ne s'agissait que d'un tremplin pour te propulser plus haut dans l'échelle sociale. C'est pour ça que tu m'as épousée. Pour t'approprier Courmont!

– Ta société était au bord de la faillite. J'aurais pu l'avoir sans ton aide, répondit-il froidement. Je t'ai épousée parce que je t'aimais et parce que j'avais besoin de toi.

– De moi? Pourquoi, au juste? Pour te donner une identité que tu n'avais pas? » Elle se tenait devant lui, rouge de colère. « Une identité que tu n'as toujours pas, car tu es encore un pauvre petit orphelin, n'est-ce pas, Noël? Tu voulais un grand nom à la hauteur de tes ambitions, c'est ça? Tu joues les personnages énigmatiques, les solitaires, tu ne laisses personne t'approcher réellement et tu sais pourquoi? Parce que derrière tout ce mystère, il n'y a rien, à part une ambition forcenée. Pourquoi ne l'admets-tu pas, Noël? Ta mère t'a abandonné à la naissance parce qu'elle ne voulait pas de toi. Et toi, en compensation, tu veux *tout!* Seulement, pour recevoir, il faut donner. Ça, apparemment, tu ne l'as pas appris. » Elle le regarda, bouillante de fureur, incapable de se contrôler. « Tu peux devenir aussi riche que tu veux, aussi puissant, tu seras toujours l'orphelin de Maddox! »

Elle guetta sa réaction mais son visage demeura impassible. « Tu as raison, dit-il en se dirigeant vers la porte. C'est exactement ce que je suis. »

Il referma doucement derrière lui. « Bon Dieu! hurla-t-elle

comme une furie, tu ne peux même pas partir en claquant la porte! Il t'est absolument impossible de perdre ton sang-froid une fois dans ta vie? »

Elle se laissa tomber sur le canapé et, en larmes, martela les coussins. Qu'avait-elle dit? Elle se leva d'un bond en se maudissant, en le maudissant. « Je ne voulais pas dire ça, Noël, cria-t-elle, sortant en trombe de la pièce. Je ne voulais pas dire ça! » Mais il était déjà parti.

72

Noël conduisait lentement à travers la ville déserte, une unique rue bordée de maisons aux porches délabrés entrouverts sur des cours où de vieux rocking-chairs et des réfrigérateurs hors d'usage achevaient leurs jours. Il y avait aussi un hôtel miteux et un bordel devant lequel se rangeaient de vieilles bagnoles rouillées. Tout cela avait disparu, remplacé par une masse désordonnée d'usines et de supermarchés. Dans les champs qui, autrefois, entouraient la ville, s'entassaient les caravanes et autres *mobile homes*.

Noël Maddox roulait depuis une demi-heure en direction de l'orphelinat – tout au moins le supposait-il –, mais celui-ci n'était toujours pas en vue. Il s'arrêta devant un *Diner* éclairé au néon. Une pancarte signalait que le restaurant était à vendre. Il sortit sous la pluie battante à la recherche d'une cabine téléphonique, s'y engouffra et chercha dans l'annuaire à la lettre M. Il n'existait aucun institut ou orphelinat Maddox. Il était stupéfait. Toute sa vie, il s'était efforcé d'oublier cet endroit et, à présent, il se sentait dépité, presque furieux à la pensée qu'il avait disparu. Il s'approcha de la fenêtre du restaurant et jeta un regard à l'intérieur. Il devait sûrement y avoir quelqu'un qui pourrait le renseigner.

Il entra, s'assit à une table et regarda la serveuse maigrichonne en ôter les papiers gras et les cendres. Elle était d'âge moyen, avec un visage morne, sans illusions et des cheveux teints en blond dont on voyait les racines foncées.

« Ouais? fit-elle sans même lui jeter un coup d'œil.

– Un café, s'il vous plaît. » Elle repartit vers le comptoir et revint quelques secondes plus tard avec la cafetière fumante.

« Connaissez-vous l'orphelinat Maddox? » lui demanda-t-il.

Elle leva vivement la tête et une lueur d'intelligence anima son regard. « Et même si je le connaissais? Pourquoi vous voulez le savoir? »

Noël la regarda avec surprise. « J'ai perdu mon chemin, c'est tout.

– Pourquoi vous voulez allez là-bas? demanda-t-elle durement.

– Vous savez où c'est?

– Toujours au même endroit », répondit-elle en haussant les épaules. Elle reprit la cafetière et alla servir un chauffeur de poids lourd assis au comptoir. Noël les entendait discuter du prix de vente du *Diner*.

« J'aimerais bien avoir de quoi me le payer, dit-elle, posant bruyamment la cafetière sur la plaque chauffante.

– Pourquoi vous empruntez pas? demanda le chauffeur.

– Pourquoi? » Elle se mit à rire. « Regardez-moi, monsieur. Vous croyez que les banques, elles vont me prêter de l'argent? Ça a été comme ça toute ma vie. Personne m'a jamais donné ma chance. Pourtant, j' l'aurais mieux utilisé que le vieux, le fric. J'en aurais fait le meilleur restau du coin. »

Noël se dit qu'elle avait dû être jolie, un peu sauvageonne... un ou deux ans, avant que les marmots et la pauvreté ne l'usent prématurément. Une existence de frustrations et d'amertume. Voilà à quoi il avait voulu échapper. Cependant, c'était dans son enfance misérable qu'il avait puisé son énergie.

La serveuse revint et se planta devant lui, les bras croisés. Noël eut soudain conscience de ses vêtements élégants, de sa belle voiture garée dehors. Il n'avait pas voulu revenir ici comme un pauvre orphelin, mais doté d'une identité et avec les signes qui le proclamaient.

« L'orphelinat n'existe plus, expliqua-t-elle. C'est une maison de retraite maintenant. » Elle eut un rire caustique. « Comme ça, les orphelins qu'ont pas réussi, ils peuvent revenir à la case départ pour crever. »

Noël jeta un dollar sur la table et se leva.

« Tournez à gauche au feu, lui lança-t-elle avant qu'il n'atteigne la porte. A environ un kilomètre, prenez à droite devant le motel Dalton, puis première à gauche. C'est là. »

Noël claqua la portière de sa voiture. Il savait qu'elle l'observait derrière la fenêtre. Pour une fois, le ronronnement puissant de son moteur le laissa indifférent. Il tourna un instant la tête vers la silhouette immobile, puis démarra.

En sonnant, il regarda nerveusement derrière lui. Il avait effectué le trajet, qui lui paraissait si long autrefois, en un rien de temps. Il entendit la clé tourner dans la serrure et la porte s'ouvrit. Une jeune femme séduisante, en sweat-shirt rouge, lui sourit aimablement. « Bonjour... Vous voulez un renseignement?

– Oui, merci, répondit-il. J'ai vécu ici. » Il la suivit dans le couloir, s'attendant à respirer l'odeur familière du linoléum et du désinfectant, mais le sol avait été recouvert de moquette, les murs repeints et des tentures fleuries ornaient à présent les fenêtres.

Mal à l'aise, Noël lui expliqua qu'il cherchait à savoir qui étaient ses parents et souhaitait consulter les registres de l'orphelinat. « Attendez-moi un instant », dit-elle.

Deux vieilles dames longeaient le couloir qui menait au réfectoire. Quelque part, là-haut, un poste de télévision marchait. Il remarqua l'ascenseur, derrière la cage d'escalier. Inconsciemment il avait espéré que rien n'aurait changé, que tout serait resté comme dans son souvenir.

« Vous avez de la chance, dit la jeune femme en revenant. Nous avons conservé les dossiers, mais je ne peux pas vous aider dans vos recherches parce que j'ai beaucoup de travail. C'est l'heure du déjeuner. »

Elle le conduisit dans les anciens vestiaires. D'épais classeurs étaient rangés dans les placards. Les murs verts, les graffiti firent resurgir toutes sortes de souvenirs à sa mémoire, dont le fameux match de boxe qui lui avait valu son trophée.

Il ouvrit le tiroir marqué M et commença à feuilleter les dossiers. « Registre de la comptabilité Maddox », « Personnel de Maddox », « Réunions annuelles de Maddox », « Filles de Maddox », « Garçons de Maddox »...

Il sortit celui qui concernait les garçons et le plaça sous la lampe. Au bout d'une heure, il repoussa le dossier avec lassitude. Aucun enfant, né avant la guerre, n'y figurait. Il le remit à sa place et examina de nouveau patiemment chaque classeur. Enfin, il en dénicha un, rouge et noir, sur lequel le mot « Registre » était inscrit en lettres dorées. Il eut l'intuition que c'était le bon et s'y plongea.

En effet, à la date d'entrée du 5 avril 1934, il lut : « 23 heures 45. Un enfant abandonné, de sexe masculin, a été trouvé sur les marches. Agé de quelques jours. En bonne santé. Aucune pièce sur lui permettant d'identifier les parents. Nom : Noël Maddox. »

Enfin! Cela tenait en trois lignes, écrites à la main. *Personne ne savait qui était sa mère. Personne ne savait qui était son père. Ils n'existaient pas!*

Noël éteignit la lumière et sortit. Il rencontra la jeune femme dans le couloir et la remercia. Puis il franchit le portail de l'orphelinat pour la dernière fois. Il en avait terminé avec cette histoire. Personne ne l'avait fait; il s'était fait tout seul. Soulagé, libéré de sa hantise du passé, il appuya sur l'accélérateur pour rentrer à Detroit le plus vite possible et prendre l'avion pour Paris. Il voulait retrouver Prune et son fils. Ils étaient tout ce qu'il aimait et désirait au monde. Rien ne comptait en dehors d'eux.

En passant devant le restaurant où il s'était arrêté tout à l'heure, il ralentit et revit la pauvre serveuse. Il se sentit soudain empli de pitié pour elle. Elle n'avait jamais eu de chance et, elle lui sembla soudain symboliser tout ce qu'il laissait derrière lui.

Le propriétaire du restaurant accepta immédiatement le prix que Noël lui proposait. Le type de l'agence, en revanche, prit l'air soupçonneux lorsque Noël lui expliqua qu'il achetait le *Diner* pour la serveuse et qu'il devait faire tous les papiers à son nom; mais la commission et les cinquante dollars que Noël lui glissa dans la main eurent raison de sa méfiance. Au moins, se dit Noël, il avait donné sa chance à quelqu'un.

73

L'été indien avait brusquement fait place au froid de l'automne et le vent arrachait les parasols de toile rayée. Vêtue d'un chandail épais, Prune se promenait le long du rivage, reculant promptement lorsque les vagues éclataient trop près d'elle. Elle avait toujours détesté les changements de saison et ces premiers jours gris lui donnaient l'impression que jamais les beaux jours ne reviendraient. Tout comme Noël risquait de ne jamais revenir.

Elle se retourna et regarda les empreintes de ses pas. Le souvenir des promenades avec Alice et son petit chat s'imposa douloureusement à elle. Oh! Grand-mère, se dit-elle, misérable, que penserais-tu de tout ça? Quel conseil me donnerais-tu? Frissonnant sous les premières gouttes de pluie, elle se hâta de rentrer à la villa.

Charles courut à sa rencontre et se jeta à son cou en riant. Sa merveilleuse insouciance apaisait ses angoisses et, lorsqu'elle était avec lui, elle avait presque le sentiment que tout allait s'arranger. Mais la perspective des longues soirées solitaires la terrifiait. Elle récapitulait sans fin les événements, songeait à ce qu'il avait fait, à ce qu'ils s'étaient dit et rouvrait ses blessures.

Ce soir, il faisait froid et, après savoir fermé les rideaux, Prune alluma un feu dans la cheminée. Assise sur le tapis devant l'âtre, elle sentit soudain son enfant bouger en elle et elle posa sa main sur son ventre. Si seulement Noël était là... Elle tourna la tête vers le téléphone. Elle avait tellement envie qu'il appelle! Il ne s'était pas manifesté depuis une semaine, depuis qu'il était parti. Elle savait qu'il se trouvait à Detroit parce qu'elle avait téléphoné au bureau la veille.

La nuit tombait et des rafales de vent secouaient les arbres. Comme sa grand-mère lui manquait! Elle aurait su quoi faire. Alice se serait assise en face d'elle, dans son fauteuil, le chat sur ses genoux, et l'aurait contemplée avec tendresse. Qu'avait-elle dit la veille de son mariage? Ah oui! Elle s'en souvenait à présent. « *Gilles avait autant besoin de ma compassion que de mon amour. Si je l'avais compris, peut-être aurais-je agi différemment...* »

Alice lui avait dit que Noël cachait ses sentiments. Elle le savait, bien sûr, mais n'avait jamais pris la peine de se demander pourquoi. Elle connaissait les points faibles de Noël et s'il restait quelque chose de leur amour, elle l'avait sûrement tué avec ses mots cruels et stupides. Elle aurait donné n'importe quoi pour ne pas les avoir prononcés. Elle voulait le blesser, comme lui l'avait blessée... Ce serait facile de décrocher le téléphone et de l'appeler.

Elle pourrait même prendre un avion, se retrouver près de lui en quelques heures...

Noël avait connu cette femme longtemps avant elle. Pourtant, selon lui, il en avait besoin. Cela signifiait-il qu'elle avait échoué en tant qu'épouse ? Ou bien s'agissait-il seulement d'un besoin purement physique ?

« *L'amour est la seule chose qui compte*, lui avait dit Alice. *Souviens-toi de ça.* »

Elle décrocha le téléphone et, le cœur battant, appela le bureau de Noël à Detroit. On lui répondit que Noël était absent aujourd'hui. Devait-il rappeler ?

« Non, dit-elle. Je rappellerai demain. »

Étendue sur le canapé, elle repensa aux paroles de sa grand-mère. Elle avait raison, bien sûr. Elle aimait Noël. Et n'avait-il pas dit qu'il l'aimait, qu'il avait besoin d'elle ? Elle rappellerait demain. Pourvu qu'il ne soit pas trop tard !

74

Noël conduisait depuis des heures. Il scruta le panneau indicateur, espérant voir Aix, mais il lui restait encore quinze kilomètres à faire. Il avait pris directement sa voiture en sortant de l'avion de New York et il était mort de fatigue.

La petite ville commençait à fermer ses volets pour la nuit, lorsqu'il arriva enfin, mais il aperçut de la lumière dans un café, de l'autre côté de la place. Il se gara et traversa. « Je peux avoir un café ? » demanda-t-il.

Le patron le servit puis se mit à vider les cendriers, à essuyer les tables et à empiler les chaises.

Noël but son café. Dieu que c'était bon ! Il pensa à son fils qui devait dormir et se demanda ce que faisait Prune. Pensait-elle à lui ? Ou bien avait-il tué son amour avec ce besoin stupide, égoïste, d'être un « gagneur » ? Il pria pour qu'il ne soit pas trop tard. Il songea à l'appeler mais ce qu'il avait à lui dire ne pouvait être dit au téléphone. Il voulait la serrer dans ses bras, lui expliquer que le souvenir de leur première rencontre avait coloré toute sa vie, que c'était pour elle qu'il avait décidé de se battre. Il ne pouvait vivre sans son amour. Il voulait qu'elle sache qu'elle était la femme de sa vie, sa liberté, son avenir.

Il sortit dans la rue déserte et le patron éteignit la lumière derrière lui.

Il faisait très sombre. Il se dirigea vers sa voiture, perdu dans ses pensées.

Les phares d'une voiture semblant surgir de nulle part, trouèrent soudain la nuit. Il fut projeté en l'air et s'évanouit. La première chose qu'il entendit, en revenant à lui, fut le tic-tac de sa montre. Il ouvrit les yeux et scruta l'obscurité. Il tremblait de froid et la peur lui nouait les tripes. Il essaya de remuer les bras mais n'y parvint pas. Ses jambes refusèrent également de lui obéir. Roulant sur lui-même, il s'efforça de s'agenouiller, mais en vain. Pourtant, il ne ressentait aucune douleur, mais il n'arrivait pas à respirer. Il lui fallait absolument de l'aide. Noël se mit à ramper sous les platanes. Il se demanda s'il saignait. Il ne voyait rien. Bon Dieu, ce qu'il faisait noir! Et il avait si froid! Il repéra, de l'autre côté de l'avenue, une petite lumière qu'il essaya de ne pas perdre de vue. C'était une maison et une ampoule éclairait la porte d'entrée. S'il parvenait seulement à se traîner jusque-là, il serait sauvé. On appellerait un médecin, une ambulance. Il continua à ramper très lentement, s'arrêtant tous les quelques mètres pour reprendre son souffle.

Se hissant sur les marches usées, Noël leva la tête et aperçut une sonnette de cuivre. Au prix d'un immense effort, il se redressa. Il y avait quelque chose d'écrit à côté de la sonnette. Orphelinat Maddox? Les lettres d'acier se frayaient un chemin à travers son esprit confus. Était-il rentré à la maison?

Il s'effondra sur les marches, essayant de lutter contre la douleur. S'il la laissait prendre le dessus, elle l'emporterait, le tuerait... loin de la sonnette, loin de la lumière. *Loin de Prune* à jamais. Il se retrouverait seul – comme au début. Son cri retentit dans le silence de la nuit froide.

75

La sonnerie du téléphone réveilla Prune en sursaut. Les yeux embrumés par le sommeil, elle regarda la pendulette d'argent sur sa table de chevet. 5 heures! Elle décrocha promptement.

« Madame Maddox? Pardonnez-moi d'appeler si tôt, mais nous avons de mauvaises nouvelles à vous annoncer. Je suis le Dr Étienne Chapelle. Votre mari, Noël Maddox, a été victime d'un accident. Il est ici, à l'hôpital d'Aix. »

Prune, ébahie, se dressa sur son séant. « Vous devez faire erreur, lui dit-elle. Mon mari est à Detroit, aux États-Unis. Je sais qu'il y est parce que j'ai appelé son bureau hier après-midi. Il doit s'agir de quelqu'un d'autre.

– Non, madame. Il n'y a pas d'erreur possible. Il avait ses papiers sur lui. Il a été renversé par une voiture alors qu'il traversait la rue. Il serait préférable que vous veniez tout de suite. »

Prune écoutait ses paroles sans parvenir à y croire.

« Madame?

– Oui, oui, je suis là.

– Je suis désolé. Je sais combien il est pénible de recevoir un appel téléphonique à l'aube, mais je ne pouvais pas faire autrement. Venez le plus vite possible.

– Oui... bien sûr, j'arrive. »

Elle se leva comme une folle. Les murs semblaient l'enserrer, l'étouffer. Elle poussa les volets pour respirer l'air froid et se calmer. Mais comment était-ce possible? Pourtant, le médecin n'avait pas hésité une seconde. Il l'avait appelée aussitôt. Donc, c'était bien lui.

Le jour se levait. Prune pensa à son fils dormant tranquillement dans son lit et au bébé qu'elle portait en elle. Seulement, à présent, Noël ne reviendrait peut-être jamais à la maison. Elle enfouit son visage dans ses mains et se mit à sangloter. *Noël, ne meurs pas, s'il te plaît, ne meurs pas!* Il fallait qu'elle s'habille, qu'elle parte immédiatement le rejoindre.

Elle regarda autour d'elle, en pleine panique. Ils s'étaient aimés dans cette chambre, et aussi détestés. Son regard tomba sur la statue de Sekhmet. « Grand-mère, gémit-elle, grand-mère... »

Les premiers rayons du soleil éclairèrent la pièce et illuminèrent la fière tête de lion. Prune eut soudain l'étrange impression que Sekhmet lui rendait son regard. Galvanisée, elle se précipita vers elle en tendant les mains. « Grand-mère, dit-elle à haute voix, aide-nous! S'il te plaît, aide-nous! » Saisissant les mains de la statuette, elle crut sentir une tiédeur... Oui, les mains étaient aussi chaudes que les siennes. Puis, soudain, le rai de lumière se déplaça et le regard de Sekhmet retrouva son impassibilité, ses mains leur froideur de pierre.

Noël, dans le coma, avait la tête rasée et bandée. Son épaule droite était plâtrée, ses jambes soulevées, son poignet relié à un flacon de sang.

Son visage blême était amaigri. Prune s'assit à côté de lui et lui prit la main. « Noël, chuchota-t-elle d'une voix pressante, ne me laisse pas. Je t'aime, tu es ma vie. Ne me laisse pas maintenant. *Pense à nos enfants!* » Elle le regarda avec anxiété. Il ne pouvait pas mourir. Elle ne le laisserait pas mourir sans lui dire qu'elle l'aimait. « Je t'aime, Noël, je t'aime », cria-t-elle, en larmes.

Prune songea soudain que, s'il avait eu cet accident à Aix, c'est qu'il revenait vers elle. Curieusement, dans son affolement, elle n'y avait pas pensé. Elle ferma les yeux. La vision de Sekhmet surgit devant elle. Elle la regardait avec les yeux dorés d'Alice. Seul, l'amour comptait. *Noël était revenu lui dire qu'il l'aimait. Et il avait besoin de sa force à présent, autant que de son amour.* Elle prit sa main et lui sourit tendrement. *Elle était sûre, maintenant, qu'il allait s'en sortir.*

76

La villa avait un air de fête. Les tuiles du toit brillaient sous le soleil printanier et les mimosas commençaient à fleurir. Des gros bouquets de lilas, d'iris et de narcisses blancs mélangés avaient été disposés un peu partout dans la maison. La grande table de la salle à manger était recouverte d'une nappe en dentelle et un gâteau glacé, entourée d'une guirlande de roses en sucre, trônait en son centre. Du champagne rafraîchissait dans un seau à glace sur la desserte et on avait sorti, pour l'occasion, les ravissants verres anciens de Lalique, ceux d'Alice.

Une odeur appétissante venait de la cuisine. Devant, sur la terrasse, deux chatons marron prenaient le soleil avec cet abandon sensuel des félins.

La mer était très bleue et quelques nuages ronds et inoffensifs couraient très haut dans le ciel. Les cloches de l'église sonnèrent tandis que la file de voitures s'ébranlait vers la maison. Prune regarda Noël, assis près d'elle dans la vieille Courmont de Laïs, conduite par un chauffeur. Elle savait qu'il écoutait le bruit du moteur, jugeait sa performance dans la côte. Elle ne put s'empêcher de sourire. Même le baptême de sa fille ne parvenait pas à distraire complètement Noël des problèmes de voitures.

Lorsqu'il était sorti du coma, il lui avait dit avec un sourire malicieux : « Quelle ironie du sort! Quand je pense que moi, j'ai failli être tué par une voiture! » Puis des larmes s'étaient mises à couler sur son visage. Il pleurait, lui avait-il expliqué, parce qu'il avait failli tout détruire. Il était revenu vers elle pour lui dire que la seule chose qui comptait réellement, c'était les enfants et elle; sa visite à Maddox lui avait enfin fait comprendre que savoir d'où il venait n'avait plus d'importance pour lui. Seuls le présent et l'avenir présentaient un intérêt, à condition qu'elle les partage.

« Et que vas-tu faire pour la présidence de Great Lakes Motor? Je te connais, Noël. Ton ambition l'emportera toujours sur tes sentiments personnels.

– L'ambition est une part de moi-même, je n'y peux rien, Prune, mais maintenant je sais comment la canaliser. Je vais faire de Courmont la plus grande firme automobile européenne. Un jour, nos modèles de prestige seront les plus demandés sur le marché américain. Je pourrai jouer à mes jeux ici... si tu restes avec moi. »

La voiture quitta l'allée poussiéreuse et franchit le portail. Vêtu d'une robe de batiste blanche bordée de dentelle, le bébé dormait paisiblement dans les bras de sa mère. Prune attendit que Noël fût sorti de la voiture avec ses béquilles pour descendre à son tour. Elle savait qu'aujourd'hui il avait décidé de jeter aux orties son fauteuil roulant, de se remettre à marcher pour le baptême de sa fille âgée de trois mois.

Ce fut au cours d'un de ses pires accès de désespoir que Prune, avec un sourire un peu honteux, avait exhibé une vieille photo d'elle, les jambes emprisonnées dans les hideuses gouttières d'acier. « Je ne t'en ai jamais parlé, expliqua-t-elle, parce que je ne supportais pas de n'être pas comme tout le monde. J'avais tellement honte de ces horribles gouttières que je m'isolais complètement. J'ai pensé que, si je te le disais, tu penserais toujours à moi comme à une infirme, laide, aux jambes atrophiées. C'est ainsi que je me voyais. Mais j'ai triomphé de ça, Noël. Et tu le feras aussi. Je sais que tu y arriveras. »

Il l'avait prise dans ses bras, ahuri par cette confession. « Tu aurais pu avoir les deux jambes coupées que je t'aurais aimée de la même façon, espèce de folle », avait-il dit en l'embrassant. Peut-être cet aveu l'avait-il aidé pendant ces jours interminables où on lui réduisait ses fractures et où on le rééduquait. Il faudrait encore des mois – peut-être un an –, mais Noël, les médecins l'avaient promis –, retrouverait toute sa mobilité. Sur la cheminée, la photo joliment encadrée, voisinait maintenant avec le trophée de boxe de Noël sur lequel ils avaient fait graver : « Noël Maddox, champion de boxe junior. Orphelinat Maddox, 1946 ».

Remerciements

Je remercie :

M. Arnaud de Mareuil de la Société Moët et Chandon d'Épernay qui m'a fait part des activités de son père Camille de Mareuil et du comte de Vogüé dans la Résistance pendant la dernière guerre. Ses récits, ainsi que les nombreuses anecdotes de M. Jean-Paul Médard, ont donné à un chapitre de cette œuvre de fiction une base authentique;

la Wang UK Ltd dont la superbe machine de traitement de texte m'a fait gagner bien du temps;

la Chapell Music Ltd London qui nous a autorisés à publier la chanson de Cole Porter *I get a kick out of you* (© 1934 Harms Inc.).

J'exprime, en outre, toute ma reconnaissance à ma merveilleuse éditrice Maureen Waller qui m'a donné généreusement de son temps et de son talent.

Dépôt légal : juin 1987
N° d'édition : 5338 – N° d'impression : 7039
54-05-3686-02
ISBN 2-234-02046-8

ISBN 2-89149-389-3

Imprimé aux Etats-Unis, 1988